레네카 교수의
악교정 수술학

[지은이]
Johan P. Reyneke, MChD

[감 수]
김여갑·이동근

[옮긴이]
민승기·오승환·권경환·최문기

군자출판사

레네카 교수의 악교정수술학
Essentials of Orthognathic Surgery

첫째판 1쇄 인쇄 | 2005년 10월 24일
첫째판 1쇄 발행 | 2005년 10월 31일

지 은 이 Johan P. Reyneke
감   수 김여갑·이동근
옮 긴 이 민승기·오승환·권경환·최문기
발 행 인 장주연
편집 · 표지 고경선
발 행 처 군자출판사
등   록 제 4-139호(1991. 6. 24)

본   사 (110-717) 서울특별시 종로구 인의동 112-1 동원회관 BD 3층
         Tel. (02) 762-9194/5   Fax. (02) 764-0209
대 구 지 점 Tel. (053) 428-2748   Fax. (053) 428-2749
부 산 지 점 Tel. (051) 893-8989   Fax. (051) 893-8986

ISBN 89-7089-670-8

정가 120,000원

Johan P. Reyneke, MChD, FC MFOS (SA)

· Honorary Professor
· Division of Oral and Maxillofacial Surgery
· Faculty of Health Services
· University of the Witwatersrand
· Johannesburg, South Africa

· Clinical Professor
· Department of Oral and Maxillofacial Surgery
· University of Oklahoma College of Dentistry
· Oklahoma City, Oklahoma

· Private Practice
· Centre for Orthognathic Surgery
· Carstenhof Clinin
· Johannesburg, South Africa

김여갑

· 경희대학교 치과대학 졸업, 구강악안면외과 전공
· 경희대학교 대학원 치의학 박사
· 일본 오사카 치과대학 방문교수
· 미국 텍사스대학 Southwestern Medical Center at Dallas 방문교수
· 현, 경희대학교 치과대학 교수
· 현, 일본 오사카 치과대학 객원교수
· 경희대학교 치과대학 학장 역임
· 현, 경희대학교 치과대학 부속병원장
· 현, 대한구강악안면외과학회 학술대회장

이동근

· 서울대학교 치과대학 졸업, 구강악안면외과 전공
· 서울대학교 대학원 치의학 박사
· 육군 57사단병원 구강외과 과장
· 원광대학교 치과대학 교수 및 치과병원 병원장
· 현, 대전 선치과병원 병원장

민 승 기

· 원광대학교 치과대학 졸업, 구강악안면외과 전공
· 원광대학교 치과대학원 박사
· 스코틀랜드 글라스고우 캐니스번 병원 객원교수
· 현, 대한악안면성형재건외과학회 편집이사
· 현, 원광대학교 치과대학 병원장 및 구강악안면외과 교수

오 승 환

· 경희대학교 치과대학 졸업, 구강악안면외과 전공
· 경희대학교 대학원 치의학 박사
· 미국 University of Oklahoma 구강악안면외과 객원교수
· 현, 원광대학교 치과대학 구강악안면외과장 및 교수

권 경 환

· 원광대학교 치과대학 졸업, 구강악안면외과 전공
· 전남대학교 치과대학원 박사학위과정
· 한국보건산업진흥원 농어촌의료서비스기술지원단
· 현, 원광대학교 치과대학 구강악안면외과 교수

최 문 기

· 원광대학교 치과대학 졸업, 구강악안면외과 전공
· 원광대학교 치과대학원 석사학위 취득
· 전북 무주군 무주보건의료원 치과실 근무
· 현, 원광대학교 치과대학 구강악안면외과 교수

이제껏 수많은 악교정술에 대한 교과서와 저서들이 출간되었지만, 그 어떤 것도 악안면 기형환자를 치료하는데 있어 가장 핵심적 사항만을 전문적으로 언급한 책은 없었던것 같다. 이 책은 과학인 동시에 예술이라 불리는 악교정 수술분야에서 그러한 공백을 채워주기 위하여 쓰여졌다. 이 책에서는 악교정학의 기초연구부분은 제외하였다. 왜냐하면 이 부분은 다른 여러 교과서에서 자세히 언급하고 있기 때문이다. 대신 수술과 교정적인 원칙에 초점을 맞추어 임상가들이 복잡한 자료와 치료철학에 힘들어하지 않고 쉽게 악안면 기형을 치료하는 법을 배울 수 있도록 하였다.

이 책을 펼치면 처음에는 환자를 평가하는 원칙들이 간략하게 언급되어 있고, 그 다음으로 진단 및 분석, 치료계획 수립 및 수술 과정들이 그에 따른 합병증들과 함께 기술되어 있다. 그리고 그 다음으로 실제 환자 증례와 결과들이 제시되어 있는데, 이를 다각적으로 분석하여 환자교육의 지침으로 사용하여도 좋을 것이다. 또 이 책은 백 마디 말보다 한 장의 사진예시가 훨씬 효과적이라는 생각에 입각하여 될 수 있는 한 많은 그림을 삽입하였다.

이 책은 특별히 악교정술에서 핵심사항인 몇 가지 요소들에 대하여 특별히 다루고 있다. 예를 들어 두부방사선계측사진분석은 교정의사와 수술의사에게서 진단과 의사소통의 수단으로 항상 사용되고 있지만, 각 계측점들과 계측법들이 매우 복잡하고 다양하여 혼돈을 일으키고, 때로는 논쟁의 거리가 된다. 이를 해소하기 위하여 이 책에서는 여러 계측치와 계측법들의 상대적인 관계와 골격 및 연조직 및 치아의 상대적인 관계를 서로 명확하게 구분하였다. 이렇게 함으로써 임상가는 어떤 특정 기형에 대하여 정확한 분석이 가능하다.

악교정 수술분야에서 또 다른 중요 논점은 시각적 치료목표(Visual Treatment Objective,VTO)에 관한 것이다. 이는 수술-교정 팀원간의 상호목표의 공유와 의사소통의 중요한 수단으로써 각각의 악안면 기형 치료목표에 대한 순차적인 과정을 서로에게 제시할 수 있게 한다. 이 책에서는 많은 지면을 할애하여 각각의 기형에 대한 VTO를 어떻게 작성할 것인가에 대하여 자세히 기술하였다.

현대의 악교정 수술분야에는 많은 수술법이 개발되어 있지만, 이 중 특히 많이 쓰이는 3가지의 수술기법 즉 LeFort 1 Maxillary osteotomy(Segmental surgery를 포함하여), 시상 분할골 절단술, 이부성형술은 아직까지도 약간의 논란거리가 존재한다. 이 책에서는 이들 세 가지 수술법에 대해 자세하고 선명하게 기술되어 있으며, 각각의 스텝마다 알기 쉬운 그림을 곁들였다. 또한 성공적인 결과를 위한 기본지침과 술 후 합병증의 관리 등에 관하여서도 강조하여 기술되어 있다.

이 책은 전공의나 젊은 외과의사에게 알맞도록 디자인 되었지만, 매일 임상에서 기형환자를 접하는 숙련된 외과의에게도 기형환자 진단과 치료에 있어 여러 힌트와 새로운 아이디어를 제공할 수도 있을 것이다.

저자 개인적으로는 이 악교정학 분야의 여러 선구자들에게 깊이 감사하고 있으며, 그들의 어깨위에서 이를 기반으로 서 있는 우리 자신, 즉 현대의 임상가로서 70년대 이후 이 놀랍고도 흥미로운 분야를 개척하는 데에 일조를 했다는 사실에 큰 자부심을 느끼고 있다. 겉으로 보기에는 이 악교정학 분야에서 대부분의 과학적인 지식과 기술들이 이미 정립되었다고 느낄지도 모르겠으나, 앞으로도 새로운 개발과 발전이 이루어질 것으로 생각한다. 또 이 과학의 진보와 더불어 예술적인 요소도 함께 발전할 것은 의심할 여지가 없는 사실이다. 그런 의미에서 이 책의 모태는 지난 10여 년 동안 악교정술에 관한 여러 세미나와 코스 등에서 나의 절친한 동료인 Tony McCollum과 Bill Evance과 더불어 행해지고 쓰인 저술들이 모아져서 이루어 졌다. 이에 나는 이들 동료들의 열정적인 도움과 지지에 대하여 한없이 감사하고 있다. 이들은 어떤 때에는 마치 내 자신이 교정의사인 것으로 착각하게끔 만들기도 할 정도였던 것이다.

또 이 책은 나의 절친한 친구이자 동료인 Dr Wynand van der Linden의 도움과 격려 없이는 쓰이지 못했을 것이다. 그리고 이 책을 끝마칠 수 있도록 시간을 같이 허락하여 준 Professor John Lownie에게도 큰 빚을 졌다. 더구나 나의 개인병원 일을 하기에도 너무 바쁜 와중에서 수많은 서류들을 정리하고 타이핑하는데 헌신적으로 도와준 Antoinette Markram에게도 큰 감사를 드린다.

마지막으로 그동안 나에게 인내와 격려를 아끼지 않았던 아내 Ingrid, 아들 딸 Johan과 Mignon에게도 나의 이 깊은 사랑과 감사를 표하고자 한다.

Johan P. Reyneke, MChD

역자서문

1920년 대 Wunderer, Wassmund, Köle 등이 상. 하악골 분절골 절단술을 보고한 이래 악안면 기형에 관한 수술적 치료에 대해서 많은 임상가들의 연구 보고가 있어 왔다. 1950년대 초 Dr. Obwegesser는 하악지 시상골 절단술을 소개하였으며, 하악골 수술 후의 안정성을 강조하여 하악골 골절단술의 기초가 되었다.

이후 Obwegesser-Dalpont는 좀더 발전된 하악지 시상골 절단술을 소개하면서 하악골 과성장과 저성장에 있어 하악골 수술법이 한층 발전되는 계기가 되었다.

최근에는 악안면 영역의 어떠한 기형 및 변형도 모두 수술적 방법을 통해서 그 치료가 가능해졌고, 최근에는 치조골 절단술이나 악골 신장술 등을 통한 좀 더 구체적이고 정확한 새로운 술식들이 소개되었으며, 부분적 악골 이상에 대한 치료가 더욱 정교해졌다.

그동안 악골 수술에 관한 국내의 많은 연구 보고와 교재 등이 발표되었으며, 이중 미국 텍사스 주립 병원의 구강악안면외과 의사인 W.H.Bell 교수와 North Carolina 대학의 교정과 의사인 Proffit 교수가 공저한 Surgical correction of Dentofacial Deformities(1980) 책이 국내에서는 악교정수술의 대표적 교재로 많이 이용되었다. 이후 Epker(1984), McCarthy(1990) 등이 악교정술에 관한 좀 더 발전된 술식들을 소개하였으며, 국내에서는 박재억, 김재승 교수의 악교정술에 관한 책이 소개되었다.

그러한 기존의 책들은 기본적인 악교정술에 관한 진단 이론 및 전반적인 치료 술식에 관한 설명을 지적하였으며, 구체적인 증례 위주의 수술적 Know-how는 많이 소개하지 못하였다.

이번에 소개하는 본 교재는 남아프리카 공화국의 JP Reyneke 교수의 "Essentials of Orthognathic Surgery"는 많은 증례 경험을 통한 좀 더 구체적이고 솔직한 악교정술에 관한 수술적 기법 등을 잘 정리, 표현하였다. 개인적 표현에 의하면 Reyneke 교수는 35년 이상 동안 약 5,000여 증례의 악교정 수술을 시행하였으며, 현재도 임상적으로 열심히 악교정 수술에 임하고 있다.

비교적 증례 별로 진단 및 치료 계획, 임상적 특성들을 구별하여 정리하였으며, 특히 술자가 잘못 오인할 수 있는 진단 및 치료 과정을 솔직히 지적한 부분들이 많다고 할 수 있다.

향후 이 책이 많은 구강악안면외과 의사와 교정과 의사들에게 악안면 기형 환자를 진단하고 치료하는데 도움이 되길 기대하며, 그 동안 수고와 정성을 다해 주신 원광대학교 치과대학 구강악안면외과학 교실의 오승환, 권경환, 최문기 교수와 의국원 여러분께 깊은 격려와 감사를 드린다. 또한 본 교재를 성의있게 지적해 주신 경희대학교 구강악안면외과학 교실의 김여갑 교수님과 대전 선 치과 병원의 이동근 원장님께도 깊은 감사를 드린다.

그리고 본 교재가 출판되기까지 수고를 해 주신 군자출판사 장주연 사장님과 직원 여러분께도 아울러 깊은 감사를 표한다.

2005년 10월 연구실에서

감수의 글

이 책을 보는 순간 바로 이 책이라고 생각했습니다. 우리는 흔히 옷깃만 스쳐도 인연이라고 말합니다. 불교에서 옷 깃을 스치는 인연을 삼생의 인연이라고 하고, 입 섞어 말하는 것을 수생의 인연이라고 하고, 한 지붕 밑에서 사는 인연을 수십 생의 인연이라고 하고, 부모, 형제, 자매의 경우와 같이 훌륭한 스승을 만나는 인연을 수백 생의 인연이라고 하여 대단히 중요한 인연이라고 합니다. 훌륭한 스승을 만나는 것과 마찬가지로 좋은 책을 만난다는 것도 매우 깊은 인연이라고 생각합 니다. 우리가 살아가는 동안 읽은 한 권의 책이 우리 인생의 전환점을 이루기도 하고, 정치인들은 어느 시기에 읽은 한 권의 책에 의 해 세계를 진동시키는 큰 결정을 내리기도 하지 않습니까?

제가 이 책을 처음 보았을 때 앞서 말했듯이 바로 이 책이라고 생각했습니다. 악안면기형의 치료를 위한 환자의 전신적인 평가, 일 반적인 진단 및 치료계획, 각각의 경우에 따른 진단 및 치료방법을 설명하고 각각의 수술방법으로 나누어 상세히 설명하고 있습니 다. 내용을 보면서 느끼는 것은 단순한 학문적인 설명이 아니고 서로 마주 앉아서 의논하듯 각 증례에 대하여 한 단계씩 중요한 점을 지적해가면서 자신만의 실제적인 지식과 기술을 전해주고 있어서 친근감을 더해주고 있습니다.

이번에 Reyneke 교수와 함께 연구하고 돌아온 오승환교수를 중심으로 원광대학교 치과대학 구강악안면외과학교실에서 이 책을 번역한 것은 너무나 당연한 것이며, 의미 있는 작업이라고 생각합니다. 가장 정확하게 저자의 의중을 파악하고 이 책을 번역할 수 있 을 것으로 생각했기 때문입니다. 실제로 번역된 책의 내용이 좋았습니다. 이처럼 좋은 책을 감수하게 되어 개인적으로 큰 영광으로 생각합니다. 악교정수술에 관심 있는 모든 분들이 보시면 직접 Reyneke교수를 만나서 가르침을 받은 것과 같은 느낌을 느낄 수 있 을 것입니다.

제가 보지 못한 부분도 있을 것입니다. 지적해주시면 추후 보완할 기회가 있을 것으로 생각합니다. 그 동안 작업에 참여해주신 분 들께 진심으로 감사드리며 관심 있는 보다 많은 분들께 큰 도움이 되기를 기대합니다. 수고하셨습니다.

2005. 10
경희치대 부속병원장
김 여 갑

Table of Contents

제 1 장

악교정수술의 원리

오늘날 현대인들은 비교적 불규칙한 치아배열이나 턱 기형을 잘 이해하고 있으며 치아배열, 기능, 안면 심미를 개선시키기 위해 교정치료를 원한다. 그리고 이보다 더 심한 소위 치아안면기형(dentofacial deformity)이라 불리우는 몇몇 기형들은 치아교정과 외과적 수술이 함께 요구되기도 한다. 이러한 기형들은 여러 가지 방식으로 생리적인 구강안면(orofacial) 기능에 영향을 미칠 수 있다. 먼저 저작기능이 장애 받을 수 있는데, 특히 심각한 경우는 소화 및 전신적인 영양 균형에 영향을 줄 수 있다. 또 상악의 과도한 수직적 성장에 기인한 입술의 기능부전은 구호흡을 초래한다. 이것은 호흡시에 코의 생리적인 기능을 저하시킨다. 다음으로 신체의 적응능력에도 불구하고 말하는 기능도 치아안면기형에 의해 영향을 받는다. 또 불규칙한 치아배열은 적절한 구강위생을 유지하는데 심각한 영향을 미치고, 치아가 우식과 치주질환에 더 민감하게 만든다. 또한 정상적인 악관절 기능이 여러 종류의 구강악안면 기형에 의해 영향을 받는다.

악안면 기형의 신체적인 영향도 중요하지만 개인에게 악안면 기형의 사회심리학적 충격은 훨씬 더 중요하다. 그러한 기형은 삶의 질에 심각한 영향을 미치고 오랜 기간동안의 치료를 필요로 한다.

외과적 치료와 교정적 치료의 협진은 예전에 교정 치료만으로 교정할 수 없었던 치아안면기형의 치료를 가능하게 하였다(수직적 상악의 과잉 성장과 심각한 전치부 개교합 등). 악교정수술은 치아안면기형 환자에게 새롭고 흥미로운 치료의 가능성을 열어주었고, 골격적인 부조화를 가진 환자에게, 또 단지 절충적인 치료밖에 제공하지 못하던 교정의사에게는 새로운 방법을 제시하였다. 악교정수술의 경험, 생물학적인 기초에 대한 깊은 이해, 기술적 형태의 정교함에 의해서 환자는 안정적이고 심미적이며 기능적인 치료를 일상적으로 제공받게 되었다.

일반적으로 심한 골격적 불일치에 의해 부정교합이 야기되었을 때, 세 가지의 치료가 적용 가능하다.

1. 성장조절

성장하는 어린이에서는 악안면 정형술의 발달로 어느 정도 성장의 발현을 변경시킬 수 있게 되었다(얼마나 많이 바뀔 수 있을지는 많은 논쟁거리로 남아 있다).

2. 교정적인 절충치료(camouflage)

골격적인 기형에 대한 치아의 보상치료, 즉 교정적인 절충치료는 심미성을 양보하거나 손상시킬 수 있으며, 결과의 안정성을 위태롭게 한다. 또한 이러한 치료는 치료 기간을 증가시킨다.

3. 악교정수술

교정과와 구강외과 의사 협진치료는 일단 성장이 끝난 환자에게 악안면 기형에 대한 최고의 치료술식으로 간주된다.

악교정수술의 치료 목표

기능, 심미, 그리고 수술적 안정성은 악교정 수술의 가장 기본 목표이다. 이 세가지 목표는 악안면기형 환자 치료의 가장 근간을 이루며 서로 동시에 이루어져야 한다.

기능

종종 기형은 기능과 심미적인 측면에서 동시에 존재하며, 이런 경우 양자 모두를 교정하기 위한 치료가 계획되어야 한다. 임상가는 기능적인 문제를 치료하면서 동시에 안면의 심미성을 향상시킬 수 있는 기회를 가질 수 있으며, 그것을 최대한 이용해야 한다. 저하된 기능을 가졌지만 우수한 심미성을 가진 환자는 특히 주의를 요한다. 이러한 경우에 철저한 치료 계획으로 최상의 기능적 관계를 제공하면서 동시에 심미성이 악화되지 않도록 해야 한다.

심미

안모의 심미는 종종 환자의 주요 관심사가 된다. 이때 심미적으로 무엇이 문제인지에 대해 느끼는 환자의 인식이 가장 중요하다. 그리고 임상가의 첫 번째 임무는 환자의 심미적 관심이 무엇인지를 확립하는 것이다. 톨스토이는 어린 시절에 대해 "어떠한 것도 그 사람의 외모만큼 그 사람

의 마음을 지배하는 것은 없다. 그것은 외모 자체라기보다는 매력적이거나 또는 매력적이지 못하다는 그 자신의 확신이다" 라고 말하였다.

심미적인 불편 영은 종종 심각한 치아 악안면 기형이 결과이다. 어떤 경우에 심미성은 기능적인 문제가 치료되지 않는다 할지라도 외과수술만으로도 향상될 수 있다. 예를 들면 하악의 전후방적 결핍을 가진 환자에서 턱 끝만을 외과적으로 전방이동하고 기능적으로는 2급 부정교합을 받아들이는 경우이다. 반대로 상악의 수직적 과잉을 가진 환자에서 교정적인 치료만으로 1급의 교합을 얻을 수도 있다. 그러나 이 경우에 이상적인 심미는 이 경우 얻을 수 없다.

치아에 대한 교정적인 처치의 정도가 외과적인 악골 이동과 궁극적인 안모변화를 결정짓기 때문에 교정의사는 교정적인 치료를 시작하기 전에 근골격적인 기형을 가진 환자를 주의 깊게 평가해야 한다. 외과적 이동을 고려한 정확한 술전의 교정적, 외과적 치료계획은 양호한 기능적 결과뿐만 아니라 이상적인 심미적 결과를 얻기 위해서도 필요하다.

그림 1-1은 치열이 상악 골격의 수직적인 과잉과 하악의 전후방적 부전으로인해 절충되어있는 상태의 예이다. 기능적으로는 혹은 교합의 안정을 이루고 있으나 심미적으로는 매우 불량한 상태이며 그림 1-2는 외과적 수술 후 개선된 모습이다.

그림 1-3에서 환자는 그녀의 2급 부정교합과 상악골의 수직적 과잉성장을 가진 악안면 기형의 외과적 해결을 거부했다. 교정적인 절충 치료 계획은 상악 제 1소구치의 발치, 상악 전치부의 후방이동으로 교합을 재구성하였다. 그러나 교정 치료를 시작한지 4개월이 지난 후 환자는 그녀의 외모가 더 나빠졌다는 것을 느꼈고, 이 치료가 그녀로서는 받아들일 수 없다는 것을 알았다. 그리하여 다시 발치공간을 열기 위해 전치를 협측경사시키기로 결정하였다. 외과적 치료계획은 두 부분의 Lefort I 골절단술, 상악의 상방재위치술, 상악 후방부 전진에 의한 발치 공간의 외과적 폐쇄로 계획되었다(그림 1-4). 하악은 자동 회전될 것이고 턱

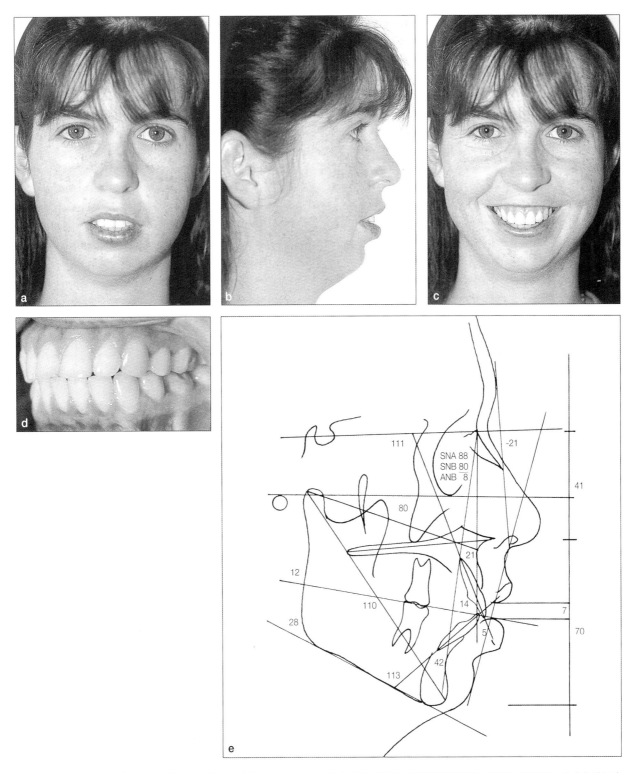

그림 1-1 20살의 이 환자는 턱이 너무 작아 보이고 자신의 gummy smile을 주소로 외과의사에게 의뢰되었다. 이전의 교정치료는 3년간 지속되었고 4개의 제 1소구치의 발거, 상악 절치의 후퇴, 하악 절치의 전방경사(proclination)를 보여준다. 그녀는 그녀의 골격적인 문제에 대한 외과적 치료에 대하여 의사로부터 제안 받거나 상담한 적이 없었다. (a)정면 사진 (b)측면 사진 (c)미소 (d)골격적 부조화에 대한 치아의 절충치료가 교합 모습에서 명백히 나타나 있다. (e)측모 두부규격 방사선학적 분석

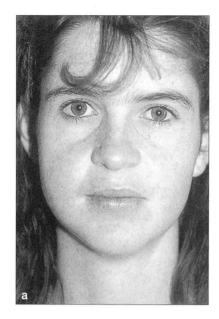
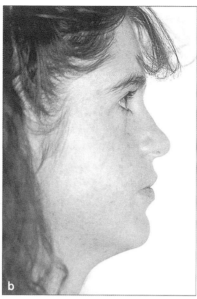
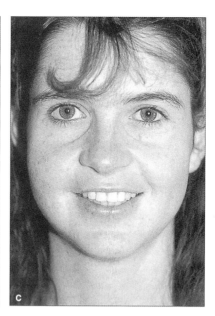

그림 1-2 이 환자에 대한 이상적인 치료는 술 전 교정으로 제 2급 부정교합을 만드는 것이었다(가능한 다른 발치 형태로). 그리고 그 후 상악의 수직적인 재위치와 하악의 전진이 뒤따른다. 그러나 이 경우엔 절충치료를 했다 할지라도 상악의 상방 재위치와 하악 이성형술에 의해 받아들일 수 있는 심미적인 결과가 얻어졌으며, 반면 현재의 교합은 유지되었다. (a)술 후의 정면 사진 (b)술 후의 측면 사진 (c)미소

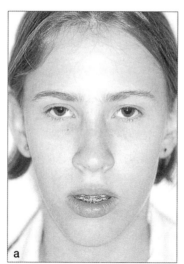
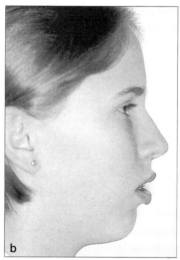

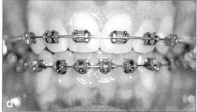
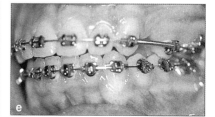

그림 1-3 이 환자는 수술하지 않기로 결정했기 때문에 절충적인(compromise) 교정 치료로써 두개의 상악 제 1소구치의 발거, 상악 절치의 후방 이동이 시행되었다. 더 나쁜 심미적인 결과가 정면 사진(a)과 측면 사진(b)에서 보여준다. 교합(c-e)과 측모 두부규격 방사선사진 트레이싱 사진 상(f) 제 2급 부정교합을 가진 상악의 수직적 과잉 성장과 왜소악의 진단을 확실하게 보여주고 있다.

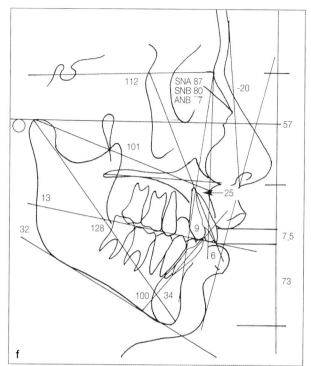

그림 1-3 계속

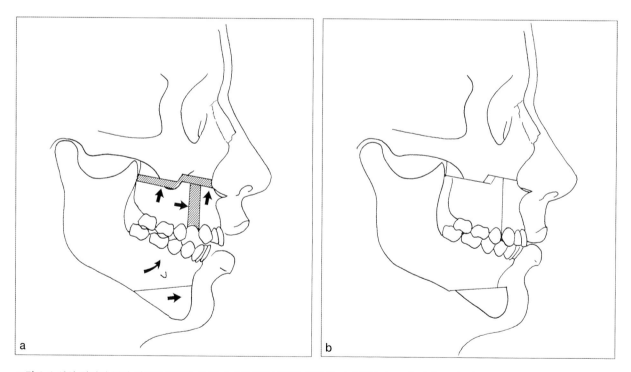

그림 1-4 상악 절치의 보상 치료를 제거한 후 제 1 소구치가 발치된 공간을 다시 열었다. 그 후 수술은 2분절(Two-piece)의 Le Fort I 상악골 절단술, 상악의 상방 재위치, 공간을 폐쇄하기 위한 후방부의 전진으로 구성되었다. 턱은 이부성형술에 의해 전진되었다. (a)외과적 치료계획 (b) 술 후의 치아, 골격, 연조직 위치

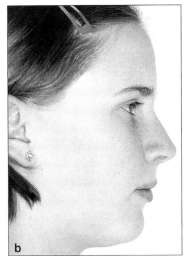

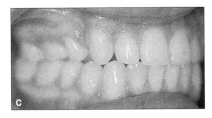
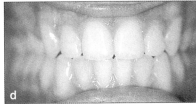
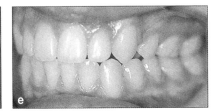

그림 1-5 (a)술 후 정면 사진 (b)술 후 측면 사진 (c-e)술 후 교합 결과

은 이성형술(sliding genioplasty)에 의해 외과적으로 전방 이동 될 것이다. 그 결과 받아들일 수 있을만한 심미적 결과를 얻어낼 수 있었다(그림 1-5). 그러나 교정적인 절충치료를 시행한 몇몇 증례에서 이를 다시 외과적으로 교정하는것이 기능이나 심미, 또는 수술적 안정성 측면에서 이를 제한하는 경우도 있으며, 심한 경우 치열 자체가 손상되거나, 또는 아예 수술이 불가능할 수도 있다.

안정성

안정성이 없다면 우수한 기능과 드라마틱한 심미의 달성도 아무 소용이 없다. 어떤 교정적 치아이동은 안정성

면에서 때로 매우 의문스러울 경우가 있다. 한 예가 골격적인 전치부 개교합을 수정하기 위한 치아의 정출이다. : 개교합을 치료하기 위한 이런 형태의 술 전 교정은 전체적인 결과에서 상당한 불안정을 증가시킨다. 생물학적인 기준척도를 넘어선 외과적인 재위치는, 각 개인에게 보다 적합한 근골격적인 관계에 맞도록 재발될 것이다. 그림 1-6, 1-7은 개교합의 교정적 치료가 안정성을 해치고 심각한 심미성 저하를 가져올 수 있는 경우를 보여준다.

어느 순간 교합적 안정은 치아에 가해지는 모든 힘의 총합의 결과이다(Enlow, 1990). 적절한 교정역학과 외과적 기술의 사용이 최적의 안정과 기능, 심미를 제공할 것이다.

6

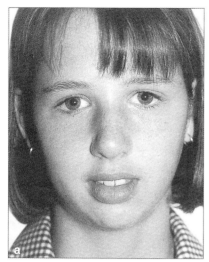
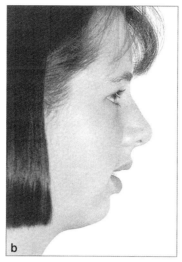
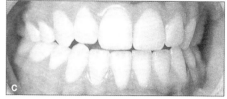

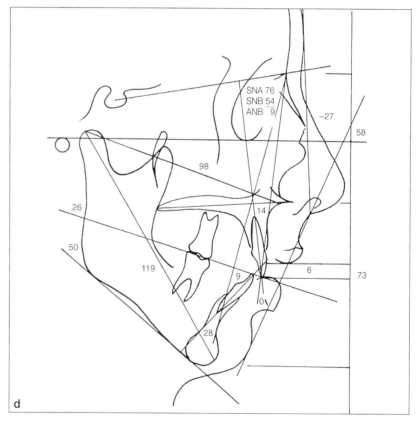

그림 1-6 15세 환자는 전치부로 음식물 씹는것이 불가능하여 의뢰되었는데, 과거에 전치부 개교합으로 교정치료를 받은 경력이 있었다. 4개의 제 1 소구치는 교정 과정상 발거되었고, 그 후 2년 간 치료받은 결과 교정밴드를 제거할 당시에는 교합이 매우 좋았다. 그러나 현재 정면상(a)과 측면모습(b)은 볼록한 안모와 상악의 수직과 성장 그리고 하악골의 전방결핍 모습을 나타내며 교합은 제 2급 부정교합과 개교합 모습을 보이고 있으며, 측모두부계측사진(d)에서도 이 모습이 명백하게 나타나 있다.

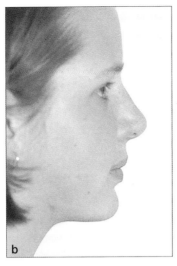
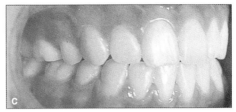

그림 1-7 환자는 교정밴드를 재부착하여 상악치열을 3부분으로 배열하였다. 즉 전치를 포함하는 전방부와 전치부터 제 2 대구치에서의 후방부로 나누어 치아배열을 이루었으며, 수술은 상악 후방부를 상방 재위치시키면서 확장하였고, 이에 따라 하악은 자동회전되었으며, 턱끝은 전방이동 이부성형술에 의하여 완성하였다. 그 결과 받아들여질 만한 심미와 기능이 정면(a), 측면(b), 교합(c)에서 보이고 있다.

환자 상담

정확한 치료계획과 빈틈없는 교정적, 외과적 실행은 치료목적의 달성에 필수적이다. 그러나 정작 중요한 것은 임상가들 사이뿐만 아니라 임상가와 환자 사이의 의사소통이다.

최초 교정 상담

불규칙한 치아배열과 안면 기형을 가진 환자들은 통상적으로 교정 의사로부터 치료를 구하기 때문에 최상의 결과를 얻기 위한 치료의 한 부분으로서 외과적인 과정이 필요하다는 것을 교정의사는 환자에게 설명해 주서야 한다. 최초의 교정 상담동안 임상적 검사가 행해지고 유용한 기록들이 얻어지지만, 그 기록은 외과 의사를 위하여 제공될 수 있다.

최종 교정상담

체계적인 환자 평가가 행해지고 교정 의사와 외과 의사가 최종 치료계획에 합의점을 찾은 후 치료 전의 최종 상담이 이루어진다. 이때 환자(부모 또는 배우자)에게 자세하게 상담해 주는것이 필수적이다. 잘 알게 된 환자는 지시에 잘 따르고 대체적으로 치료하기가 쉽다.

교정 의사와 외과 의사는 환자와 대화하는 자기 자신만의 방법과 그들의 신뢰를 얻는 방법을 발전시켜야 한다. 설명을 간단하게 하는 것과 문제점을 설명하기 위해서 방사선사진과 치아 모형을 사용하는 것이 중요하다. 문제에 대한 해결책은 일반적인 용어로 대화해야 하며 외과 수술의 필요성을 설명해야 한다. 술 전 치아배열의 중요성과 이 기간 동안 교합이 향상되지 않고 심지어 더 나빠질 수 있다는 것을 환자에게 설명해야 한다.

교정 의사가 필요한 수술의 형태를 설명할 때 단어 선택이 중요하다. 수술 과정을 묘사할 때 재위치(reposition), 길이증가(lengthen), 길이감소(shorten) 등과 같은 용어를 사용하며, 수술에 관한 보다 최종적이고 더 자세한 설명은 외과 의사에게 맡겨야 한다.

비슷한 문제를 가지고 있는 이미 치료된 다른 환자의 증례가 특별한 치료 목적을 보여주기 위해 사용될 수 있다. 대부분의 환자들에게 치료기간은 매우 중요하지만 특정한 기간을 정해주는 것은 바람직하지 않다. 그러나 환자에게 치료기간에 대한 일반적인 개념, 치료의 다양한 단계를 설명하는 전체적인 맥락, 각 단계의 순서, 각 단계에 소요되는 시간 등을 알려주는 것은 중요하다. 치료는 치료기간과 외과적 정확성에 영향을 미칠 수 있는 골밀도, 치주질환, 환자의 협조도, 연령, 치아발거 등과 같은 요인들에서 달라질 수 있다. 또한 이 단계에서 교정치료 단계의 비용에 관해서 알려주는 것이 중요하다.

전반적인 치료 과정에 대한 설명

담당의사는 여섯 단계로 구성된 일반적인 치료 계획을 환자에게 설명한다.

1. *치아에 교정용 밴드를 부착*

이 단계에서 필요하다면 발치(제 3대구치 포함)가 행해지고 통상 2~3주 후에 교정용 밴드가 적합된다.

2. *술 전 교정단계*

(평균적으로 9~18개월) 치아는 각각의 악궁에서 최적의 위치에 배열되며, 교정 의사가 이런 준비가 완성되었다고 만족하게 될 때 환자는 외과 의사에게 다시 보내진다.

3. *외과적 단계 그리고 치유 기간(4~6주)*

외과 의사는 외과적으로 악골을 재위치시키는데 양호한 교합과 균형 있는 안모 비율을 확립하기위해 가장 좋은 위치로 턱을 재위치시킨다. 짧은 치유기간이 지난 후 환자는 이 단계에서 교합조정을 위해서 교정 의사에게 보내지는데 술 후의 교정적 치료를 위해 수술 2~3주 후 교정 의사가 환자의 수술교합 상태를 점검 하는것은 매우 중요하다.

4. *완벽한 교합을 위한 술 후 교정 단계(3~6개월)*

수술 후의 교정 복적은 교합을 다듬는 것이다. 그것은 교합조정을 완성하고 만족스러운 결과를 달성하기 위한 약간의 치아이동을 포함한다.

5. *교정용 밴드의 제거*

6. *유지 단계(6~12개월)*

교정적 치료가 완료되었을 때 골과 함께 움직였던 치아는 그들의 새로운 위치에서 한참 동안 안정화될 필요가 있다. 교정과 의사는 유지장치를 만들어서 적합시키며 환자는 이것을 교정과 의사로부터 지시 받은 대로 장착한다.

최초 수술 상담

최초의 외과적 상담은 교정과, 외과 협진의 기본적인 원칙들에 대한 일반적인 내용과 수술이 필요한 이유 등이 포함된다. 교정과 의사와 외과 의사 양자에 의해 만들어진 포괄적인 치료계획을 설명한다. 이러한 상담에서 체계적인 환자 평가가 행해지고 기록을 얻는다.

최종적인 수술 상담

일단 교정 의사와 외과 의사가 치료계획을 완성하자마자 최종적인 외과적 상담이 행해진다.

수술 전에 필요한 교정적 준비상황을 확인한다. 특정한 외과적 치료의 기본적인 원리, 치료에서 외과적 단계의 일반적인 순서, 입원기간, 회복기간, 유동식의 필요성 등을 설명한다.

유사한 악안면 문제를 가진 다른 환자의 치료결과가 외과적 목적을 설명하기 위해 이용될 수 있다. 환자의 정보를 담은 소책자를 제공하고 환자에게 술 전 교정 단계동안 계획된 수술과 관련된 모든 내용에 대하여 외과 의사와 상담하고 동의했음을 재확인한다. 또한 계획된 수술비용, 입원비, 마취비용을 포함한 추산되는 비용이 이 단계에서 상담되어야 한다.

다른 진료과에 대한 진료의뢰

치아안면기형을 지닌 환자의 치료에서는 다른 진료과 임상의들간 진료의뢰가 필요하다.

치주적 의뢰

일반적으로 대부분의 치주질환은 교정용 밴드를 적합시키기 전에 치료되어야 하며, 치아와 치주조직은 치료 전에 건전해야만 한다. 교정치료 단계동안 구강위생의 중요성이 강조되어야 하고 밴드를 제거한 후에 치주치료의 필요성을 환자에게 언급해야 한다.

보철적 의뢰

교정적 유지기간 후에는 고정성 국소의치 상에서 어떠한 작업도 양호하게 수행될 수 있다. 그러나 종종 치료를 시작하기 전에 보철의와 상담하는 것이 환자에게 이익이 된다. 보철의는 악교정수술 치료와 보철적 재건의 측면에서 가치있는 기준을 제공할 수 있다. 즉, 측절치의 선천적 상실의 경우에, 치간사이 공간이 폐쇄되어야 하는지? 유지되어야 하는지? 또는 상실치가 임플란트 또는 고정성 국소의치로 대치되어야 하는가 등이다. 또 교정치료를 필요로 하지 않는 제한된 수의 치아를 가진 무치악 환자는 술 전 보철 상담이 필수적이다.

임플란트 의뢰

종종 악교정수술 시에, 요구되는 골유착 임플란트를 식립하는 것이 가능하다. 그러나 술 후 교정적 치아이동을 고려하는 것이 중요하다. 치아 임플란트는 밴드 제거 후 그리고 짧은 유지기간 후에 더 정확히 식립될 수 있다. 그러나 이차수술의 비용이 고려되어야 한다.

일반의와의 협진

치아우식, 파절, 그리고 잘 맞지 않는 인공치관과 같은 문제는 치료 시작 전에 처리되어야 한다. 어떤 치아 상태는 교정적 이유로 치아 발거 선택에 영향을 준다. 교정 의사나 외과 의사에 최초의 위임은 대개 일반의에 의해 행하여지므로, 환자의 치료계획 수립 및 치료과정에서 일반의의 참여는 중요하다. 일반의가 치료팀의 일원이 되게 해야한다.

의사소통의 중요성

환자의 주요 불만과 관심, 치아안면기형의 진단, 치료 가능성, 치료 목적에 관한 환자와 교정과 의사, 외과 의사 사이의 적절한 의사소통은 정말로 중요하다(그림 1-8). 환자와의 확실한 정보 공유가 환자와 임상가 사이에 신뢰를 확립할 것이다. 사람들은 의사가 얼마나 많이 알고 있는지 보다는 환자에게 얼마나 많은 관심을 가지고 있는지를 알고 싶어 한다. 외과 의사와 교정과 의사 사이의 의사소통 또한 매우 중요하다. 여기에서 의사소통의 결핍은 능률적이고 건전한 치료계획에 방해가 될 뿐만 아니라 때론 잘못된 치료 결과를 초래한다. 환자는 교정과 의사와 외과 의사 사이의 부족한 의사소통에 대해 걱정하며 그것은 혼란을 초래하기도 한다. 분명한 치료계획의 수립은 다음 세 가지 이점이 있다.

- 분명한 치료계획은 환자를 어떻게 치료할지에 대하여 교정 의사와 외과 의사 사이의 합의를 나타낸다.
- 치료계획과 목적이 모순 없이 환자에게 확실히 제시되어야 한다.
- 분명한 치료계획도 다소 변경될지라도 든든한 가이드라인이 된다.

치료계획은 술 전 교정 후에 수정되고 변경될 필요가 있을 수도 있다. 치료계획 변경에 대한 이유와 해결책이 악교정 팀과 논의되어야 한다. 이것은 곧바로 따르는 술 전 외과 상담에서 당황할 수도 있는 의외의 상황을 방지하기 때문이다.

우수한 교정적 치아배열과 훌륭한 외과적 기법이 우수한 임상적 판단, 최적의 의사결정, 적절한 의사소통, 환자와의 공감을 대신할 수는 없는 것이다.

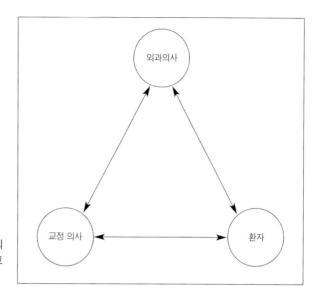

그림 1-8 친절, 의사소통, 그리고 환자, 교정 의사, 외과 의사 사이의 정보의 자유로운 흐름이 능률적이고 성공적인 치료를 촉진시키고 환자의 신뢰를 보증한다.

Recommended Reading

Bell WH. Modern Practice in Orthognathic and Reconstructive Surgery, vol 1. Philadelphia: Saunders, 1992.

Enlow DH. Facial Growth, ed 3. Philadelphia: Saunders, 1990.

Epker BN, Stella JP, Fish LC. Dentofacial Deformities: Integrated Orthodontic and Surgical Correction, vol 1. St Louis: Mosby, 1994.

Legan HL. Orthodontic considerations of orthognathic surgery. In: Peterson LJ (ed). Principles of Oral and Maxillofacial Surgery, vol 3. Philadelphia: Lippincott, 1992:1237–1278.

Precious DS, Hall BK. Growth and development of the maxillofacial region. In: Peterson LJ (ed). Principles of Oral and Maxillofacial Surgery, vol 3. Philadelphia: Lippincott, 1992:1211–1236.

Proffit WR, White RP. Surgical Orthodontic Treatment. St Louis: Mosby, 1990.

Reyneke JP, McCollum AGH, Evans WG. Towards Greater Acuity in Orthognathic Surgery, ed 3. Johannesburg: Univ of the Witwatersrand, 1996.

제 2 장

체계적인 환자 평가

치아안면기형을 가진 환자의 경우 치료 시작부터 교정의사와 악안면외과의사 사이에 정확하고 능률적인 의사소통이 있을 때 외과적 치료로부터 최선의 결과를 얻을 수 있으며, 이런 긴밀한 관계를 통하여 정보와 자료의 완벽한 교환이 이루어질 수 있다. 따라서 다음 토의 사항들이 교정의나 외과의 단독으로만 행해져서는 안된다. 각각은 필요한 표준적인 기록에 친숙해야 하고 환자에 관한 자료가 조사를 행한 의사와 관계없이 공유되어야 한다. 치료는 교정의와 외과의가 환자와 상담한 바로 후에 시작되어야 하고 치료계획은 공동으로 준비되어야 한다(기록은 복사될 수 있다). 체계적인 조사가 치아안면 기형을 가진 환자에게 적절한 평가와 치료계획을 위해서 필요하다. 통상적인 경우에 이러한 평가는 다음의 것을 포함한다.

A. 전신적인 환자 평가
  1. 의학적 병력
  2. 치과적 평가
     a. 병력
     b. 일반적 검사
     c. 치주적 고려
     d. 교합-구강 기능 평가
B. 사회 심리학적인 평가
C. 심미적 안모 평가
  1. 정면 분석
  2. 측면 분석
D. 방사선학적인 평가
  1. 측모두부계측 방사선사진 평가
  2. 전후방 두부계측 방사선사진 평가
  3. 전악 치근단 사진 평가
  4. 파노라마 사진 평가
E. 교합과 연구모형 평가
  1. 악궁내 관계
  2. 악궁간 관계
F. 측두 하악관절 평가

일반적 평가

의학적 병력

환자의 의과적 병력은 첫 번째 상담에서 환자가 작성한 설문지로부터 얻을 수 있다. 중요한 부분이 간과되지 않도록 하기 위해 설문의 범위에 주의를 기울여야 한다. 자료는 후속 질문에 초점을 맞추기 위해 사용되어야 한다. 존재하고 있는 의과적 문제는 더 심도 있게 논의되어야 한다. 이러한 의과적 문제들이 전신마취 또는 재건 수술을 복잡하게 만들 가능성에 관한 평가가 있어야 한다. 어떤 의학적 문제와 관련한 위험 관리와 잠재적인 합병증을 환자와 논의해야 하며 주의 깊게 기록되어야 한다. 또한 이러한 환자는 특별한 성장 양상을 보이고 교정적, 외과적인 치료에 예기치 못한 반응을 나타낼 수 있으므로 선천적인 증후군을 인식하고 조사하는 것이 중요하다.

치과적 평가

병력

예전의 수복, 교정, 치주, 그리고 안면 통증 치료가 있었는지 재검토되어야 한다. 종종 치과적 병력은 장래 치료에 있어서 환자 평가의 중요한 척도이다.

일반적 평가

구강 위생과 이전의 치아 치료는 환자의 치과 지능지수(dental IQ)의 좋은 표시이고 앞으로 치료의 동기유발이 된다. 우식, 치주적 그리고 치근단 병소, 그리고 미맹출 치아 또는 매복치의 존재에 주목해야 한다. 임플란트에 대한 필요가 마지막 치료계획 속으로 들어갈 수 있을지가 평가되어야 한다. 그러나 외과적 교정치료가 완성될 때까지 최종적 보철 결정은 연기되어야 한다.

치주적 고려사항

치주적으로 이환된 치아의 예후를 확립해야 하고 교정적, 외과적 치료의 효과를 고려해야 한다.

치주질환과 부적절한 부착지은은 교정치료 전에 관리되어야 한다. 오랜 기간의 관리, 더 나아가 치주치료와 그 예후에 대해 치주과 의사와 환자가 함께 논의하도록 해야 한다.

교합-구강 기능 평가

저작, 연하, 구호흡, 변형된 식이 습관, 최대 개구량을 기록한다. 말하기(speech)에 대한 치아안면기형의 영향에 주목해야 하고 환자의 치료 전 말하기(speech)에 대한 평가를 의뢰해야 한다. 혀 내밀기, 손가락 빨기, 입술 깨무는 버릇에 주목해야 하고 기형에 대한 그것들의 영향을 평가해야 한다.

사회심리학적 평가

종종 환자의 사회심리학적인 기질이 무시되는데 이는 치료에 대한 동기를 고려하고 치료로부터 환자의 기대를 결정하는 측면에서 아주 중요하다. 치료 결과에 대한 환자의 불만족에는 두 가지 기본적인 이유가 있다. : (1)환자에게 명백한 실제상태와 실현 가능한 치료결과(특히 심미적인 면에서)에 대한 정보제공의 실패 (2)치료 결과에 대한 너무 낙관적인 환자의 기대.

첫 번째 상담에서 환자는 악골수술의 개념에 대해서 부드럽게 그러나 철저하게 알게 해야 한다. 임상가는 즉시 환자에게 실제적이고 이해할 수 있는 악교정 치료의 원리들의 개요와 환자의 특이한 치아 안면 문제에 관한 일반적인 치료 가능성을 제공해주는 것이 중요하다. 환자의 관심, 동기, 기대를 이해함으로써 환자의 심리적인 건강도를 측정할 수 있을것이다. 임상가는 치료의 효과에 대해 환자가 과도한 기대를 가지지 못하게 조절하고 환자 스스로 치료효과에 대한 결정하도록 한다. 어떤 환자는 미래의 치료를 가

사회 심리학적 평가지표

1 첫 번째 상담에 누가 참여했나?

| 환자 | 아버지 | 어머니 | 배우자 | 친구 |

2 환자의 생각에 무엇이 잘못되었는가?

| 기능 | 심미 | 통증 | 말하기 | 없음 |

3 심미적 심각도에 대한 환자의 이해정도

| 1 | 2 | 3 | 4 | 5 | 6 | 7 | 8 | 9 | 10 |

약간   중간   많음

4 기능적 심각도에 대한 환자의 이해정도

| 1 | 2 | 3 | 4 | 5 | 6 | 7 | 8 | 9 | 10 |

약간   중간   많음

5 문제점을 지적하는 환자의 능력

| 1 | 2 | 3 | 4 | 5 | 6 | 7 | 8 | 9 | 10 |

부족   도움이 필요함   뛰어남

6 치료의 기대정도

| 1 | 2 | 3 | 4 | 5 | 6 | 7 | 8 | 9 | 10 |

비현실적   명확하지 않은 상태   현실적

7 동기정도

| 1 | 2 | 3 | 4 | 5 | 6 | 7 | 8 | 9 | 10 |

낮음   중간   높음

그림 2-1 사회심리학적인 평가 형태

족, 친구와 상의하기 위해 시간이 필요할 수도 있으며, 실제적인 치료 기대에 관한 추가적인 상담이 필요할 수도 있고 심지어 심리적인 유도를 통해 환자가 실제적인 치료 결과에 잘 대처할 수 있을 때까지 치료가 연기될 수도 있다.

환자 자신의 외모에 대한 인식은 종종 삶에 있어서 원동력이 된다. 얼굴 외모의 외과적-교정적 변화는 이런 원동력에 피할 수 없는 효과를 가져온다. 다음은 환자에게 고려할 수 있는 몇 가지 적절한 질문이다.

1. 환자(또는 환자의 부모) 생각 중 무엇이 잘못되었는가?
2. 왜 치료가 필요한가?
3. 왜 지금 치료가 필요한가?
4. 치료로부터 기대되는 것은 무엇인가?

그림 2-1은 사회심리학적인 평가 서식을 보여주는데, 이것은 임상가에게 환자의 사회심리학적인 상태에 대한 개요와 현존하는 문제점을 지적해 준다.

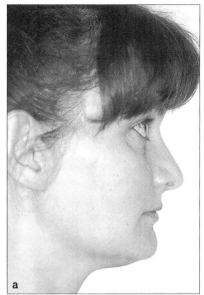
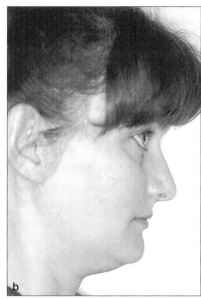

그림 2-2 자연스런 자세일 때 턱과 인후부의 임상적 평가가 가능하다. 자연스런 두부 자세와 앞으로 기울어진 자세와의 차이점에 주목하라.

심미적 안모평가

안모에 대한 임상적인 평가는 모든 진단 과정 중 가장 중요한 일이다. 심미적인 안모평가는 환자가 서있거나 편안히 앉은 상태에서 체계적인 방식으로 시행되어야 한다. 가장 강조해야 할 점은 정면에 대한 심미성인데, 왜냐하면 사람들이 바라보는 방향이기 때문이다. 자료는 특별한 서식상에 기록되어야 하고 점검표로 활용될 수 있다. 이때 비정상적이고 관련있는 자료만을 기록해야 한다. 개인에서 다양한 안면구조들 사이의 균형과 비율이 자료상의 수치보다 훨씬 더 중요하다. 또한 안모의 비율을 환자의 체격, 자세와 비교하는 것이 중요하다.

안모의 임상적인 검사는 항상 마음속에 두 가지 의문점을 가지고 행해져야 한다.

1. 비정상으로 진단된 치아, 골격, 연조직 구조를 교정-외과적인 치료에 의해 바로잡을 수 있는가?

2. 비정상적인 구조에 대한 교정-외과적 치료가 정상으로 간주되는 안모구조에 어떻게 영향을 줄 수 있는가?

환자의 입술은 이완된 상태로 치아는 중심교합으로 자연스런 두부 자세로 검사되어야 한다. 자연스런 두부 자세는 환자가 그들의 머리를 세우고 가장 자연스럽게 느끼는 자세이다. 그림 2-2는 턱의 위치, 턱-인후부 각, 턱-인후부 길이 등에서 두부 자세의 변화가 얼마나 많은 영향을 미치는지를 보여준다. 따라서 골격과 연조직 변화는 오직 자연스런 자세의 두부와 적절한 연조직 변화를 확실히 보증하는 이완된 입술에서 평가해야 한다.

교정적 그리고 외과적인 치료는 중심교합에서 이상적인 기능을 하도록 계획된다. 따라서 모든 검사 자료는 중심교합에서 기록된다. 그러나 상악의 수직적인 부전과 심한 과교합을 가진 환자는 이 규칙에서 예외이다. 상악의 부적당한 높이 때문에 이러한 환자들의 교합은 과교합되고 입술의 비틀림을 초래한다. 이러한 환자의 입술과 상악 절치-

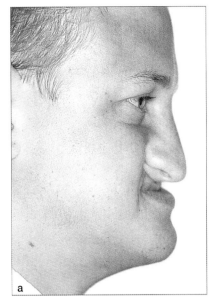
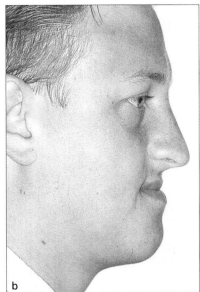

그림 2-3 상악의 수직적 결핍을 가진 환자. 치아가 교합된 상태(a)와 입술이 분리되는 순간(b)의 입술 형태와 하안면 높이의 변화에 주목하라.

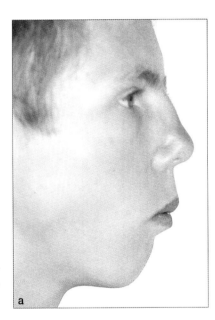
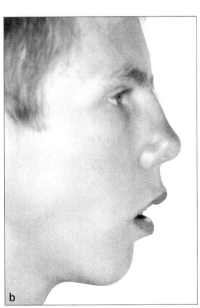

그림 2-4 측면의 하부 1/3은 입술이 편안한 상태(b)가 입술에 힘을 주어 다물때(a)와 현저히 다른 상태를 보여주고 있다.

상악 입술 관계를 정확히 평가하기 위해서는 이들이 개방 교합 상태에서 평가되야 한다. 이를 위해서 입술이 분리될 때까지 수직적 길이를 증가시키기 위해 치아사이에 왁스바이트를 위치시킨다. 치아 노출의 결핍, 입술 모양과 두께, 턱의 전후방적 위치, 입술 턱 주름, 윗입술 길이, 비순

각, 그리고 연조직 두께를 의미있게 평가해야 한다. 그림 2-3은 중심교합 상태와 개방 교합상태의 상악의 수직적 결핍(부전)을 가진 환자에서 연조직 특성의 심각한 변화를 보여주고 있다. 양 입술이 함께 힘을 받았을 때 경조직과 연조직과의 관계를 평가하는 것이 불가능하므로, 환자는

17

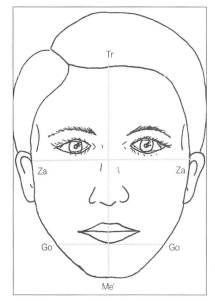

그림 2-5 안모형태. 안모 높이(trichion[Tr]-연조직 menton[Me´]) : 관골 사이의 폭(Za-Za)은 1.3 : 1(여자), 1.35 : 1(남자)일 것이다. 양하악각(Go-Go) 사이의 폭은 대략 관골사이 폭의 30%가 되어야 한다.

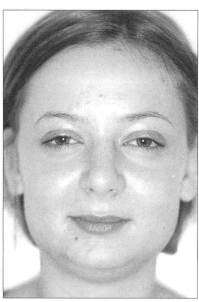

그림 2-6 이 환자에서는 양측의 교근의 비대 때문에 양하악각 사이의 폭이 관골 사이의 폭보다 더 크다.

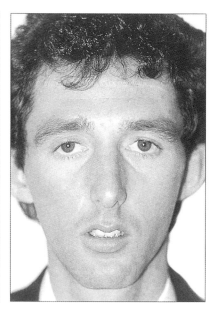

그림 2-7 길고 좁은 안모를 가진 환자. 관골 사이의 폭이 양하악각 사이 폭보다 30% 이상 더 크다.

반드시 입술이 이완된 상태에서 검사되어야 한다. 입술과 턱에 대한 근육적 보상의 효과는 그림 2-4에 묘사되어 있다. 입술 사이의 각, 입술-턱 주름, 입술 모양 그리고 상악 치아 노출에서의 변화에 주목할 필요가 있다. 전통적으로 S-N(sella-nasion) 평면과 FH(frankfort) 평면은 다양한 두부계측 방사선학적 평가와 임상적인 평가에서 참고할 수 있는 수평면으로 사용되어져 왔다. 그러나 환자는 그들의 머리를 바닥과 평행한 S-N 평면이나 FH평면을 따라 움직이지는 않는다. 두부계측 방사선학적인 계측점은 안모 측정과 치료계획에 사용되었던 두부자세를 나타내지는 않는다. 따라서 임상적인 평가는 자연스런 자세의 두부위치에서 행해져야 한다.

정모 분석

정면으로부터 안모형태, 즉 횡적인 거리, 안모의 대칭 : 안모의 상부, 중간부, 하부 1/3의 수직적 거리 및 관계, 입술 등에서 분석하는것은 특히 중요하다.

안모 형태

안모의 너비와 수직적 높이 사이의 관계는 안모의 조화에 강력한 영향을 미친다. 여자에서 높이와 넓이의 비율은 1.3 : 1이고 남자는 1.35 : 1이다. 양 하악각 사이의 폭은 양 관골사이 폭보다 약 30%정도 작다(그림 2-5). 길고 좁은 안모형태가 상악의 수직적인 과잉, 좁은 코, 상악의 전후방적 부전, 왜소악, 높은 구개궁, 전방부 개교합 관련이 있는 반

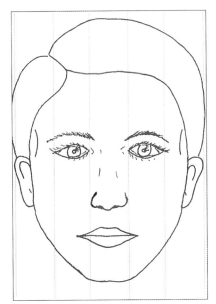

그림 2-8 횡적인 안모 비율

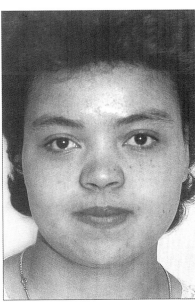

그림 2-9 양측의 교근의 비대 때문에 양하악각 사이의 폭이 증가되어 있다. 연조직 Gonion이 외측 눈초리를 통해 그려진 수직선보다 더 외측에 위치되어 있다.

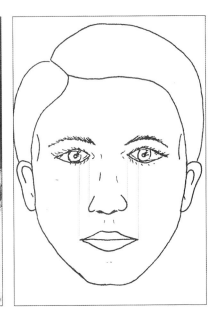

그림 2-10 내측 눈초리를 통과하여 그려진 수직선은 비익과 일치한다. 반면에 홍채의 내측 경계를 통과하는 수직선은 구각부와 일치한다.

면에 짧은 정방형의 안모형은 제2급 심피개 교합, 상악의 수직적 결핍, 교근의 과증식, 거대악과 관련이 있다(그림 2-6. 그림 2-7).

횡적인 거리

오분율(rule of fifth)은 횡적인 안모 비율을 측정하는 편리한 방법이다. 안모는 동등한 다섯 부분으로 나누지는데 한 쪽 귓바퀴에서 반대쪽 귓바퀴까지 각각은 대략 눈의 너비 만큼의 길이이다(그림 2-8). 바깥의 1/5은 귀의 귓바퀴의 중앙에서 눈의 바깥쪽 눈초리까지 측정된다. 현저하게 튀어나온 귀는 안모의 비율에 심각한 영향을 줄 수 있고 귀성형술(otoplasty)로 수정될 수 있다.

안모의 내측 두개의 1/5는 눈의 바깥 눈초리에서 안쪽 눈초리까지 측정된다. 외측 경계는 하악각과 일치한다. 긴 안모를 가진 환자는 gonial angle(하악각점 각도)이 이 선에서 내측으로 존재하는 경향이 있는 반면 교근의 비대를 가진 환자는 gonial angle(하악각점 각도)이 이 선에서 외측으로 떨어질 수 있다(그림 2-9). 내측의 1/5 내에서 입의 너비는 눈의 홍채의 내측 변연 사이의 거리와 비슷하다(그림 2-10).

중간 1/5은 눈의 내측 눈초리에 의해 윤곽이 그려지는데 이 선이 비익과 일치한다. 양안격리증을 가진 환자는 이 1/5이 다른 네 가지의 1/5과 비율이 맞지 않을 것이다. 비익이 이 선과 일치한다(그림 2-10). 상악의 전진과 상방으로의 재위치가 고려되는 환자 그리고 비익이 이 선에서 바깥쪽에 위치하는 환자는 수술동안 비익 너비의 조절이 필요하다.

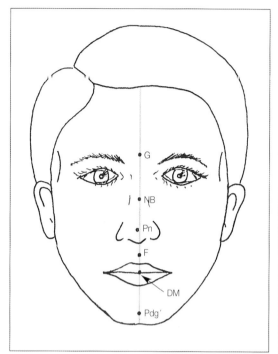

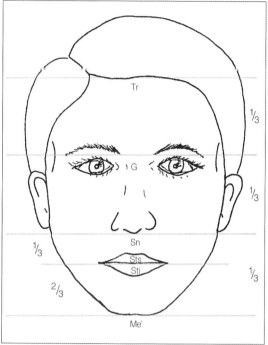

그림 2-11 안모 대칭. 중요한 정중선 구조물은 glabella(G), nasal bridge(NB), nasal tip(Pn), midpoint of filtrum of the upper lip(F), dental midline(DM), midpoint of chin(Pog)이다.

그림 2-12 안모는 trichion(Tr), glabella(G), subnasale(Sn)와 연조직 menton(Me´)을 통과하는 수평선에 의해 세부분으로 나누어진다. 하방 1/3은 다시 상부 1/3(Sn에서 stomion superius[Sts]까지)과 하부 2/3(stomion inferius[Sti]에서 Me´까지)으로 나누어진다.

안모 대칭

안모의 대칭성을 평가하기 위해서 연조직의 미간점 (glabella), pronasale(전비근점), center of the filtrum of upper lip and low lip(상순과 하순의 인중중앙점), 연조직 pogonion(하악점)을 지나는 가상의 선을 그려본다(그림2-11). 더 정확한 측정을 위해서 얼굴의 다른 부분들을 가리고 이러한 점들을 환자의 얼굴에 표시한다. 상악과 하악의 치아 정중선은 각각의 관계뿐만 아니라 안모의 정중선과 관련해서 평가된다. 이러한 관찰은 치아 정중선의 교정적, 외과적인 수정과 관련한 의사결정과정(decision-making process)에 중대한 역할을 한다. 또한 턱의 정중선과 관련하여 하악의 정중선을 평가하는 것이 중요하다. 이러한 정보는 하악 수술, 턱성형술, 또는 양자에 의한 하악 비대칭 수정에 대한 치료계획을 세우는 것에 도움이 될 것이다.

확실히 어떠한 얼굴도 완벽하게 대칭적이지는 않지만 양호한 안모 심미를 위해서는 눈에 띠는 비대칭이 존재해서는 안된다. 임상적으로 의미있는 비대칭이 존재할 때 후-전 방적 두부계측방사선사진이 필요하다. 이것은 임상가에게 원인요소가 골인지 연조직인지 아니면 두 요소의 결합인지 구별할 수 있도록 도와준다.

수직적인 관계

수직적 길이에서 안모는 동등한 세부분으로 나누어진다 (그림2-12) : (1) 상부 1/3(머리 카락[trichion]에서 glabellar(미간)), (2) 중간 1/3(glabellar(미간)에서 subnasale(비근하점)) (3) 하부 1/3(subnasale(비근하점)에서 이하점(menton))

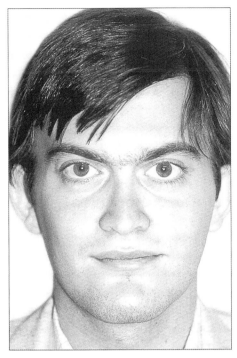

그림 2-13 중안모 결손을 보이는 환자에서 홍채 하방으로 공막이 보인다.

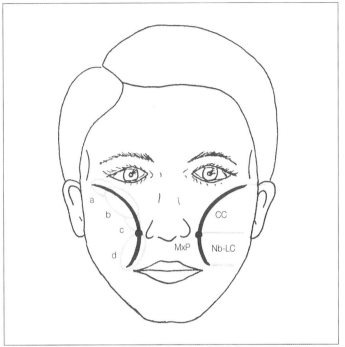

그림 2-14 광대뼈-코의 기저부-입술선 형태. 광대뼈부위는(CC) 세 부분으로 보인다.: (a)관골궁 (b)중간부 (c)동공 하방 부위, 상악점이(MxP) 곡선의 내측에 위치한다. 비저-상순 형태는 곡선은(Nb-LC) 상악점(MxP) 하방으로 연장된다. (d). 곡선은 방해없이 부드럽게 이어지며 구각부 외측까지 연장된다.

상안면부

다행히도 상안면부의 형태이상은 머리카락으로 가릴 수가 있다. 그러나 이 부위의 기형이 두개안면기형을 나타낼 수 있기 때문에 기록하는 것이 중요하나.

중안면부

코, 입술 중앙, 턱의 중앙(하안면부에서)이 수직선을 따라 있어야 한다. 일반적으로 환자가 자연스러운 머리위치에서 안검의 긴장을 풀고 정면을 바라본다면 홍채의 상하방으로 공막(sclera)이 보이지 않는다. 중안면부의 성장결손이 있는 경우 홍채의 하방으로 공막이 보이는 경우가 있다(그림 2-13).

광대뼈 부위, 코 주변 부위, 비익부의 돌출정도, 상순의 관계를 순차적으로 평가해야 한다. cheekbone-nasal base-lip curve contour(광대뼈-코의 기저부-입술선)의 형태는 코 주변부와 상순과 함께 중안면 부위(관골, 상악, 코의 기저부)의 구조물들의 조화를 평가할 수 있는 편리한 선이다. 이 선은 귀의 앞부분에서 시작해서 앞쪽으로 광대뼈부위를 지나 전하방의 코의 비익부의 기저부위를 통과하여 상순과 하순이 만나는 부위에서 끝난다. 선은 부드럽고, 곡선의 형태를 갖는다(그림 2-14). 곡선이 왜곡되는 부위가 있다면 이는 골격계의 형태이상을 의미한다. 그림 2-15는 상악부위에서 이선의 명확한 왜곡을 볼 수 있는데, 이는 상악의 전후방적 결핍을 나타낸다. 그림 2-16은 하악의 전후방적인 과잉에 의한 곡선의 왜곡을 볼 수 있다.

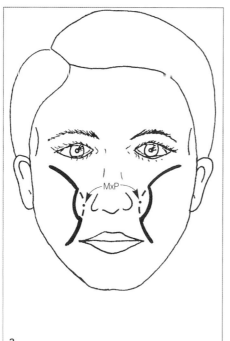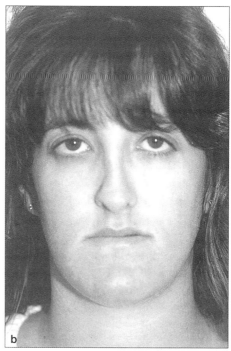

그림 2-15 (a) 상악점(MxP)에서 곡선의 단절. (b)상악의 전후방적 결손 환자. 광대뼈-비익-입술선이 상악점 (MxP)에서 단절되어 있다.

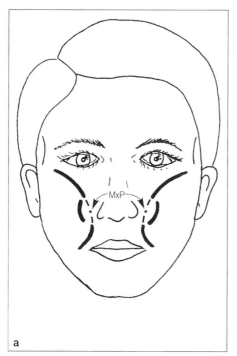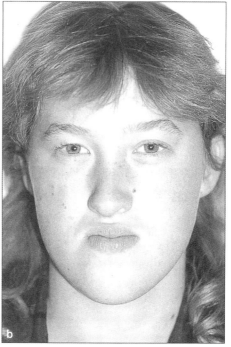

그림 2-16 (a) 상악점(MxP) 부위와 상악점 하방에서 곡선의 단절. (b)상악의 전후방적인 결손과 하악의 전돌을 보이는 환자. 광대뼈-비익저-입술의 형태가 MxP 부위와 그 하방에서 두 번의 단절되어 있다.

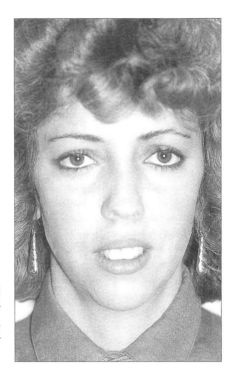

그림 2-17 과도한 상악 절치의 노출과 입술사이의 간격이 보인다. 정상적인 상악 절치의 노출은 상순 하방 1-4mm이다. 이 수치는 상순의 길이, 상악의 수직적 길이, 입술의 두께, 상악 절치와 각도에 영향을 받는다.

하안면부

안면부에서 중안면부와 하안면부의 수직적 길이의 비는 5:6 이다. 상순의 길이는 (subnasale에서 stomion superius 까지는) 하안면부위의 1/3을 차지한다. Stomion inferior 부위에서 연조직 menton까지의 길이는 하안면부의 2/3을 차지한다(그림 2-12).

정상적인 상순의 길이는 비근하점(subnasale)에서 stomion superius 측정시 여성에서 20±2mm, 남성에서 22±2mm이다. 만약 상순의 길이가 해부학적으로 짧다면 상하순 사이의 간격이 증가하게 되고 상악치아의 노출이 증가하게 된다. 이것을 상악골의 수직적 과성장과 착각해서는 안된다. 하순의 길이는 stomion inferius에서 연조직 menton(턱끝점)까지 측정시 여성에서 40±2mm, 남성에서 44±2mm이다. 과개교합(deep bite)의 경우 종종 상악 중절치에 가려져서 하순의 길이가 짧게 보이곤 한다. 상순의 길이는 반드시 하악 전치부의 길이와 연관시켜야 한다.

환자의 입술을 재위치시키면서 상순에 대한 상악 전치부의 노출 정도는 반드시 주의를 기울여야 한다(그림 2-17). 상악 전치부가 상순 하방으로 노출되지 않는 환자가 있다면, 치아와 입술과의 관계는 하악을 입술이 벌어질 때까지 개구한 후 평가되어야 한다(그림 2-18). 안면부의 중심선에 대한 치아 정중선의 관계는 기록되어야 할 중요한 요소인데, 이는 치아의 정중선을 교정적으로나 또는 외과적인 술식을 통해 조화시키거나 혹은 수정할 수 있기 때문이다. 치아 정중선의 이동은 치성 또는 골격적인 원인에 의한다. 다음과 같은 치성 요소들이 정중선의 이동을 일으킨다 ; 치간 공극, 치아 결손, 치아 회전, 잘못 위치된 치아, 총생, 금관, 고정성 국소 의치, 충전물 또는 임플란트 등이 치아크기의 변화나 부조화를 일으킨다.

하악을 포함하는 비대칭 안모에 있어서 턱의 정중선과 하악의 치아 정중선의 관계를 기록하는 것이 중요하다. 턱 부위는 대칭성과 수직적 관계, 형태를 평가한다. 교합평면의 기울어짐은 특히 안모 비대칭환자에 있어서 설압자를 물어 보게 하여 동공간선과 비교를 통해 평가해야 한다(그

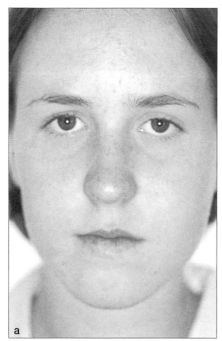
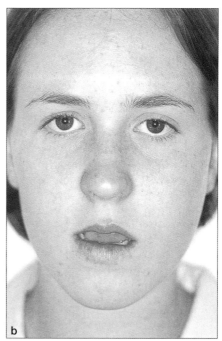

그림 2-18 상악의 수직적 결손을 보인다. (a)교합상태에서는 상악 절치와 입술의 비율을 평가할 수 없다. (b)상악 절치 노출의 부족은 입을 벌렸을 때 명확해진다.

림 2-19). 상악 치열궁의 수준(상악 견치 끝 사이)은 반드시 하악 치열궁의 수직적 배열(하악 견치 끝사이)과 구별되어져야 한다. 그러나 이런 평가들은 안구가 수평선에 평행한 상태에서 이루어져야 하며, 따라서 안구의 형태 이상은 이런 관찰들에 영향을 줄 수 있다. 비대칭안모와 교합 평면의 경사가 있는 환자는 좀더 정확한 평가를 위해 두부계측 방사선사진의 촬영이 필요하다.

미소 시에 치은의 노출량 또한 기록해야 한다. 미소 시에 이상적인 치아의 노출은 치관전체와 함께 2mm정도의 치은이 노출 되는 것이며, 여성이 남성에 비해 더 많은 노출을 보인다. 미소를 평가할 때 다음과 같은 것들이 치아 노출에 영향을 준다는 것을 명심하고 있어야 한다. (1) 상악의 수직적 길이 (2) 입술의 길이 (3) 상악 절치들의 치관 길이 (4) 미소시 입술의 운동량 (5) 입술의 큐피드 궁의 형태

수술적인 방법을 통해 상악을 상방으로 위치시키는 것은 오직 치은의 과다한 노출과 함께 입술간의 간격의 증가, 상악 중절치 노출의 증가, 하안면부의 수직적 길이의 증가가 있는 경우에 적응증이 된다. 상방으로 위치시키는 양은 치아의 노출, 입술의 길이, 치관길이의 정도와 성별에 따라 결정된다.

상악을 상방으로 위치시키는 경우 상순이 짧아지는 경향이 있다는 것을 명심해야 한다. 상순의 길이는 연령이 증가함에 따라 특히 남성에서 길어진다. 만약 필요하다면 지나친 과교정을 통해 환자가 치아가 없어 보이고 나이 들어 보이게 할 수 있다.

미소만 보고 치료계획을 세워서는 절대로 안 된다. 정상적인 상악 치아와 입술의 관계(1~4mm)를 가진 사람도 미소 시에는 많은 양의 노출(7mm)을 보일 수 있다(gummy smile). 만약 미소 시 치아의 노출량에 따라 상방 이동량이 결정되어진다면 6mm정도 상방 이동이 필요하게 되며, 결

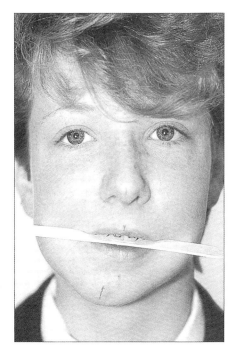

그림 2-19 교합 평면의 경사도는 환자에게 설압자 등을 물린 후 동공 간선과 비교함으로써 알 수 있다. 이 검사를 시행 시에는 반드시 동공간선이 바닥과 평행해야 한다.

과는 치아의 노출이 없어지고 치아가 없는 것처럼 보이게 된다.

입술

입술은 심미에 있어서 매우 중요한 위치를 차지한다. 입술의 대칭성을 평가하고, 만약 비대칭이 존재한다면 그 원인을 찾아야 한다(예를 들면 구순열, 안면신경 이상, 치성 골격성 비대칭, 이전 외상에 의한 반흔, 선천적인 편측성 왜소증, 비대증).

일반적으로 하순이 상순에 비해 25%정도 홍순이 더 많으며, 입술은 0-3mm정도 떨어져 있다. 인종에 따라 입술의 두께와 형태에 차이가 있다는 것을 치료 계획시에 명심하고 있어야 한다. 심피개 교합의 환자에서 입술과 치아입술과의 관계는 반드시 입술의 긴장을 풀고 입술이 떨어지게 되는 하악의 위치에서 평가되어져야 한다(심피개 교합은 아마도 상악의 수직적 저성장 또는 심한 심피개 교합이 원

인일 수 있다). 상순 큐피드 궁의 강조는 상악 중절치의 노출만을 유도할 것이다.

측안모 분석

상안면부

상안와연(supra orbital rim)은 정상적으로 안구의 전방부위 보다 5-10mm정도 더 돌출되어 있다. 전두부의 함몰, 상안와의 저성장, 안구돌출 또는 안구 함몰은 구별되어야 한다.

중안면부

상안면부와 중안면부를 따로 분석하는 것은 유용하며, 하안면부를 가림으로써 불필요한 영향을 없앨 수 있다. 코, 협부, 코 주변 부위가 순차적으로 평가되어야 한다.

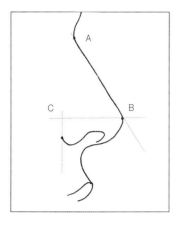

그림 2-20 코의 돌출정도는 Goode의 방법으로 평가할 수 있다. 만약 BC의 길이가 AB보다 55-60%이상 크다면 코가 과도하게 돌출되어 보인다.

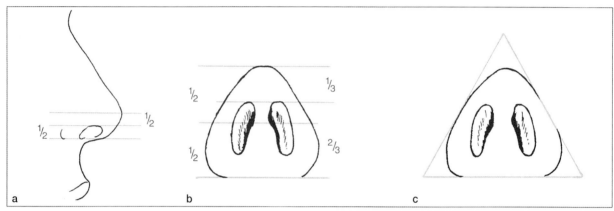

그림 2-21 (a)비익과 비주의 수직적 관계 (b)비주와 비엽의 비율은 거의 2:1이다. (c)비익저의 일반적인 형태는 이등변 삼각형이다.

코

콧등의 형태는 정상과 볼록한 것, 오목한 것으로 나눌 수 있다. 콧등은 안구보다 앞쪽으로(5-8mm) 뻗어 있다. 코끝의 형태는 코의 상부 끝이 끝나는 부위와 코끝의 명확성, 뻗어있는 정도를 평가한다(그림 2-20). 콧등이 구부러진 것과 코끝이 아래로 처진 것을 명확히 구분하는 것이 중요한데 이는 치료 시에 큰 차이가 있기 때문이다. 코의 기저부의 비율을 평가할 때에 상악의 수술 시 코에 미치는 영향에 대해 명심하고 있어야 한다(그림 2-21).

볼

안구는 대개 하안와연에 비해 0-2mm 정도 전방에 있으며, 안와외측연은 안구의 최전방부에 비해 8-12mm 정도 후방에 위치해 있다(그림 2-22). 볼은 광대뼈의 끝 부위에서 상하순이 만나는 부위까지 대개 볼록한 선을 보인다. 이 볼록한 선을 cheekbone-nasal base-lip curve contour(광대뼈-비기저부-입술 곡선 형태)라 부르며, 동시에 전두부와 측안모의 검사를 필요로 한다. 이 곡선은 귀의 전방부에서 시작해 광대뼈를 지나 전방부로 향한 다음 코의 비익 기저부를 향해 전하방부로 향하며, 구각부의 외측에서 끝나게

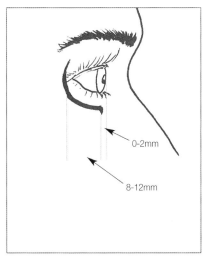

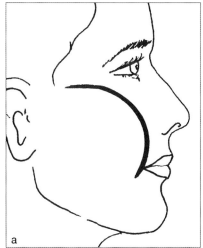

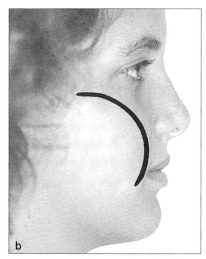

그림 2-22 안와측연은 안구보다 8-12mm 정도 후방에 위치하며, 안구는 안와하연보다 0-2mm 전방에 있다.

그림 2-23 (a)광대뼈-비저-입술의 곡선 형태. (b)좋은 안모 비율에서는 방해받지 않는 부드러운 곡선을 보인다.

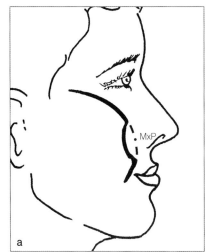

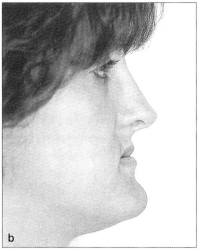

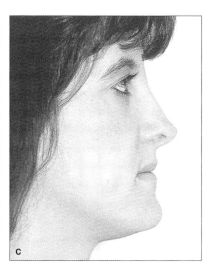

그림 2-24 (a 와 b)MxP에서 곡선의 단절을 보이며, 상악의 전후방적 결손을 의미한다. (c)상악을 전방 이동 후 곡선의 개선을 보여 준다.

된다(그림 2-23). 이 선은 반드시 부드럽고 자연스럽게 이어져야 한다. 곡선의 형태가 단절되는 것은 골격의 형태 이상을 의미한다. 그림 2-24는 상악부위에서 이선이 분명하게 단절됨을 보여주고 있으며, 이는 상악의 전후방적 결손이 있다는 것을 보여준다. 그림 2-25에서는 상악부위에서 이 선의 단절은 상악의 전후방적 저성장을 나타내며 상순의 하방에서의 단절은 하악의 전후방적 과성장을 나타낸다.

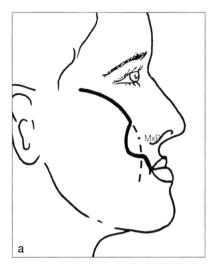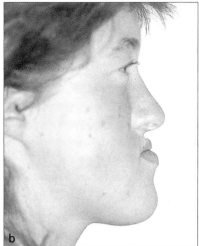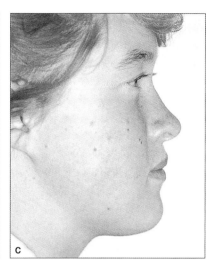

그림 2-25 (a와 b)상악의 전후방적 결손과 하악의 과잉에 의한 곡선의 두 번의 왜곡을 볼 수 있다. (c)상악을 전방이동하고 하악을 후방이동 후 좀 더 조화로워진 곡선을 볼 수 있다.

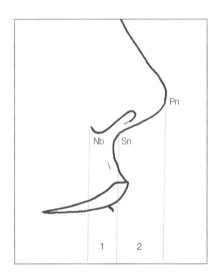

그림 2-26 코의 돌출. Pn과 Sn까지로 측정된 코의 돌출의 정상치는 16-20mm이다. Pn-Sn과 Sn-Nb 의 비율은 2:1이다.

코 주변부

임상가는 코 주변 부위를 주의 깊게 분석해보아야 하는데, 이는 중안면부의 저성장과 하악의 전후방적인 과성장을 구별하는데 중요한 역할을 하기 때문이다. 코끝에서 비저부까지의 거리와 비기저부에서 비익기저부까지의 거리의(수평적) 비는 정상적으로 2:1이다(그림 2-26). 이 비율이 1:1로 가까워질수록 상악의 전후방적인 저성장을 의미하게 된다. 이 비율이 증가한다는 것은 코의 돌출정도가 감소한다는 것을 의미한다. 다른 요소들이 동일한 경우 감소된 코의 돌출정도와 짧은 코를 가진 3급 부정교합 환자는 상악을 전방 위치시키기 보다는 하악골을 후방 위치시킴으로써 치료를 해야 한다.

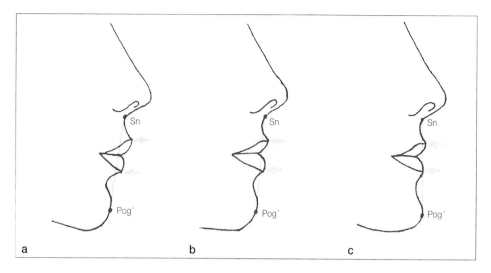

그림 2-27 턱의 위치가 subnasale-pogonion 선(Sn-Pog´)에 미치는 영향. (a)하악의 전후방적 결손이 있는 경우(입술이 선의 앞에 있다.) (b)턱의 위치가 상악에 대해 정상 위치에 있는 경우 선에 대해 상순은 5.5mm, 하순은 2.5mm 전방에 위치한다. (c)하악의 전후방적 과잉이 있는 경우(입술이 선위에 있다). 세 경우 모두 상순의 위치에는 변화가 없다. 그러나 Pog´의 위치의 변화는 하순의 위치에 영향을 준다.

하안면부

입술, 이순구, 비순각(nasolabial angle), 턱, 턱-목부위를 평가함으로써 하안면부를 체계적으로 검사한다.

입술

입술을 안정시에 돌출이나 후퇴 정도, 각 입술의 연조직의 두께를 평가한다. 상순은 대개 하순에 비해 약간 전방으로 돌출되어 있다. 상순의 위치는 치열의 형태에 의해 영향을 받으며 예를 들어, 2급 2류 부정교합 또는 교정적으로 상악 절치부를 과도하게 후방 이동시킨 경우 상순의 지지가 줄어들게 된다. 2급 1류 부정교합 환자에서는 과도한 하순의 돌출과 깊은 이순구를 볼 수 있다.

입술의 전후방적인 위치는 E-line 또는 S-line을 기준으로 이용할 수 있다(두부계측 방사선 분석법에 대한 다음 장을 참고하시오). Subnasale(비근하점)과 pogonion(하악점)을 잇는 선은 하안모평면(lower facial plane)이라 불리며, 입술의 위치를 잡거나, 교정치료의 계획, 외과적 술식에 의한 절치의 위치나 턱의 위치를 정하는데 있어서 중요한 기준이 된다. 상순은 이 선보다 3±1mm전방에 위치하며, 하순은 2±1mm 전방에 위치한다. 발치 후 치아를 후방 이동 시이 선보다 후방까지 이동시키는 것은 피해야 한다. 이 평가는 턱의 전후방적 위치와 입술 연조직의 두께에 의해 영향받을 수 있음을 명심해야 한다(그림 2-27).

이순구(labiomental fold)

하순과 턱의 형태는 부드러운 'S' 형태를 가져야 하며, 하순과 턱이 이루는 각은 적어도 130°를 이룬다(그림 2-28). 하악의 전후방적 저성장이 있는 2급 부정교합 환자에 있어서 상악 절치가 하순에 끼거나 큰 턱을 가진 경우 각이 종종 예각형태로 변하기도 한다. 이 각은 턱이 왜소한 경우나 3급 부정교합 환자에서 하순이 긴장한 경우 둔각 형태로 바뀐다. 외과의는 이부성형술을 고려함에 있어서 pogonion(하악점)의 전후방적인 위치뿐만이 아닌 턱의 형태와 이순구도 분석해 보아야 한다.

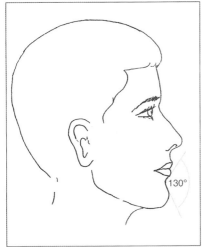

그림 2-28 Labiomental fold(이순구)

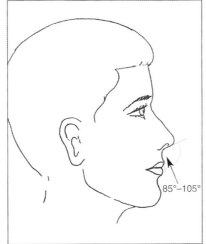

그림 2-29 비주와 상순 사이에서 측정되는 (Sn-Ls) nasolabial angle(비순각)은 85-105도 이다.

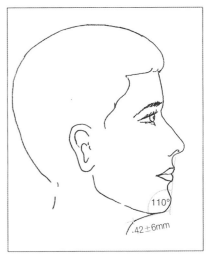

그림 2-30 Chin-throat angle과 길이

비순각(nasolabial angle)

비순각은 비주와 상순의 경사도를 통해 측정되며(그림 2-29), 85-105도의 범위 내에 있어야 한다. 여성의 경우 약간 각도가 큰 것이, 남성의 경우 약간 작은 것이 심미적으로 받아들여질만 하다. 하악의 전후방적 저성장이 있는 환자의 경우 비순각이 증가하게 되며, 3급 부정교합 환자의 경우 각이 줄어든다. 이 각이 큰 경우 외과적으로나 교정적으로 상악 전치부를 후방 이동시키는 것은 피해야 한다. 치아의 총생이 있어 발치가 필요할 경우 비순각은 제1소구치를 발거할 것인지, 제2소구치를 발거할 것인지 결정하는데 영향을 준다. 상악을 수술적으로 재위치시키는 경우에도 또한 영향을 준다. 일반적으로 상악골은 후방으로 이동되어서는 안되며 특히 상방이동과 동반되는 경우에는 더욱 그러하다. 이러한 이동은 입술의 지지도를 소실시키며, 비순각을 증가시키고, 코의 돌출을 증가시키고, 코의 기저부를 편평하게 만든다. 이러한 변화는 비심미적인 결과를 가져오고 환자가 조숙해 보이게 한다. 상악의 후방이동은 매우 드물지만 상악이 정말로 돌출된 경우만 시행한다.

턱

턱의 돌출 정도는 전체적인 측안모와 균형을 이루고 있어야 한다. 중안모는 가려진 상태에서 턱은 안모의 다른 구조물들과 평가해야 한다. 다양한 연조직 분석 방법들이 턱의 전후방적인 위치를 평가하는데 유용하게 사용된다. 그러나 턱은 3차원적으로 평가해야 한다. 턱의 폭경은 모든 안모의 형태와 관련되어 평가해야 한다. 턱의 폭경이 좁은 경우 혹이 달린듯한(knobby) 외모를 종종 보이며, 만약 턱부위의 전방이동이 계획되어진다면 폭경을 넓히는 것도 신중히 고려해야 한다. 비순각, 턱의 형태, 치열 중심선과의 관계, 대칭성, 하연부의 경사도가 고려되어야 한다.

Chin-throat area(턱끝-목 선부)

이중턱과 지방조직 여부를 평가해야 한다. chin-throat angle(정상적으로 110도 정도)는 턱의 외형을 나타낸다. Neck-throat angle에서 연조직 하악점(pogonion)까지의 거리는 42mm정도이다. 이러한 관찰들은 하악을 전방 혹은 후방 이동시나, 이부성형술시, 또는 턱밑 부위의 지방흡입술을 시행할 때 필수적이다.

측모두부계측방사선사진 평가

두부계측방사선사진에서 얻어진 측면과 전후방적인 관계에 대한 정보는 악교정수술을 계획 시에 유용한 자료가 된다. 비록 임상적인 평가가 악교정환자의 외과적 치료 결정에 일차적인 진단방법 일지라도 두부계측방사선사진 분석은 유용한 진단지침이 된다. 임상가들이 다음과 같은 것들을 할 수 있게 해 준다; 정량화하고, 분류하고 의사소통을 할 수 있다. VTO(시각적 치료 목표)를 이용; 치료계획을 세울 수 있다; 발치여부를 결정하는데 도움을 준다; 치료과정을 체크할 수 있다; 치료 중이나 치료 후의 중요한 변화를 연구하여 치료결과를 평가 한다; 안모 성장을 연구할 수 있다.

두부계측방사선사진은 환자의 머리가 자연스러운 상태에서, 중심교합을 하고, 입술의 긴장을 푼 상태에서 촬영되어야 한다. 그러나 다음과 같은 세 가지 예외가 있다.

1. 중심교합과 중심위 사이에 큰 차이가 있다면, 중심위 상태에서 두 번째 촬영을 시행한다.
2. 상악의 수직적 결핍이 있다면 하악을 개구시켜 입술이 떨어지려는 순간 두 번째 촬영을 시행한다. 상악절치와 상순의 관계에서 상순의 길이와 형태, 상악의 하방성장량을 이 사진에서 더 정확히 평가할 수 있다.
3. 심한 3급 부정교합과 과피개교합을 가진 환자에서는 입술, 치아 입술 관계, 상하악의 관계를 평가하는 것이 어렵다. 두 번째 방사선사진은 하악을 개구시켜 입술이 떨어지려는 상태에서 촬영한다.

치료의 일차적인 목적은 환자의 두부계측방사선사진 측정치를 정상으로 만드는 것이 아니라, 환자의 외모를 조화 있게 만들고, 교합기능을 정상으로 하는데 있다. 대부분의 경우에 있어서 기능과 심미는 함께한다.

많은 문헌들에서 안모의 연조직과 경조직을 다양한 선과 각을 이용해 측정하고 분석하고 비교하는 두부계측방사선 사진 분석법에 대한 논의를 담고 있다. 다음의 분석법들이 진단하고 치료계획을 세우는데 있어서 유용할 것이다. 측안모두부계측 방사선사진 분석에서 연조직, 경조직, 치아 관계에 따라 분류되어 있다.

물론 두부계측방사선사진에서도 연조직을 분석할 수 있지만 측안모두부계측 분석에 의해 유도되는 안모의 심미에 대한 일차적인 연조직 검사는 임상적으로 시행되어야 한다. 환자의 두부계측방사선사진 분석과 사진은 영구적인 기록이지만 정확한 진단과 치료를 위해서는 신뢰할 만한 임상적 기록 또한 필수적이다. 사진이나 두부계측 방사선 사진만으로 진단이 이루어져서는 안 된다.

연조직 분석

연조직 계측점

측안모 연조직 계측점은 그림 2-31에 나와 있으며, 다음과 같은 것들이 있다.

연조직 Glabella (G´) : 전두부의 최전방 점

연조직 nasion (N´) : 전두부와 코 사이에서 가장 깊이 들어간 점

Pronasale (Pn) : 코의 최전방 점

Subnasale (Sn) : 정중면에서 코의 비주에서 상순이 시작되는 점

Labrale superior (Ls) : 상순의 점막과 표피 경계부

Stomion superius (Sts) : 상순의 홍순의 최하방 부위

Stomion inferius (Sti) : 하순의 홍순의 최상방 부위

Labrale inferior (Li) : 하순의 점막 표피 경계부위

연조직 pogonion (Pog´) : 정중면에서 턱의 최전방 부위

연조직 menton (Me´) : 연조직 턱의 최하방점, 골격 menton을 지나는 수평인선에서 수직선을 내리면 나타난다.

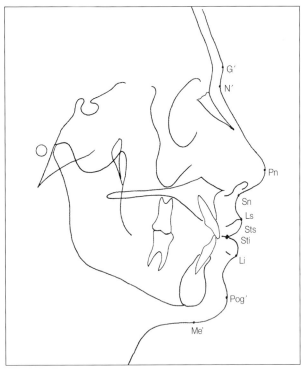

그림 2-31 두부계측방사선사진에서 계측점

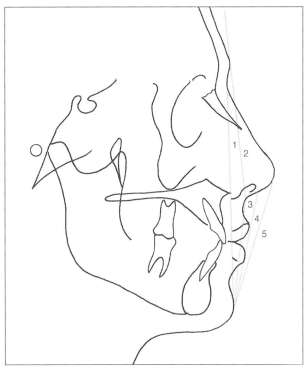

그림 2-32 연조직 평면 (1) 안모평면(facial plane) (2) 상안모 평면 (Upper facial plane) (3) 하안모 평면(Lower facial plane) (4)S-line (5)E-line(esthetic plane)

연조직 평면

연조직 평면은 그림 2-32에 나와 있으며, 다음과 같은 것들이 있다.

Facial plane : nasion에서 pogonion까지(N´-Pog´)연장한선

Upper facial plane : 연조직 glabella에서 subnasale까지(G´-Sn)

Lower facial plane : subnasale에서 연조직 pogonion까지 연장한 선(Sn-Pog´)

S-line : 연조직 pogonion과 pronasale과 subnasale의 중간점을 연결한다.

E-line(esthetic plane) : 코의 끝부분에서(pronasale) 연조직 pogonion까지(Pn-Pog´) 연장한 선.

연조직의 수직 평가

중안면부와 하안면부의 높이의 관계

G´에서 Sn까지와(중안면부 높이, MFH) Sn.에서 Me´(하안면부 높이, LFH)까지의 길이가 측정된다. 비율은 거의 1:1이다.

대부분의 악교정수술 환자에 있어서 형태의 이상은 하안면부에 존재한다(Sn-Me´). 하안면부의 길이가 상안면부의 길이에 비해 증가한다면 상악의 수직적 과잉성장이나 하악골의 전방부의 수직적 과잉 성장이 예상된다(그림 2-33). 하안면부 길이의 감소는 상악골의 수직적 성장의 결손이나 하악골 전방부의 수직적 성장 결손, 심피개교합에 의할 수 있다.

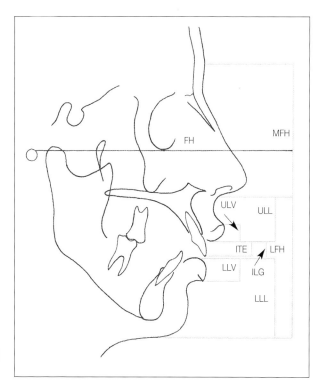

그림 2-33 연조직 수직 평가. 수직적 평가는 FH plane에서 수직선을 그어서 평가한다.

상순의 길이

상순의 길이는(ULL) Sn에서 Sts까지로 측정되며 남성에서는 22±2mm, 여성에서는 20±2mm정도이다(그림 2-33). 비교적 긴상순을 가진 경우 상악절치의 노출이 적은 경향이 있으며, 상순이 짧은 경우 입술사이의 간격이 증가하며 상악절치의 노출이 증가한다. 개개인의 환자에 있어서 상악골을 상방 이동시길 경우 위의 것들이 고려하며, 각각의 상악 상방 재위치 양을 정확히 계획하여야 한다.

하순/턱의 길이

하순/턱의 길이는(LLL) Sti에서 Me´까지로 측정이 되며 남성에서는 44±2mm, 여성에서는 40±2mm이다(그림 2-33). 수직 장경(dimension)의 길이의 증가는 하악골의 전방부의 수직적 높이의 증가를 의미하는 반면 감소의 경우는 하악골 전방부 높이의 감소를 의미한다. 이 길이는 또한 심피개 교합이면서 하순이 외반된 환자에서도 짧아진다.

상순의 길이와 하순/턱의 길이의 비율

상순의 길이는(ULL 또는 Sn-Sts) 하순과 턱의 길이의(LLL 또는 Sti-Me´) 절반정도를 차지한다(그림 2-33). 수직 비율의 감소는 긴 상순이나 또는 하악골 전방부 높이의 결손을 의미한다. 비율이 증가하는 경우는 짧은 상순이나 하악골 전방부의 높이의 과잉에 의한다.

입술사이의 간격

입술의 긴장을 푼 상태에서는 가볍게 맞닿아 있거나 입술사이의 간격이(ILG)1-3mm인 것을 정상이라 할 수 있다(그림 2-33). 입술사이 간격이 증가하는 것은(4mm이상) 상악의 수직적 과성장에 의한 상순의 기능부전을 의미한다. 그러나 상순의 길이가 짧은 경우 입술사이의 간격이 증가한다.

상악 절치 노출

환자가 입술의 긴장을 푼 상태에서 상악 절치의 1-4mm

표 2-1 연조직 수직관계 요약

수직관계	정상수치
Middle facial height ; lower facial height(MFH : LFH) = G′-Sn : Sn-Me′	1 : 1
Upper lip length (ULL) = Sn-Sts	20±2mm (females)
	22±2mm (males)
Lower lip/chin length (LLL) = Sti-Me′	40±2mm (females)
	44±2mm (males)
Upper lip length : lower lip/chin length (ULL : LLL) = Sn-Sts : Sti-Me′	1 : 2
Sn-LLV : LLV-Me′	1 : 0.9
Interlabial gap (ILG)	0 to 3mm
Maxillary incisor tooth exposure (ITE) = Sts-Maxillary incisor tip	1 to 4mm
Upper lip vermilion : lower lip vermilion (ULV : LLV) = Ls-Sts : Sti-Li	3 : 4

정도가 상순의 하방으로 노출된다. 치아의 노출이 부족한 경우(ITE)는 상악의 수직적 결손을 의미하며, 4mm이상 노출되는 경우 상악의 수직적 과성장을 의미한다(그림 2-33). 이러한 분석 시에 상순의 길이를 반드시 명심하고 있어야 한다.

환자가 정상적인 상순에 과도한 절치의 노출을 보인다면 상악의 수직적 과성장을 의미한다. 이러한 분석은 입술이 긴장을 푼 상태에서만 얻어질 수 있다. 정상적인 상순과 치아의 노출의 부족이 있다면 상악의 수직적 결손을 의미한다. 상악의 수직적 결손은 입술이 떨어질려는 상태에서 분석이 가능하다.

상순과 하순의 홍순높이(vermilion height)

상순의 vermilion height는(ULV) 하순의 vermilion height(LLV)보다 25%정도 적다. 요약하면, Ls-Sts:Sti-Li = 3:4이다(그림 2-33).

Vermilion height는 인종마다 차이가 있다는 것을 명심하고 있어야 한다. 하순의 vermilion의 노출이 증가하는 것은 상악의 과잉성장 환자에서 입술의 기능부전에 의한 하순의 외전 때문일 것이다. 2급부정교합(eversion)에서 심피개교

합(deer bite cases)이 있는 경우나 2급 1류 부정교합 경우에도 하순이 외전되는데, 이는 상악 절치에 의해 하순이 밖으로 말려서 발생한다. 표 2-1에 수직적 연조직 관계가 정리되어 있다.

연조직 전후방적인 평가

비순각(nasolabial angle)

비순각(nasolabial angle)은 비주와 상순이 만나는 접선에 의해 형성된다. 85-105도 정도가 정상으로 여겨진다. 남성에서 각이 더 예리하고 여성에서 더 둔각일수록 더 매력적으로 보인다(그림 2-34).

비순각(nasolabial angle)은 상악 절치에 의해 지지받는 상순과 코의 비주의 각도에 의해 영향을 받는다. 교정적으로 상악절치를 과도하게 후방이동시키는 경우 상순의 지지가 감소하게 되고, nasolabial angle의 증가로 비심미적인 결과를 가져온다. 각도는 3급 부정교합에서 더 예리하고 2급 부정교합에서 각이 커진다. 치료계획을 세울 시에 nasolabial angle에 영향을 주는 다음과 같은 요소들을 고려해야 한다.

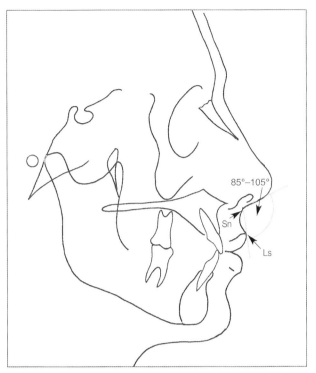

그림 2-34 Nasolabial angle

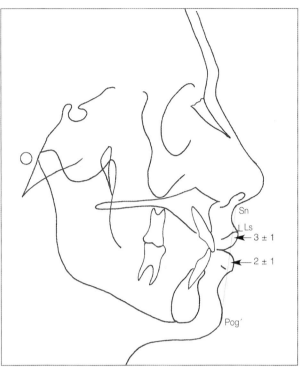

그림 2-35 하안모 평면에 대한(Sn-Pog´) 상순(Ls)과 하순(Li)의 거리. Ls에서 LFP : 3±1mm. Li에서 LFP : 2±1mm.

- 상순과 상악 절치와의 관계(상순의지지)
- 입술의 긴장도. 긴장된 입술은 긴장이 소실되면 후방으로 이동하는 경향이 있다. 그러나 긴장된 입술은 치아나 골의 이동에 따라 전방으로 이동하는 경향이 적다.
- 입술의 두께. 얇은 입술은 두꺼운 입술에 비해 치아의 이동에 더 영향을 받는다.
- 만약 상악 전치부의 후방이동이 고려되어진다면, 수평피개의 양. 수평피개가 증가할수록 더 많은 상악 절치의 후방견인이 필요하다. 이것은 nasolabial angle을 증가시키고 상순의 지지도를 상실하게 된다.

최후의 상악절치와 상순의 전후방적 위치는 상악 전치부 치아의 총생이나 공극(spaces), 치아의 크기(상악대 하악), 발치와 비발치, 발치할 치아(제일 소구치대 제이 소구치),

현재의 치아의 경사도에 의해 영향을 받는다.

입술의 돌출 정도

Subnasale에서 연조직의 pogonion 까지의 선을 긋는다(하안모 평면). 상순에서 이 선까지의 수직적인 거리가 3±1mm, 하순에서 2±1mm 전방에 위치해야 한다(그림 2-35).

상순의 전후방적인 위치는 상악 전치부를 교정적으로나 수술적으로 이동시킬 경우 상순의 지지도를 보여주는 중요한 역할을 한다. 따라서 치료계획 시에 항상 명심하고 있어야 한다. 2급 부정교합 환자에서는 labrale inferior가 이 선(Sn-Pog´) 보다 전방에 있는 경향이 있고(Pog´의 후방위치와 함께), 3급부정교합 환자에서는 후방에 있는 경향이 있다(Pog´의 전방위치와 함께).

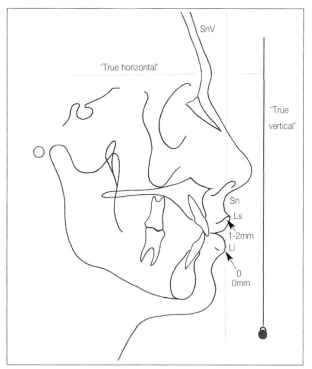

그림 2-36 Sn에서 true vertical line의 수평선을 긋고 상순과 하순의 거리를 측정한다. Ls-SnV: 1-2mm. Li-Snv: 0mm

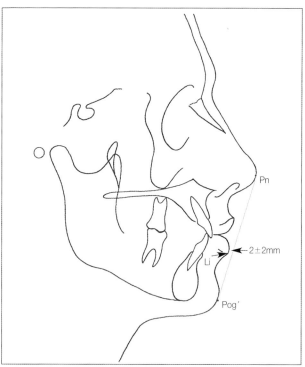

그림 2-37 E-line(Pn-Pog′)에 대한 입술의 돌출정도. Li 는 E-line에 대해 2±2mm 후방에 있다.

만약 subnasale를 통과하며 True horizontal에 수직인 선을 그으면, 상순은 이 선(subnasale vertical 또는 SnV)의 1-2mm전방에 위치한다. 하순은 SnV에 닿아 있거나 바로 후방에 위치한다.

하악의 전후방적인 결손이 있는 경우 하순은 SnV에 1mm이상 후방에 있는 경향이 있다. 하악골의 전후방적인 과잉이 있거나, 상악이 전후방적인 결손이 있는 경우는 하순은 SnV의 전방에 위치한다. 하순의 가장 돌출된 부위는 심미선(E-line; Pn-Pog′)에서 측정이 된다. 하순은 2±2mm 정도 이선의 후방에 위치한다(그림 2-37).

이러한 평가는 코와 턱의 돌출 정도에 영향을 받으며 최종 턱의 위치를 계획하는데 도움이 된다. 하악골의 전후방적인 결손이 있는 2급부정교합 환자에서 하순은 이선의 전

방에 있는 경향이 있으며 Pog′는 후방에 위치하며 하순은 외전되어 있다.

상악과 하악의 전후방적인 위치

수평선(cHP)에서 G′를 지나가는 수직선을 긋는다. Pog′는 이선에 1-4mm 후방에 위치한다. 상악의 전후방적인 분석 시에, Sn은 이선의 6±3mm 전방에 위치한다(그림 2-38).

상악의 전후방적인 결손 시에 Sn은 이 선보다 최소한 3mm 정도 전방에 위치하며, 심한 경우에는 후방에 위치하기도 한다. Pog′이 이 선의 전방에 위치한다면 하악의 전후방적인 과잉을 의미하는 반면, 결손 시에는 Pog′가 4mm이상 후방에 위치한다. 그러나 거대턱, 왜소턱, 그리고 하악의 전후방적 결손 등을 구분하기 위해 다른 요소(특히 턱의 형

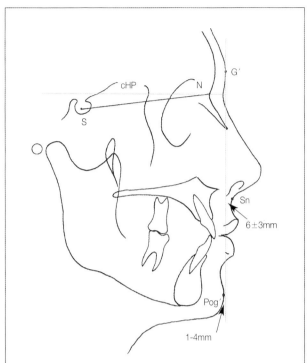

그림 2-38 상악과 하악의 전후방적 위치. G에서 그려진 수직선에 대해 Sn은 6±3mm 전방에, Pog′는 1-4mm 후방에 위치한다.

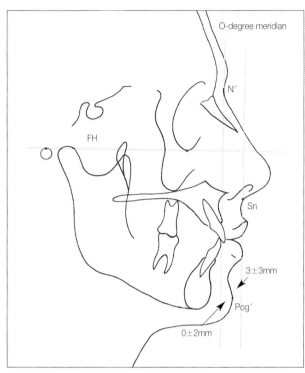

그림 2-39 턱의 돌출 정도. 턱의 전후방적인 평가는 O-degree merdian과 Sn에서 FH plane에 수직선을 그은 것으로 평가한다. Pog′는 O-degree merdian에 0±2mm 전방에 위치하며 Sn. 수선에 대해 3±3mm 후방에 있다.

태)들과 결합된 턱의 전후방적 위치의 평가는 중요하다.

턱의 돌출정도

연조직 턱의 돌출정도는 N′에서 FH에 수직선을 그은 것에서 거리를 측정하여 평가할 수 있다. 이선은 O-degree merdian이라 알려져 있다; Pog′는 이선의 0±2mm 전방에 있다(그림 2-39). 돌출된 턱은 O-degree merdian에 2mm 전방에 위치하며, 결핍된 턱은 2mm 후방에 위치한다.

Sn을 지나는 FH에 수직인 선은 턱의 수평적 돌출정도를 평가하는데 유용한 다른 선이다. Pog′는 이선에 3±3mm 후방에 위치한다(그림 2-39). 돌출된 턱은 수직선상에 있거나 전방에 있으며, 결핍된 턱은 6mm이상 후방 위치한다.

위의 측정 요소들은 턱의 위치를 분석하는 데만 사용되어

져야 한다. 턱의 돌출정도는 반드시 턱의 형태, 이순구의 깊이, 왜소턱, 거대턱, 하악의 전후방적인 과잉이나 결손 같은 요소들과 결합되어 평가되어져야 한다.

하순-턱-목 각도(lower lip-chin-throat angle)

Lower lip-chin-throat angle은 Li와 Pog′를 이은 선과 submental이 만나서 형성된다. 110±8도의 각이 정상으로 고려되어 진다. 이 평가를 위해서는 방사선사진이 반드시 자연스러운 머리위치에서 촬영 해야 한다(그림 2-40).

이 각은 하악 전돌증이 있거나 거대턱의 경우 더 예리해지며, 하악 후퇴증이 있거나 왜소턱이 있는 경우 더 뭉툭해진다.

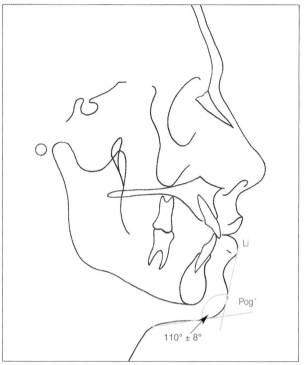

그림 2-40 Lower lip-chin-throat angle

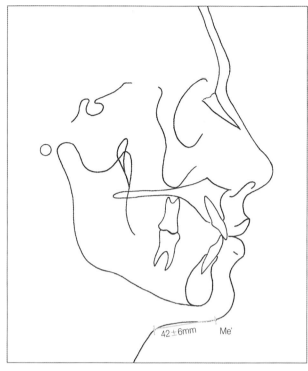

그림 2-41 Chin-throat length

턱-목 길이(chin-throat length)

Chin-throat length는 throat의 각부위에서 Me′ 까지로 측정된다(그림 2-41). 42±6mm가 정상 범주이다. 이 측정치는 환자의 머리가 자연스런 상태에서 측정 시에 의미가 있다.

이 길이는 하악 전돌의 경우 증가하며, 하악 후퇴의 경우 줄어든다. 이 측정치는 하악의 성장 과잉인지 상악의 성장 결손인지를 구별하는데 중요하다. 하악의 후방 이동은 이 길이를 현저히 감소시킨다.

안모 외형각(facial contour angle)

안모의 볼록한 정도의 각은 G′에서 Sn에 그은 선과 Sn에서 Pog′에 그은 선으로 이루어진다. G′에서 Sn에 그은 선은 상안평면(UFP)이라 불리며, 하안 평면은(LFP) Sn에서 Pog′에 그은 선으로 이루어진다. 평균 각도는 -12도이다. 시계방향의 각은 양으로 표시되며 반시계방향의 각은 음으로 표시된다. 남성은 직선적인 측모를 갖는 경향이 있으며 (-11±4도), 여성은 약간 볼록한 측모가 더 심미적이다(-13 ±4도)(그림 2-42). 그러나 다양한 안모의 형태 이상이 같은 각을 보일 수 있다는 것을 알아야 한다.

그림 2-43을 보면, 두 명 모두 정상의 facial contour angle 을 보인다(-12도). 그러나, 한 명은 안모가 길고(그림 2-43a), 하악이 시계방향으로 회전되어 있다 ; 다른 한 명은 상악의 전후방적인 결손에 의해 단안모를 보이며(그림 2-43b), 하악이 반시계방향으로 회전되어 있다. 그림 2-44에서 세 명의 환자 모두 2급 부정교합을 보이며 facial

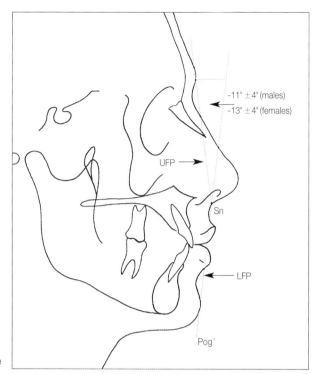

그림 2-42 Facial contour angle

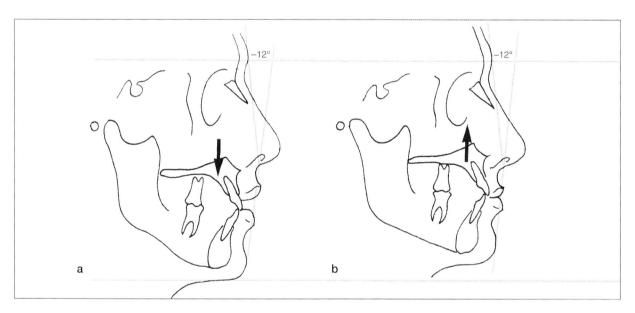

그림 2-43 두 경우 모두 -12도의 facial contour angle을 보인다. 그러나 모두 수직적 형태이상을 갖는다. (a)상악의 수직적 과잉 (b)상악의 수직적 결손

contour angle이 증가되어 있다(-20도). 모두 같은 facial contour angle(안모 외형각도)을 가지고 있지만 완전히 서로다른 골격양상을 보여주고 있다. 그림 2-44a 환자는 하악의 전후방적 결손을 보인다. 그림 2-44b의 환자는 상악의 전후방적 과잉을 보이며, 그림 2-44c의 환자는 상악의 수직적 과성장을 보이며, 하악이 시계방향으로 회전되어 있다.

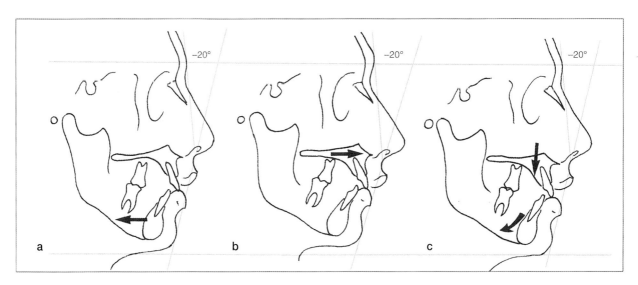

그림 2-44 세 그림 모두 -20도의 facial contour angle을 보이며 볼록한 형태를 보인다. 그러나 볼록한 원인은 모두 다르다. (a)하악의 전후방적 결손 (b)상악의 전후방적 과잉 (c) 상악의 수직적 과잉과 하악의 시계방향 회전

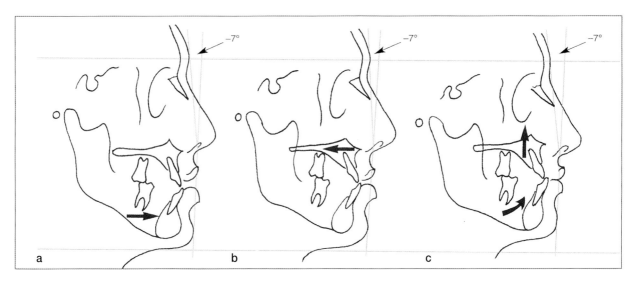

그림 2-45 세 경우 모두 -7도의 facial contour angle을 보인다. 오목한 이유는 모두 다르다. (a)하악의 전후방적인 과잉 (b)상악의 전후방적 결손 (c)상악의 수직적 결손 및 하악의 반시계방향 회전

그림 2-45의 3급부정교합 환자들은 서로 다른 골격형태에 의해 facial contour angle의 감소와 함께(-7도) 오목한 측모를 보인다. 그림 2-45a의 환자는 하악의 전후방적인 과잉을 보인다. 그림 2-45b에서는 상악의 전후방적 결손을 보이며, 그림 2-45c에서는 상악의 수직적 결손과 하악의 반시계방향 회전을 보인다.

E-line (Ricketts)

E-line(esthetic plane)은 코끝(Pn)에서 Pog′까지 이은 선이다(그림 2-46). 이 선에서 상순은 거의 4mm, 하순은 2mm 정도 뒤에 있다. 이 선에 포함된 안모의 외형은 거의 대칭적인 큐피드 궁(cupid's bow) 형태가 되어야 한다.

상순과 하순의 치아 지지가 이 값에 영향을 주고 큐피드

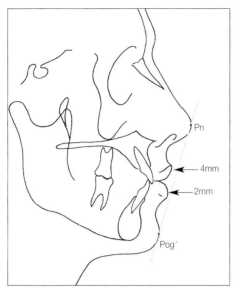

그림 2-46 E-line(esthetic plane)

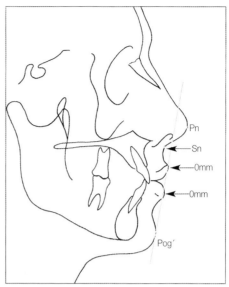

그림 2-47 S-line

궁의 모양을 변형시킨다.

악교정 분석 시, 임상가는 턱의 전후방 위치의 영향에 대하여 항상 신경써야 한다.

S-line (Steiner)

S-line은 Pog′으로부터 Sn과 Pn 사이에 있는 S-모양의 curve의 중간점까지 잇는 선이다. 상순과 하순이 이 선에 만나야만 한다. 이 선 뒤에 있는 입술은 입술 지지의 부족이나 돌출된 턱을 나타낸다. 이 선 앞에 있는 입술은 치아 돌출이나 결핍된 턱을 나타낸다.

Z-angle (Merrifield)

Merrifield's Z-angle은 FH와 Pog′에서 입술(상, 하순)의 최전방점을 이은 선과의 교차에 의해서 형성된 각이다(그림 2-48). Z-angle은 평균 80±9도이다. 80도 보다 더 큰 각은 하악의 전후방적 과성장을 나타내고 반면에 80도 보다 작은 각은 하악의 전후방적 결핍을 나타낸다. 또한 Z-angle은 턱의 돌출 또는 결핍뿐 만 아니라 턱에 대한 입술의 관

계를 나타낸다.

입술의 두께

상순의 두께는 A-point 하방 2㎜로부터 상순의 전방선까지 골에서부터 전방으로 수평적인 거리를 말한다(그림 2-49). 상순의 긴장은 홍순(vermilion border)로부터 상악 중절치의 순면까지의 거리로 측정되어지며 이 점 위에서 입술의 두께와 비교되어진다(그림 2-49).

위 두 개의 측정치의 차이는 1㎜ 안팎이어야 한다. 만약 홍순(vermilion border)과 치아 표면까지의 거리가 1㎜이상이고 상순의 두께보다 작다면 상악 치아의 돌출에 의한 상순의 긴장을 나타낸다. 그 차이는 긴장요인을 반영하고 임상의가 입술을 정상 형태와 두께로 가정하고, 후방 움직임으로 전치를 견인하기 전에 전치를 얼마나 견인해야 하는지의 지표가 된다. 얇은 입술은 두꺼운 입술에 비해 치아의 교정적 이동에 쉽게 반응한다. 안면 연조직 두께의 인종전 차이가 고려되어야만 한다. 전후방적 연조직 관계가 표 2-2에 요약되어 있다.

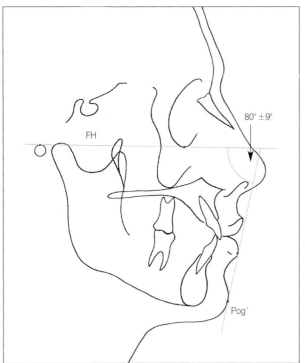

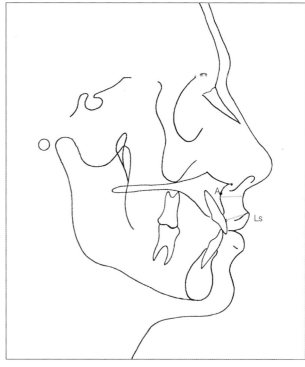

그림 2-48 Merrifield' s Z-angle은 Pog′과 입술을 최고 돌출점을 이은 선과 FH와 만나 이루는 각이다.

그림 2-49 상순의 연조직 두께

표 2-2 연조직 수직관계 요약

전후방적 관계	정상수치
Nasolabial angle	85 to 105 degrees
Lip prominence ;	
Ls to Sn-Pog′	3±1mm ahead
Li to Sn-Pog′	2±1mm ahead
Ls to SnV	1 to 2mm ahead
Li to SnV	0mm
Chin prominence :	
Pog′ to O-degree meridian	0±2mm ahead
Pog′ to Sn (perpendicular to FH)	3±3mm behind
Lower lip-chin-throat angle	110±8 degrees
Chin-throat length	42±6mm
Facial contour angle	-11±4 degrees (males)
	-13±4 degrees (females)
E-line to Ls	-4mm
E-line to Li	-2mm
S-line to Ls	0mm
S-line to Li	0mm
Z-angle	80±9 degrees

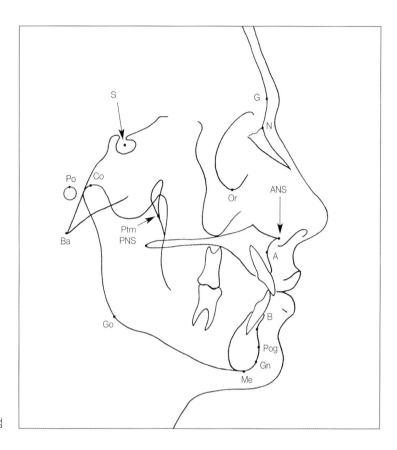

그림 2-50 경조직의 두부계측점

골격적 분석

Hard tissue landmarks(경조직 계측점)

경조직 계측점은 그림 2-50에서 보여 주듯이 아래와 같다.

Glabella (G) : frontal bone의 최전방점

Nasion (N) : 시상면에서 frontal nasal suture의 최전방점

Orbitale (Or) : 안와하연의 최하방점

Sella (S) : 두부계측 방사선사진상에서 Sella tunica의 가운데점

Pterygomaxillare (Ptm) : 눈물방울 모양의 pterygomaxillary fissure의 끝점(개구부의 최하방점)

Basion (Ba) : 두개골의 점 중 시상면이 foramen magnum의 전방경계의 최하방점과 교차하는 점

Anterior nasal spine (ANS) : nasal spine의 전방 끝점

Posterior nasal apine (PNS) : 구개골의 최후방점

A-point or subspinale : ant. nasal spine의 하전방점과 상악 전치를 싸고 있는 치조골이 만나는 선에서 가장 오목한 부분의 최후방 중간점

B-point or supramentale : 하악 전치를 포함하는 치조골(infradentale)과 pogonion의 사이에서 하악의 오목한 부위의 최후방 중간점

Pogonion (Pog) : 턱의 가장 최전방점

Gonion (GO) : 하악 하연의 접선과 하악지의 후방연의 접선이 만나 이루는 점; 두선이 만나 이루는 각의 이등분선 그리고 하악의 곡선을 둘로 나누는 백터(bisector)의 확장으로 찾을 수 있다.

Gnathion (Gn) : 하악의 정중부의 최하, 최전방의 중앙점(menton과 pogonion 사이의 중간지점)

Menton (Me) : 중앙선에서 하악 정중부의 가장 최하방점

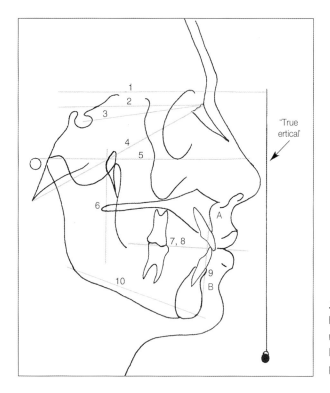

그림 2-51 경조직 선. (1) "true horizontal" plan(HP). (2) Constructed horizontal plane(cHP). (3) Anterior cranial base(S-N). (4) Basion-nasion (Ba-N) plane. (5) Frankfort horizontal (FH) plane. (6) Pterygoid vertical(Ptv). (7) Functional occlusal plane. (8) Occlusal plane. (9) Dental plane(A-Pog). (10) Mandibular plane(Go-Gn).

Porion (Po) : 외이도의 최상방점(해부학적 점); Machine porion은 두부계측사진기기 rod의 외형상 최상방점이다.

Condylion (Co) : 과두 두부의 최후방상방점

Hard tissue plane

경조직 선은 그림 2-51에서 보여주듯 아래와 같다.

"True horizontal" plane (HP) : 방사선사진 상에서 수직인 선(Plumb)에 대한 수직선이 특정 환자의 HP가 될 것이다.

Constructed horizontal plane (cHP) : horizontal plane은 S-N에 대해 7도의 각에서 nasion을 통과한 선이 그려짐으로로 구성된다. 이 plane은 true horizontal과 유사한 경향이 있다.

Anterior cranial base(S-N) : sella와 nasion을 연결한 선

Basion-nasion(Ba-N) plane : Basion과 nasion을 연결한 선으로 안면부와 두개골 부위를 나눈다.

Frankfort horizontal(FH) plane : porion과 orbitale를 연장한 선

pterygoid vertical (PtV) : FH plane에 대해 수직인 선으로 pterygomaxillary fissure의 후방 외형을 통과한다.

Functional ocolusal plane : 대구치와 소구치의 교두접촉을 통과한 선으로 정의된다.

Occlusal plane : 대구치의 근심 교두접촉과 전치부의 피개 교합을 나누는 선에 의해 형성된다.

Pental plane : A-point와 pogonion을 연장한 선

Mandibular plane : gonion과 gnathion을 연장한 선

골격의 전후방적 관계(skeletal anteroposterior relationships)
Mandibular plane angle (Steiner)

Mandibular plane은 Go과 Gn 사이의 선이다. mandibular plane angle은 mandibular plane과 anterior cranial base에

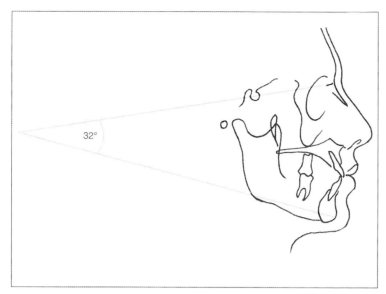

그림 2-52 하악 평면 각도(Mandibular plane angle)

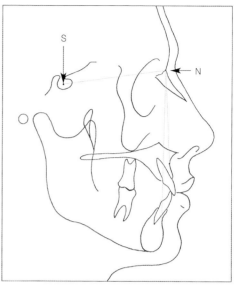

그림 2-53 전방두개저와 연관된 상악과 하악의 전후방 위치에 대한 Steiner 분석 SNA는 82도, SNB는 80도, 상하악 관계를 나타내는 ANB로 확인이 가능하다(평균 2도).

의해서 형성된다. 평균수치는 32도이다(그림 2-52). 이 각은 전방과 후방의 얼굴이 길이 사이의 차이를 보여준다. 높은 mandibular plane angle을 가진 사람은 Class II부정교합과 상악의 수직적 과도성장과 전방부 개방교합을 가지는 경향이 있다. 작은 mandibular plane angle을 가진 환자는 수직적 성장결핍과 deep bite(과피개교합)를 가지는 경향이 있다.

SNA angle (Steiner)

SNA angle은 전방 두개저(ant. cranial base) (S-N)와 N과 A-point를 연결한 선에 의해서 형성되어진다. 그것은 82도 정도이다(그림 2-53). SNA angle은 전방 두개저와 비교해서 상악의 전후방적인 위치의 적응증을 제공한다. 82도보다 작은 각은 상악의 전후방적인 성장결핍을 보여주며, 반면에 큰 각은 상악의 돌출을 보여준다.

SNB angle (Steiner)

SNB angle은 전방 두개저(S-N)와 N과 B-point를 연결한 선에 의해 구성된다. 그것은 80도 정도이다. 이 각은 전방 두개저에 대해 하악의 전후방적인 위치의 적응증을 제공한다. 하악이 전후방적으로 과다성장한 환자는 80도보다 큰 각을 가지며 반면에 하악성장이 결핍된 경우에는 감소된 각을 가진다.

ANB angle (Steiner)

ANB angle은 A-N과 N-B 사이에서 형성되어진다. 그것은 2도 정도이다. 이 각은 상악과 하악 사이에서 전후방적인 부조화를 나타낸다. Class III 경우에 이 각은 2도보다 작고 또는 심지어 음각일 수도 있고 반면에 Class II인 경우에 각의 크기는 증가한다.

이런 결점에도 불구하고 Steiner analysis는 상악과 하악의 전후방적인 관계의 평가 방법에서 있어서 여전히 가장

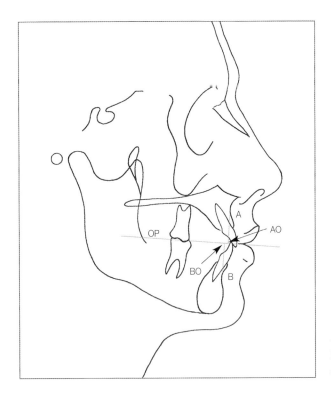

그림 2-54 Wits 팔정법 분석법(wits appraisal) 교합평면(oculusal plane)에 수직으로 A점과 B점에서 선을 긋는다. 교합평면에 접촉점을 AO, BO로 각각 명명한다.

많이 사용된다. 그러나 이 분석은 시상면 골격 부조와의 진단에서 사용되면 안 되는데 그 이유는 전방두개저의 상대적인 수직적 그리고 회전된 악골의 폭경은 종종 측정값에 현저한 영향을 미치기 때문이다.

Wits 분석(Wits appraisal)

Steiner 분석과 같은 대부분의 두부방사선상의 분석은 두개골에 대해 상악과 하악의 전후방적인 위치와 관련이 있다. 그러나 두개저(cranial base)로부터의 측정값은 상악과 하악 사이에서 믿을만한 전후방적인 상관관계를 항상 제공해주는 것은 아니다. Wit 분석법은 상악과 하악 사이의 선상의 측정값이고 두개골에 의해 영향을 받지 않는다.

BO와 AO 점은 A-point와 B-point에서 교합면(occlusal plane)으로 수직선을 떨어뜨려 만들어지게 된다. 남성에서 BO는 AO의 1㎜전방이다. 여성에서 BO와 AO는 동일하다.

BO와 AO 사이의 측정값은 상악과 하악의 전후방적인 부조화를 보여준다. 작은 부조화는 교정적 치료에 의해 치료될 수 있음을 나타내고 반면에 큰 부조화는 외과적 시술이 요구된다는 것을 나타낸다.

전방 두개저(ant. cranial base)에 대한 상하악 복합체의 시계방향 또는 시계 반대방향으로의 회전은 Wit appraisal 측정에 영향을 주지 않는다. 그러나 이 회전이 현저히 Steiner 분석에는 영향을 준다. 이것이 두개의 두부방사선 분석이 얼마나 상반된 분석 값을 가지는 좋은 예이다.

그림 2-55a에서 2-55c 까지는 같은 Wits 분석값(0mm)을 가지는 세 개의 증례를 보여준다. 그러나 ANB angle은 +2, +8, -5도이며, 매우 다른 얼굴의 측모를 보여준다. 외과적 상하악 복합체의 외과적 회전이 그림 2-55b와 2-55c의 경우에 적응증일 수 있다. 그림 2-55d의 경우는 -1도의 ANB angle 값을 갖고 악골 사이에서 약한 Class III 부조화를 나타낸다. 그러나 이 경우에서 Wits 분석값은 8㎜이고 상당

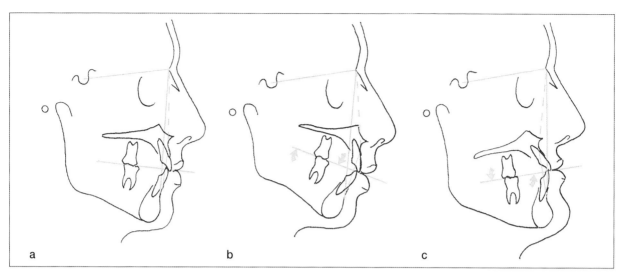

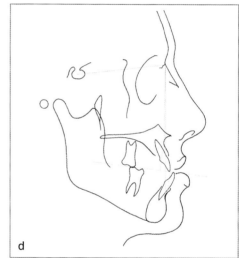

그림 2-55 전두개저와 ANB 각도와 연관된 상하악골 복합체의 회전효과(anterior cranial base). (a) 정상관계 : ANB 각도가 +2도 (b) 반시계방향 회전결과 ANB각도는 +8도. (c) 시계방향 회전결과 ANB -5도 3가지 증례에서 wits 분석법에 따르면 상악과 하악사이에 정상관계를 보인다(0mm). (d) ANB 각도 1도로 인해 약간의 class III 부적교합(stiner)을 나타낸다. Wits 분석법에 따르면 상악과 하악 사이의 편차가 심하다(8mm).

한 악골 부조화를 나타낸다. 환자는 교정적 방법만으로는 치료될 수 없다.

Facial angle (Downs)

Facial angle은 facial line과 FH가 교차되어 생기는 하내 측 각도이다. 그것은 82~95도이다(그림 2-56). Facial angle 두개골에 대해 하악의 전후방적인 위치를 보여준다.

Maxillary depth (상악골 전후방적 길이) (McNamara)

Maxillary depth는 N을 통과하는 FH에 수직인 선과 A-point간의 선상거리이다. 평균값은 0mm이다. 그것은 0도 이다. 그 선 전방에 있는 A-point는 양수를 나타내고 선 후 방에 있는 A-point는 음수를 나타낸다. Maxillary depth는 두개골과 연관되어 상악의 전후방적인 위치를 나타낸다.

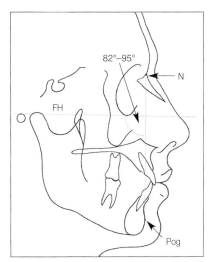

그림 2-56 Facial angle.
평균 82° 에서 95° 사이

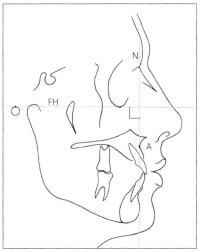

그림 2-57 Maxillay depth.
A line을 N을 통과하면서 FH에 수선으로 그
린다.

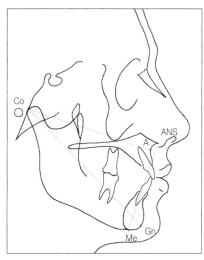

그림 2-58 Lower anterior facial height.
전방 하안모 높이 : ANS-Me. 중안모경
(Midfaical height) : Co-A, Mandibular length
(하악길이) : Co-Gn

전후방과 수직적 관계 (McNamara)

전방 하안모의 높이(Lower anterior facial height(LAFH))는 ANS에서 Me까지 측정되어지고 중안모 길이(midfacial length)는 Co에서부터 A-point까지 측정되어진다. Co로부터 Gn까지의 거리는 mandibulat length이다. Co-A와 Co-Gn, LAFH 사이에는 상관관계가 있다(그림 2-58). 그 상관관계는 표 2-3에 있다.

상하악의 전후방 관계(McNamara)

임상가들은 McNamara 분석에 대해 알아야한다. 그것은 중안면과 하악의 유효한 길이가 small, medium, large로 표현된다.

상하악 편차(maxillomandibular differential)는 하악길이(mandibular length)에서 중안모 길이(midface length)를 빼는 것으로 구한다. 혼합치열기에서 small individual은 20-23mm여야 한다. Medium은 27-30mm, large는 30-33mm이다(그림 2-59).

그림 2-60에서 midfacial length, mandibular length, lower anterior facial height 사이의 관계를 나타내고 있다. 정상보다 크거나 작은 부조화는 상악과 하악의 부조화 관계를 나타낸다고 할 수 있다. 어떤 악골이 문제인지 밝혀내기 위하여 다른 대안적 분석이 사용되어야 한다. Midfacial length는 Co에서 A-point까지 측정되고 Mandibular length은 Co에서 해부학적 Gn에서 측정된다. Midfacial length와 mandubular length의 선상관계를 유효한 상악과 하악의 길이의 비율(the ratio of effective maxillary to mandibular length)이라고 부른다. 어떤 특정한 maxillary length는 주어진 범위 내에서 특정한 mandibular length와 대응된다(표 2-3). 정상 성인비는 maxilla : mandible = 1:1.3이다. 정상 성장과정 중에 이 비율은 8세 1:1.25에서부터 어른수치로 감소된다. 효과적인 mandibular length는 연간 0.005의 비율로 상악의 길이보다 빠르게 증가한다(10살 1:1.26, 12살 1:1.27, 14살 1:1.28, 16살 1:1.29).

임상가는 이 값의 변화가 성장부조화를 나타내는 것일지도 모른다는 것을 알아야 한다. 그러나 이것이 턱이 잘못됨을 나타내는 것은 아니다.

표 2-3 McNamara 분석에서 정상 표준치

중안모 길이 (mm ; Co-A)	하악 길이 (mm ; Co-Gn)	전방 하안모 높이 (mm ; ANS-Me)
80	97-100	57-58
81	99-102	57-58
82	101-104	58-59
83	103-106	58-59
84	104-107	59-60
85	105-108	60-62
86	107-110	60-62
87	109-112	61-63
88	111-114	61-63
89	112-115	62-64
90	113-116	63-64
91	115-118	63-64
92	117-120	64-65
93	119-122	65-66
94	121-124	66-67
95	122-125	67-69
96	124-127	67-69
97	126-129	68-70
98	128-131	68-70
99	129-132	69-71
100	130-133	70-74
101	132-135	71-75
102	134-137	72-76
103	136-139	73-77
104	137-140	74-78
105	138-141	75-79

유효한 상하악 길이(mandibular, maxillar length)의 심미적 효과는 전안면 길이(anterior facial height)와 A-point, Co, Gn에 의해 형성되는 각도와 밀접한 관계가 있다. 이각은 나이가 들면서 정상적으로 감소한다. 골격성 전후방적 관계는 표 2-4에 요약되어 있다.

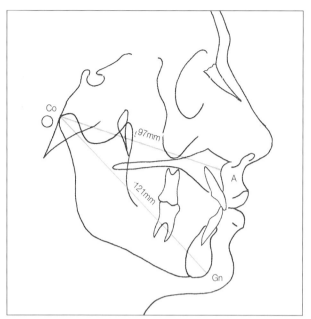

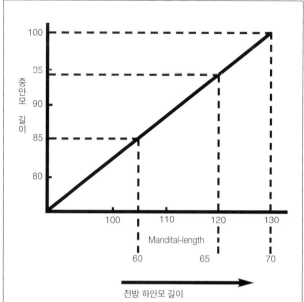

그림 2-59 상하악 전후방적 관계. 상하악 편차가 24mm인 경우, 작거나 중간정도의 환자에서 이상적이다. 그래서 S : 1.24의 상하악 비율을 보인다. McNamara 정상수치에 의하면(표 2-3) 중안모 길이가 97mm 이면 하악의 길이는 126~129mm 사이가 적절하다. 위 증례는 하악이 약간 전후방 결핍이 되어 있는 상태이다

그림 2-60 중안모(상악) 길이와 하악의 길이 사이에 일반적으로 선상 관계를 보이며 나이나 성별 보다는 길이와 관련 있다. 100mm 상악길이를 가진 환자의 경우 하악길이가 130mm 정도가 적정함을 보인다. 이 경우 상하악 편차가 30mm 정도가 된다(McNamara와 Brudon, 1993 허가로 게재함).

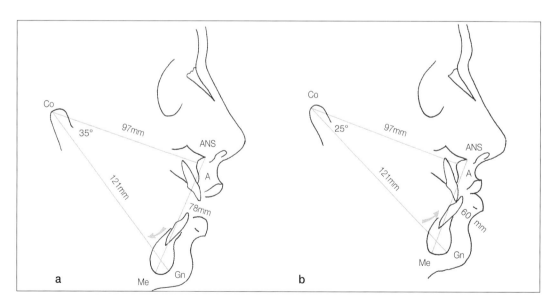

그림 2-61 전방하안모에 따른 심미적 효과 변화와 하악턱의 후방(a)과 전방(b)회전.
(a)와 (b) 모두에서 중안모 길이(97mm)와 하악길이(121mm)가 동일하다. (a)에서 전방하안모길이(ANS-Me)는 78mm이지만 (b)에서는 60mm이다. (a)에서 Co-A와 Co-Gn 사이 각도가 35도이지만 (b)에서는 25도이다.

표 2-4 골절의 전후방적 관계 요약

Anteroposterior relationship		Normal value
Maxilla		
	To anterior cranial base(SNA)	82 degrees
	To mandible(ANB)	2 degrees
	To mandible(Wits appraisal)	AO 1mm behind BO(males)
		AO and BO coincide(females)
	Maxillary depth : A-point to N perpendicular to FH	0mm
	To mandibular lengh : Co-A : Co-Gn	1 : 1.3
Mandible		
	Mandibular plane angle S-N to Go-Gn	32 degrees
	To anterior cranial base(SNB)	80 degrees
	To maxilla(ANB)	2 degrees
	To maxilla(Wits appraisal)	BO 1mm ahead of AO(males)
		BO and AO coincide(females)
	To maxillary lenght : Co-Gn : Co-A	1.3 : 1

골격의 수직적 관계 ; 중안모에서 하안모까지의 골격적 높이

골격의 수직적 관계는 N에서 ANS와 ANS에서 Me로부터 측정된다. FH에 수직인 선을 얼굴의 앞 부분에 긋는다. 이 수선으로 N, ANS, Me로부터 수직인 선을 그리고, N에서 ANS와 ANS에서 Me까지 거리를 측정한다. 정상값은 N-ANS는 53mm이고 ANS-Me는 65mm이다. 그러나 수직길이 사이의 비율이 측정치보다 더 중요하다. 이 비율은 5:6이 정상이다. 수직적 악안면 기형을 가지는 사람에게서 아래 측 안모의 측정치(ANS-Me)가 영향을 받는데 이것은 윗쪽 안모의 측정치(ANS-Me)와의 비율에 영향을 미친다.

ANS-Me 거리는 상악수직과성장, 하악수직과성장, 개교 교합에서 증가될 것이다.

아래측 안모의 측정치(Lower measurement(ANS-Me))는 수직적상악열성장, 교차교합, 심피개교합, 수직적하악열성 장에서 감소될 것이다.

치과적 관계의 분석

상악절치의 평가
상악절치의 위치

Steiner analysis : 스테이너 분석에 따르면 상악 절치의 상대적위치는 N-A와 절치의 기울기의 관계에 의해 결정된 다. 상악절치의 최전방점은 N-A의 4mm 전방이어야 하며, 이 선에서 22도 기울기를 가져야 한다(그림 2-63). N-A와 절치팁의 선상관계는 기울기를 안면복합체 전체가 아니라 상악에서 절치의 전후방적 관계의 정보를 공급한다. 만약 두개저와 상악의 관계가 고려된다면, 악교정수술에서 이 측정치는 치아의 술 전 위치 결정에 도움을 줄 수 있다. 악 안면 장애를 가진 개인에서 N-A선은 종종 절치 위치 측정 에 믿을만한 근거가 될 수 없다. 왜냐하면 바로 두개저와 상악골간의 골격적인 부조화 때문이다. 이 케이스들에서 는, A점을 지나는 수직선이 N-A선으로 대체되어야 한다(그 림 2-64). 도움될 만한 부가적인 측정으로 상악 절치를 지나

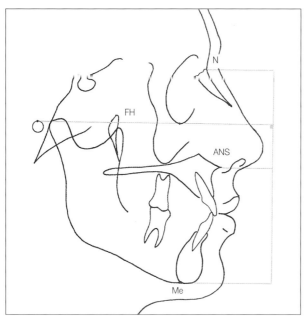

그림 2-62 중안면과 하안면 골결 높이(Midiface and lower face skeletal heights) N-ANS : ANS-Me = 5 : 6

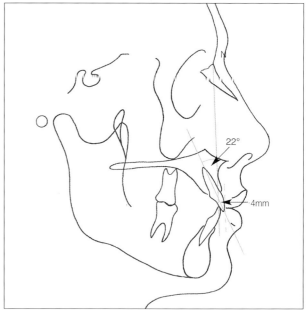

그림 2-63 상악 전치부 위치(Steiner) : N-A선에서 22도, 전방으로 4mm에 위치.

는 선과 전방 두개저를 지나는 선(S-N(근첨에서 절치끝을 잇는))이 이루는 각도이다; 106° ±4° (그림 2-64).

McNamara analysis(맥나매라 분석법) : 특히 악교정 환자에서 중요한 관계는 절치의 양악 기저골에 대한 관계이다. McNamara 분석에서, 상악절치의 그들 각각의 기저골에 대한 관계는 N에 평행하고 FH에 수직인, A점을 지나는 수직선을 그려서 결정된다. 상악절치의 순면은 그 선의 4-6mm 직전방에 있어야 한다(그림 2-65).

상악치성이 돌출된 경우, 절치는 A점을 지나는 수직선에서 6mm이상 전방에 있을 것이다. 그리고 이는 교정적 retraction에 대한 적응증이 될 것이다. 상악절치가 직립해있는 경우(2급부정교합 2류), 절치 첨단은 이 선에 대해 4mm 이하로 전방 위치하거나 심지어 후방에 위치할 것이다.

하악 절치평가
(mandibular incisor evaluation)
하악 절치의 위치(mandibular incisor position)

Steiner analysis : 하악 절치의 상대적인 위치는 N-B선에 대한 하악 절치의 관계로 결정한다. Steiner analysis에 따르면 N-B선에 대한 하악 절치의 각도는 25도가 되어야 하고, 치관의 가장 순측부위는 이 선의 전방 4mm에 있어야 한다. 그러나 N-B선은 치성안면기형환자에서 하악과 두개저의 부조화 때문에, 종종 하악 절치의 위치를 결정하는데 믿을만한 근거가 될 수 없다.

각도와 선의 측정은 하악에 대한 하악절치의 관계를 나타낸다.

Class III 부정교합과 보상된 절치를 가진 환자에서, 그 각은 작을 것이고, 절치 첨단은 N-B선에 더 가까워지거나 더 후방에 있을 것이다. 돌출된 절치는 각도가 클 것이고, 순면은 N-B에 대해 4mm이상 전방에 있을 것이다. 또한 이

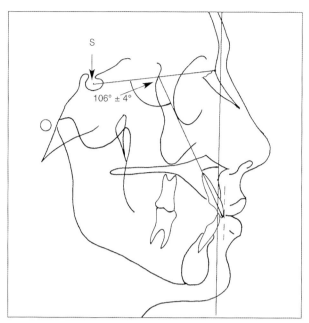

그림 2-64 상악절치부에 대한 부가적 측정방법.
두개저(S-N)와 상악절치(근관에서 치근척까지) 사이의 각도가 106±4
도가 되어야 한다.

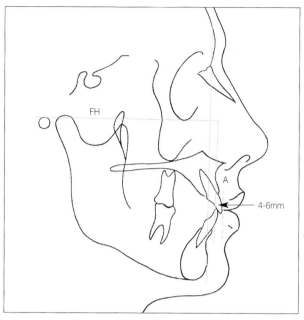

그림 2-65 상악절치위치(HcNamara). 전치의 협측면이 A점을 통과하
는 수선에 4~6mm 전방에 위치해야 한다.

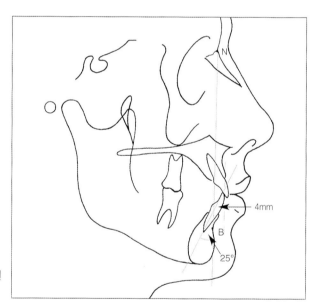

그림 2-66 하악전치부 위치(Steiner) : N-B선에서 25도이며 N-B선 전
방 4mm 위치

측정치들은 하악 절치의 술 전 교정적 위치를 정하는 것과
발치를 계획하는데 가이드 역할을 수행할 수 있다.

McNamara Analysis : 상악에서처럼, 하악에서 하악절치
의 하악 기저골에 대한 관계를 결정하는 것이 중요하다.

McNamara에 따르면, 하악절치의 순면은 B점을 지나는 수
직 실선에서 4mm 전방에 있어야 하고 이 선과 25도의 각
을 이루어야 한다(그림 2-67a). 이 측정치의 증가는 하악 치
성 돌출을 의미한다. 몇몇 인종에서 이는 정상일지도 모르
나 백인에서는 이것이 골격성 하악 부전형 2급 부정교합에

53

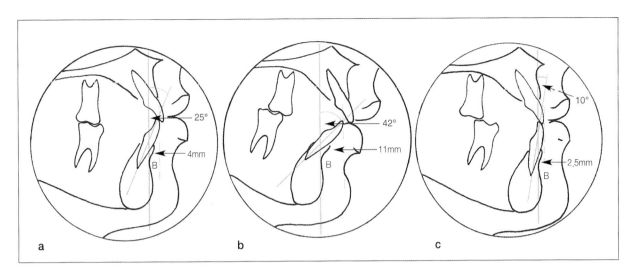

그림 2-67 (a) 1급 교합 : 절치와 B-point를 통과하는 수직선 : 4mm와 25° (b) 하악 절치가 돌출되어있는 2급 부정교합 ; 절치와 B-point를 통과하는 수직선 : 11mm와 42° (c) 보상된 하악절치를 가진 3급 부정교합 ; 절치와 B-point를 통과하는 수직선 : 2.5mm와 10°

서 종종 보인다(그림 2-67b). 치성 골격성으로 3급 부정교합에서는 하악 절치가 종종 보상성으로 되어 이 선에 더 근접하거나 심지어는 뒤에 있다(그림 2-67c).

Downs Analysis : Downs에 의하면, 하악평면에 대한 하악 절치의 이상적인 장축 경사도는 90도±7도이다(그림 2-68). 3급부정교합과 보상된 하악 절치를 가진 개인에서, 이 각은 작은 경향이 있다. 하악 절치가 돌출되었을 때 그 각은 큰 경향이 있다(즉, Bimaxillay protmision이나 2급 1류 부정교합).

절치각(interincisal angle) (downs)

절치간 각도는 상하악 중절치 절단과 치근첨을 지나는 선에 의해 형성된다(130±6도)(그림 2-69). 전치가 더 돌출될수록 더 작은 각이 된다. 작은 각은 절치돌출을 의미하고, 종종 2급 1류 부정교합과 연관된다. 반면에 큰 각은 빈번하게 2급2류 심피개교합과 연관된다.

상악 제1 대구치에서 익돌수직선까지 거리 (ricketts)

상악 제1 대구치 원심면에서 익돌수직선(상악의 후방)에 이르는(그림 2-70) 거리는 환자나이에 3을 더한 mm 수와 같아야 한다. 예를 들면 12살인 경우 15mm가 정상 값이다 (18살 성인은 21mm, 21살은 24mm).

이 측정치는 부정교합이 상악이나 하악 대구치의 위치에 기인하는 것인지를 결정하는데 도움을 준다. 이는 또한 발치를 할 것인지 헤드기어가 적응증인지 결정하거나 상악의 전후방 위치를 결정하는데 유용한 지표이다. 작은 값은 대구치가 너무 원심쪽에 있다는 것을 표시하며, 따라서 헤드기어와 원심이동은 피해야 한다. 반면에 큰 값은 그 반대상황을 의미한다. 이 측정치는 대구치 근심이동을 유발할 수 있는 이전의 상악치아 발치에 의해 영향을 받는다.

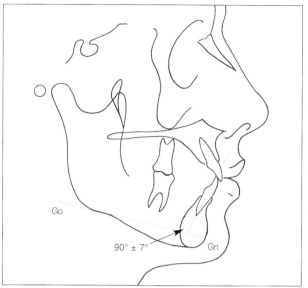

그림 2-68 하악 전치부 위치(Downs) Mandibular incisor position 하악 평면(Mandibular plane, Go-Gn)에 하악 전치부의 장축각이 90±7(axial inclination).

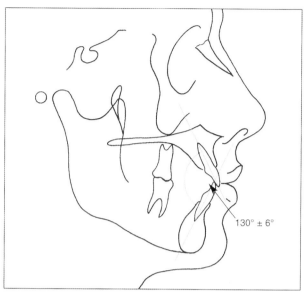

그림 2-69 상하악 전방치아간 각도(interincisal angle)

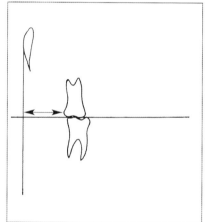

그림 2-70 상안구치부 위치. Ptv(익동수직선)에서 제1 대구치까지 거리가 환자의 나이 + 3mm이다.

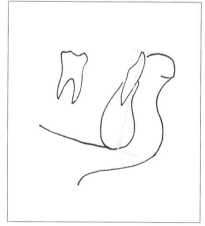

그림 2-71 하악전치부 치아높이 : 44±2mm(남자), 40±2mm(여자)

하악전치부 치아 높이(mandibular anterior dental height)

하악 전방부 치아 높이는 하악 절치 절단골에서 하악의 기저부까지 측정한다. 하악 전방부 치아 높이의 평균은 남자에서 42±2mm 여자에서 40±2mm이다(그림 2-71).

정상적인 윗입술 길이와 정상적인 상악 절치 노출을 보이는 환자의 경우 하악의 수직적 높이의 증가는 하악의 전방부 수직높이가 증가되어서일 수 있다. 이 경우 수직적 감소 이부성형술의(vertical reduction genioplasty)의 적응증이 될 수 있다.

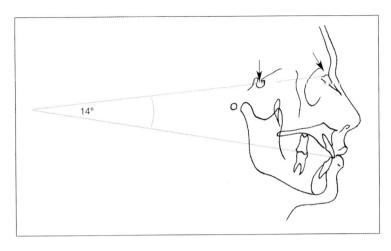

14°

그림 2-72 교합평면각
: 교합평면(op)과 전방두개저(S-N)의 각도

표 2-5 치아 상호관계에 대한 요약

	치아 상호 관계	정상수치
상악 전치	N-A와의 각도	22도
	N-A와의 거리	4mm 전방
하악 전치	A점 수직선에서 거리	4~6mm 전방
	N-B와의 각도	25도
	N-B와의 거리	4mm 전방
	B점 수직선에의 거리	4mm전방
	하악평면과의 각도	90±7도
상하악 치간 각도	상하악 전치 치아간 각도	130±6도
상악 제1 대구치	제1 대구치와 Ptv간 거리	환자나이 ±3mm
하악 전치치아 높이	하악면에서 전치 치아면까지 거리	44±2mm(남)
		40±2mm(여)
교합평면 각도	S-N에서 OP각도	14도
Occlusal plane angle(op)	FH에서 OP각도	9도

교합평면 각도(occlusal plane angle)

Steiner분석에 따르면 교합 평면각은 제 1 소구치와 제 1 대구치의 겹치는 교두와 절치부 수지피개를 균등히 나누게 그려진 선과 (occlusal plane) 전방두개저(Anterior cranial base) 사이에 형성된다. 그 평균각은 14도이다(그림 2-72). Downs에 따르면 교합평면각은 occlusal plane과 Frankfortplane 사이 각이며 9도가 될 것이다. 교합면(occlusal), palatal(구개면), 그리고 mandibular plane(하악하연 면) 각은 때때로 개인을 high angle 이나 low angle로 기술하기 위해 사용된다. high angle인 사람은 low angle인 사람이 수직적으로 전 안모고경이 짧은 것에 반해 긴 안모 고경과 연관된 경향을 보인다.

표 2-5에 주어진 치아 위치의 수치는 비정상적인 치아위치 진단과 최종적인 치아상, 골격상, 연조직상의 위치를 결정하는데 기준으로 고려되어야 한다. 임상가는 치아가 골의 중심부에 거쳐 위치하는지 아닌지를 결정하기위해 치아위치를 평가해야만 한다.

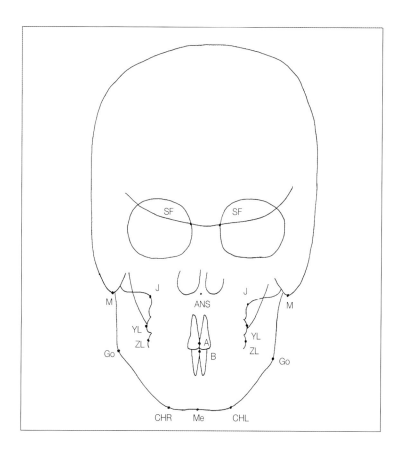

그림 2-73 전후방 경조직 두부계측 표준점
(posteroanterior crphalometric landmarks)

전후방 두부계측방사선사진 평가

측두부계측방사선사진(Lateral cephalometric radio-graphic)에 덧붙여 개별적인 안모 비대칭은 안면골의 전후방 두부계측방사선사진(Posteroanterior radiographic)평가가 요구된다.

경조직 두부계측 표준점

전후방 경조직 두부계측 표준점(Posteroanterior hard tissue landmark)은 그림 2-73에 나와 있다.

SF : orbital ridge근심부를 가로지르는 Sphenoid bone의 작은 wing 부위

Anterior Nasal Spine(ANS) : nose 기저부의 중심점

Jugulare(J) : Zygomatic buttress의 근심 최상방점

Mastoid(M) : mastoid bone의 최하방점

A : 상악 전치사이의 접촉부

B : 하악 전치사이의 접촉부

Y : 상악 제 1 대구치의 협측 최측방점. YL은 왼쪽의 Y, YR은 오른쪽의 Y

Z : 하악 제 1 대구치의 협측 최측방점. ZL은 왼쪽의 Z, ZR은 오른쪽의 Z

Gonion(Go) : 하악각의 최후하방점

Menton(me) : 하악전방부의 최하방점

CH : 하악의 전하방기저부의 최하측방점 CHL은 왼쪽의 CH, CHR은 오른쪽의 CH

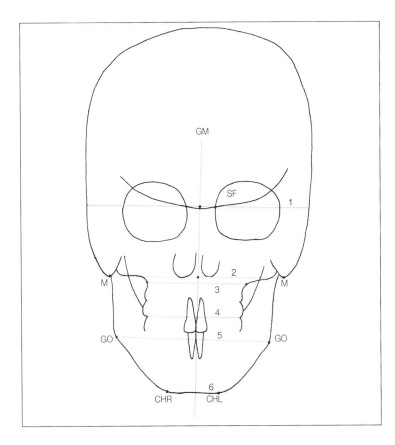

그림 2-74 횡전후방과 수직 평면(Transverse posteroanterior and vertical planes)
(1) 두개저 평면 (2) Mastoid plane (3) J-평면
(4) 교합평면 (5) S-평면 (6) 턱평면

수평(횡) 전후방 두부계측 평면

그림 2-74에 보이는 횡 전후방 두부계측의 평면은 다음 사항을 포함한다.

Cranial base plane(C-plane) : 좌우의 SF point를 연결하고 두개관의 외측으로 확장되는 수평적인 선

Mastoid plane(D-plane) : 좌우측 Mastoid point를 연결하는 선

S-plane : 하악의 좌우 Go사이를 연결하는 선

J-plane : 좌측 J-point에서 우측의 J-point로 그려진, 기하학적으로 구성된 수직선 (GM)에 의해 절반으로 나뉘어지는 선

Occlusal plane(OP) : 상악과 하악의 협측교두의 교합점을 좌우로 연결한 선으로 구성된 평면

Chin plane(CHP) : 턱의 하방경계에서 그려진 최대한 골과 접촉하는 Me를 통과하는 선

수직 전후방 두부계측선

수직두부계측선은 기하학적으로 구성된 수직축(GM)이라고 불린다(그림 2-74). 그것은 C-plane과 D-plane을 나누고 이 두점을 연결하여 턱으로 연장함으로써 형성된다.

그림 2-75 상악 삼각형(maxillary triangle)

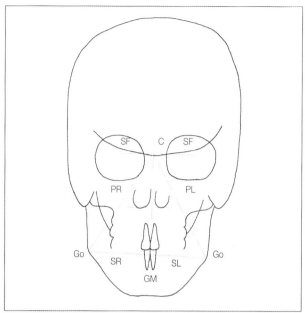

그림 2-76 하악 삼각형(mancibular triangle)

삼각분석

삼각형은 상악과 하악 그리고 턱의 대칭성을 평가하기 위해 형성되었다.

상악 삼각은 GM양측의 J-point와 C-plane의 중앙을 연결함으로써 형성된다. 이 연결된 선들을 HR선과 HL선이라고 부른다. 삼각형의 밑변은 GM에 의해 IR과 IL둘로 나뉜다(그림 2-75).

하악삼각은 PR과 PL을 이용하여 C-point와 양쪽의 Go를 연결함으로써 구성된다. 하악삼각의 밑변은 GM에 의해 SR과 SL 둘로 나뉜다(그림 2-76).

턱삼각은 CHR과 CHL을 C-point와 연결함으로써 형성된다. 삼각형의 사변을 KR과 KL이라 한다. 턱의 정중선과 하악 절치의 정중선 간의 상관관계를 평가하기 위해 B-point

에서 CHP로 수직으로 선을 긋는다. 이 삼각의 밑변은 GM에 의해 GR과 GL, 둘로 분리된다(그림 2-77).

삼각형의 사변을 측정함으로써 상악과 하악 그리고 턱의 사면과 두개저에 대한 위치관계 뿐 아니라 서로간의 위치관계를 측정할 수 있다. 삼각형 밑변의 좌, 우측을 비교함으로써 횡적인 부조화가 평가될 수 있다. Nasal spine과 Menton 그리고 치열의 정중선 비대칭이 평가될 수 있다. 하악 치열의 정중선과 턱의 정중점 사이의 모든 부조화가 CHP에 대한 수직선에 의해 평가될 수 있다(그림 2-77).

수직과 수평적 치아 치조골 평면

기저골과 치아치조골 구조 사이의 수직관계는 J-plane의 YR과 YL에서 교합평면으로 수직으로 그은 선과 S-plane에

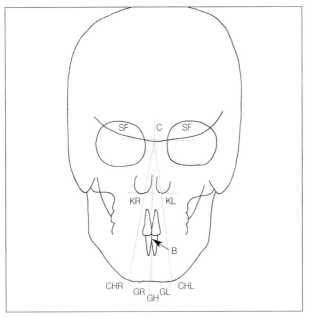

그림 2-77 CHP에 수직선이 B점을 지나는 턱 삼각형과 수직선

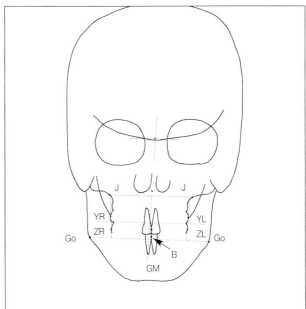

그림 2-78 수직 치아-치조골 평가

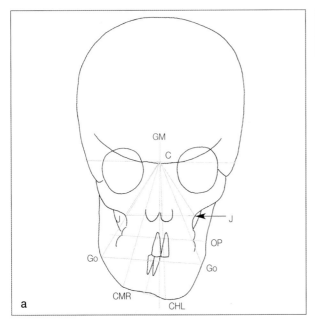

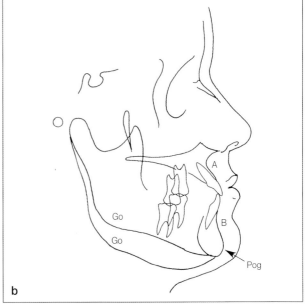

그림 2-79 (a) 심한 안모 비대칭. 삼각형들이 심하게 회전된 것을 주지하라.
(b) 심한 비대칭은 측두부계측 방사선 분석에서도 관찰할 수 있다. 안모 비대칭의 3차원적 성격을 잘 나타내고 있다(대부분의 경우에서처럼)

서 교합면의 ZR과 ZL로 수직으로 그은 선에 의해 평가될 수 있다. 횡적인 부조화는 YR과 YL그리고 ZR과 ZL로부터 GM line까지의 거리를 측정함으로써 평가된다.

수직적인 부조화는 J-plane에서 교합면까지의 좌우측 수직 고경의 차를 비교하여 평가할 수 있다. 하악의 치아 치조골 간의 수직적인 부조화는 교합평면에서 S-plane의 ZR과 ZL 간의 수직적 거리를 측정하여 평가할 수 있다(그림 2-78). 안면 비대칭을 평가하는데 전후방적인 두부계측 방사선사진의 평가가 유익하다. 또한 측면 두부계측 방사선사진과 병합하면, 임상가에게 치열안면변형(dentofacial deformity)에 대한 보다 더 많은 입체적인 이해를 할 수 있다. 상악, 하악, 이부를 포함한 심한 안면 비대칭이 있는 환자의 경우, 측방 및 전후방적인 두부계측 방사선 분석이 그림 2-79에 보여진다.

두부계측방사선사진 분석의 한계

두부계측방사선사진 분석은 진단과 치료 계획 과정에서 중요하지만, 다음과 같은 한계가 있다.

1. 치아와 치조돌기와 안면의 기형인 대부분의 사람들은 sella, nasion과 orbitale 같은 많은 분석에서 기준선으로 사용되는 두부계측학적 표준점의 위치가 해부학적 변이가 있다. 이것은 분석에서 부정확한 결론을 내릴 수 있게 한다
2. 임상의는 단일 두부계측방사선사진 측정에 근거한 해석을 하면 안된다.
3. 임상의는 두부계측의 장점뿐만 아니라 그 한계도 알아야 하며, 임상적 결과(clinical finding)를 측정치와 통합해야만 한다.
4. 두부계측방사선적 분석의 기술은 비정상적 사진상을 이해하고 치아골격성 기형을 가진 환자에게서 이러한 두부계측방사선학적 이상에 숨겨진 원인 인자를 밝혀내는데 있다.

5. 두개골 계측분석이 진단과 치료 계획을 위한 기초 자료의 중요한 부분을 차지하지만, 환자의 임상적 평가보다 더 우선시 사용되면 안된다.

구강 내 전악 치근단 방사선사진 평가

만약 환자가 치근단 주위 또는 치주 병소나 치아우식 등의 징후가 있으면, 병리적인 상태에 대한 보다 자세한 이해를 얻기위해 치근단 방사선사진이 필요하다. 치근단 방사선사진은 치간골 절단술 계획시 치근의 이개정도를 보다 정확히 평가하도록 한다.

파노라마 방사선사진의 평가

파노라마 방사선사진은 상악동과 하악의 이부까지의 범주에서, 부비동, TMJ, 치근단과 치주병소, 치아 우식, 하치조 신경과 lingula(하악소설) 및 이공의 위치, 치근의 길이 등의 전반을 평가하는 데에 있어 훌륭한 수단이다. 부가적으로, 파노라마 사진은(비록 치근단 방사선사진만큼 정확하지는 않지만) 치간골 절단술(interdental osteotomy) 부위의 치근 만곡, 미맹출치와 매복치 및 미리 발견 못한 병소의 상태를 술 전에 파악할 수 있게 한다. 파악된 정보는 치료 전 평가뿐만 아니라 실제 수술과정동안 중요한 해부학적 구조물의 상대적인 위치의 결정에 중요하다. 그림 2-80은 파노라마 방사선사진의 평가 양식이다. 수술 시에 사용할 수 있는 조기 술 전 파노라마 방사선사진은 필수적이다. 왜냐하면 이 사진은 대부분 악안면부위 수술과정에 있어 해부학적 구조물의 가치가 있는 전반적인 상태를 알려주기 때문이다(예, 하치조신경관, 이공, 치근, 매복된 제3대구치 및 상악동의 위치).

파노라마 방사선사진의 평가		
상실치		
미맹출치		
매복치		
치아우식		
치주조직 질환		
상악동 질환	좌측:	우측:
하악 측두 관절 질환	좌측:	우측:
골의 병소	상악:	하악:

그림 2-80 파노라마 방사선사진 평가표. 이 평가표는 치료적 평가, 술 전 평가, 수술시기 중에 사용될 수 있다.

교합과 진단 모형 평가

교합 기능 평가

교합 기능 평가의 기본적인 목적은 CO와 CR의 적합성을 결정하는 것, CO와 CR 차이점이 있다면 기록하는 것, 교합 경사나 저작의 용이성을 기록하는 것 그리고 교합사이의 빈 공간을 기록하는 것이다. 그림 2-81은 기능 평가 형식을

나타낸다.

진단 모형 분석

악궁 내(intra-arch) 관계

진단 모형 분석에서, 악궁 형태와 대칭성, 결손치, 회전치 그리고 과맹출치를 기록한다. 상하악 교합 곡선을 연구한다. 총생과 발치 필요성을 결정한다. 치아 크기의 bolton 편차를 관찰한다.

기능적 평가	
중심 교합위와 중심위 사이의 차이	
조기 접촉적	
교합 미끌림 현상	
Freeway space(상하악 치아간 자유공간)	
교모	
안정저작	

그림 2-81 기능적 평가표

악궁간 관계(interarch relationship)

진단모형 분석은 구치와 견치에 대한 angle 분류만큼 전치의 overjet(전치돌출도)와 overbite(전치피개도)에 대한 평가를 포함하고 있다. 임상가들은 일반적인 치궁 적합도를 얻기 위해, 모형을 class I 부정교합으로 옮기는 동안 치간 정중선과 crossbite(교차교합)의 공동작용을 평가한다.

만약 치아를 수용할 수 있는 적절한 교합 확립의 가능성이나 치아크기 편차를 수용할 수 있는 적절한 교합확립 가능성이 의심스럽다면 Kesling 진단모형을 사용해야 한다.

이 방법은 또한 다양한 발치 여부에 대한 평가에도 사용될 수 있다.

만약 중심교합의 치아에 교차교합이 존재하고 모형이 I급 부정교합으로 이동될 때, 교차교합의 교정이 가능하다면 교차교합이 상대적인 것으로 고려될 수 있다.

만약 교차교합이 모형이 class I 관계에 위치된 후에도 여전히 존재 시 교차교합은 절대적인 것으로 여겨진다.

진단모형 분석 항목은 그림 2-82를 참조하라.

연구모형 분석지

치궁 분석:

치궁모양 : 상악 하악		
상실치		
매복치아		
교합 평면 기울기		
교합 평면 곡선		
총생 : 상악궁	mm:	
하악궁	mm:	
치아변위		
치아정출		

치궁관계

대구치	Left:	Right:
견치	Left:	Right:
Overjet(전치돌출도)	mm:	
Open bite(개교합량)	mm:	
상하악 치아 중심선		
반대교합	Absolute:	Left:
	Relative:	Right:
반대 교합 위치		
치아 크기 변위		

그림 2-82 연구(작업)모형 분석지(study cast analysis form)

측두 하악관절 평가지

최대개구량	mm:	
개구시 변이량	Left:	Right:
최대 전방 운동량	mm:	
전방 운동시 변이량	Left:	Right:
측두 하악관절 증상		
관절음 여부	Left:	Early(<10mm)
		Late(>10mm)
	Right:	Early(<10mm)
		Late(>10mm)
통증	Left:	Joint:
		Muscle(s):
	Right:	Joint:
		Muscle(s):
관절잡음여부	Left:	Right:
과거 치료 병력		

그림 2-83 측두 하악관절 평가 기록지(temporomandibular joint evaluation form)

측두하악관절의 평가

TMJ는 악교정수술 매커니즘에 있어 중요 요소이고 신중하게 다루어져야 한다.

병인 상태가 발현 시 관절 내에서 나타날 수 있고 치료도중, 또는 치료 후 발생할 수 있다.

그러므로 임상가는 교정-외과적(orthodontic-surgical) 치료 전에 악관절에 대한 진단학적 예후를 평가해야 한다.

일반적인 TMJ 평가에는 다음의 세 가지가 있다:

(1) 하악의 움직임

(2) TMJ 증상과 증후

(3) 개구와 편위(deviation)

악관절에 대한 치료 전 상태의 신중한 진단기록은 매우 중요하다(그림 2-83). 관절와와 과두의 올바른 위치는 악안면외과 시술 과정의 중요부분이고, 치료 전 평가에서 모아진 정보는 외과 시술 중 유용할 수 있다. 환자는 또한 치열 안면변형과 부정교합의 교정이 반드시 TMJ 문제를 해결해 주지 못한다는 것을 이해하고 있어야 한다.

Recommended Reading

Ackerman JL, Proffit WR. The characteristics of malocclusion: A modern approach to classification and diagnosis. Am J Orthod 1969;56:443–454.

Aquilino SA, Mattooon SR, Holland GA, Phillips C. Evaluation of condylar position from temporomandibular joint radiographs. J Prosthet Dent 1985;53:88–97.

Arnett GW, Bergman RT. Facial keys to orthodontic diagnosis and treatment planning, Part I. Am J Orthod Dentofacial Orthop 1993;103:299–312.

Arnett GW, Bergman RT. Facial keys to orthodontic diagnosis and treatment planning, Part II. Am J Orthod Dentofacial Orthop 1993;103:395–411.

Barbosa AL, Marcantonio E, Barbosa CE, Gabrielli MF, Gabrielli MA. Psychological evaluation of patients scheduled for orthognathic surgery. J Nihon Univ Sch Dent 1993;35:1–9.

Burstone CJ. Lip posture and its significance in treatment planning. Am J Orthod 1967;53:262–284.

Burstone CJ, James RB, Legan H, Murphy GA, Norton LA. Cephalometrics for orthognathic surgery. J Oral Surg 1978;36:269–277.

Bütow KW, van der Walt PJ. The "Stellenbosch"—Triangle analysis of posteroanterior and basilar cephalograms. J Dent Assoc S Afr 1981;36:461–467.

Bütow KW, van der Walt PJ. The use of the triangle analysis for cephalometric analysis in three dimensions. J Maxillofac Surg 1984;12:62–70.

Czarnecki ST, Nanda RS, Currier GF. Perceptions of a balanced facial profile. Am J Orthod Dentofacial Orthop 1993;104:180–187.

Downs WB. Analysis of the dentofacial profile. Angle Orthod 1956;26(4):191–211.

Ellis E 3rd, McNamara JA Jr. Cephalometric reference planes—Sella nasion vs Frankfort horizontal. Int J Adult Orthodon Orthognath Surg 1988;3(2):81–87.

Epker BN, Fish LC. Dentofacial Deformities: Integrated Orthodontic and Surgical Correction, vol 1. St Louis: Mosby, 1986.

Epker BN, Stella JP. Systematic aesthetic evaluation of the neck for cosmetic surgery. Atlas Oral Maxillofac Surg Clin North Am 1990;2(3):217.

Fishman LS. Radiographic evaluation of skeletal maturation. Angle Orthod 1982;52:82–112.

Frost DE. Database collection for orthognathic surgery. In: Peterson LJ (ed). Principles of Oral and Maxillofacial Surgery, vol 3. Philadelphia: Lippincott, 1992:1279–1305.

Garvill J, Garvill H, Kahnberg KE, Lundgren S. Psychological factors in orthognathic surgery. J Craniomaxillofac Surg 1992;20(1):28–33.

Grave KC, Brown T. Skeletal ossification of the adolescent growth spurt. Am J Orthod 1976;69:611–619.

Greulich WW, Pylers I. Radiographic Atlas of Skeletal Development of the Hand and Wrist, ed 2. Stanford, CA: Stanford UP, 1959.

Holdaway RA. A soft tissue cephalometric analysis and its use in orthodontic treatment planning, Part I. Am J Orthod 1983;84:1–28.

Holdaway RA. A soft tissue cephalometric analysis and its use in orthodontic treatment planning, Part II. Am J Orthod 1984;85:279–293.

Hulsey CM. An esthetic evaluation of lip-teeth relationships present in the smile. Am J Orthod 1970;57:132–144.

Jacobson A. The "WITS" appraisal of jaw disharmony. Am J Orthod 1975;67:125–138.

Kennedy B. Systematic aesthetic evaluation of the eyes and periorbital area for cosmetic surgery. Atlas Oral Maxillofac Surg Clin North Am 1990;2(2):393.

Kiyak HA, Hohl T, Sherrick P, West RA, McNeill RW, Bucher F. Sex differences in motives for and outcomes of orthognathic surgery. J Oral Surg 1981;39:757–764.

Kiyak HA, Vitaliano PP, Crinean J. Patient's expectations as predictors of orthognathic surgery outcomes. Health Psychol 1988;7:251–268.

Laskin JL. Clinical history and physical examination. In: Laskin DM (ed). Oral and Maxillofacial Surgery, vol 1. St Louis: Mosby, 1980:399.

Legan HL, Burstone CJ. Soft tissue cephalometric analysis for orthognathic surgery. J Oral Surg 1980;38:744–751.

Li KK, Riley RW, Powell NB, Guilleminault C. Patient's perception of the facial appearance after maxillomandibular advancement for obstructive sleep apnea syndrome. J Oral Maxillofac Surg 2001;59:377–379.

Lindhe J. Textbook of Clinical Periodontology. Copenhagen: Munksgaard, 1983.

McNamara JA Jr. A method of cephalometric evaluation. Am J Orthod 1984;86:449–469.

McNamara JB, Brudon WL. Orthodontic Treatment in the Mixed Dentition. Ann Arbor, MI: Needham Press, 1993.

Merrifield LL. The profile line as an aid in critically evaluating facial esthetics. Am J Orthod 1966;52:804–822.

Okeson JP. Fundamentals of Occlusion and Temporo-mandibular Disorders. St Louis: Mosby, 1985.

O'Ryan F, Schendel SA, Carlotti AE Jr. Nasolabial esthetics and maxillary surgery. In: Bell WH (ed). Modern Practice in Orthognathic and Reconstructive Surgery, vol 1. Philadelphia: Saunders, 1992:284–317.

Powell N, Humphreys B. Proportions of the Aesthetic Face. New York: Thieme-Stratton, 1984.

Proffit WR, White RP Jr. Surgical orthodontic treatment. St Louis: Mosby, 1990:96–140.

Reyneke JP. The surgical correction of dentofacial deformities. Contin Med Educ J 1995;13:661–668.

Reyneke JP, McCollum AGH, Evans WG. Introduction to Orthognathic Surgery. St Louis: Ishiyaku Euro America, 1990.

Reyneke JP, Tsakiris P, Kienle F. A simple classification for surgical treatment planning of maxillomandibular asymmetry. Br J Oral Maxillofac Surg 1997;35:349–351.

Ricketts RM. Cephalometric analysis and synthesis. Angle Orthod 1961;31:141–156.

Rothberg S, Fried N, Kane J, Shapiro E. Predicting the "WITS" appraisal from the A-N-B angle. Am J Orthod 1980;77:636–642.

Scheideman GB, Bell WH, Legan HL, Finn RA, Reisch JS. Cephalometric analysis of dentofacial normals. Am J Orthod 1980;78:404–420.

Schuddy FF. Cant of the occlusal plane and axial inclinations of teeth. In: Schuddy FF (ed). The Occlusal Plane—Its Origin, Development and Correction. Houston: Armstrong, 1992.

Showfety KJ, Vig PS, Matteson S. A simplified method for taking natural-head-position cephalograms. Am J Orthod 1983;83:495–500.

Solberg WK, Clark GT. Abnormal Jaw Mechanics—Diagnosis and Treatment. Chicago: Quintessence, 1984.

Sperry TP, Speidel TM, Isaacson RJ, Worms FW. Differential treatment planning for mandibular prognathism. Am J Orthod 1977;71:531–541.

Steiner CC. Cephalometrics for me and you. Am J Orthod 1953;39:729–755.

Steiner CC. The use of cephalometrics as an aid to planning and assessing orthodontic treatment. Am J Orthod 1960;46:721.

Tanner JM, Whitehouse RH. Standards for Skeletal Maturity Based on the Study of 3000 British Children. The Scoring System for All 28 Bones of the Hand and Wrist. London: Univ of London Institute of Child Health, 1959.

Todres JI. Static and Continuing Measurement of Head Posture—A Comparative Investigation [thesis]. Johannesburg: Univ of the Witwatersrand, 1993.

Worms FW, Isaacson RJ, Spiedel TM. Surgical orthodontic treatment planning: Profile analysis and mandibular surgery. Angle Orthod 1966;52:804–821.

Wylie GA, Fish LC, Epker BN. Cephalometrics: A comparison of five analyses currently used in the diagnosis of dentofacial deformities. Int J Adult Orthodon Orthognath Surg 1987; 2(1):15–36.

Yen P. Identification of landmarks in cephalometric radiographs. Angle Orthod 1960;30:35.

Zylinski CCT, Nanda RS, Kapila S. Analysis of soft tissue profile in white males. Am J Orthod Dentofacial Orthop 1992;101: 514–518.

제 3 장
진단과 치료계획

환자에 대한 전반적인 평가를 통해 얻은 정보를 이용하여 술자는 먼저 환자의 치아안면기형에 대한 간단한 문제목록을 작성함으로써 1차 진단을 위한 데이터베이스를 구성할 수 있다.

이때 연조직, 두개골 및 치아 위치에 대하여 주의깊게 평가함으로써 비슷한 패턴을 가지는 다양한 악안면 기형 형태를 감별진단할 수 있다. 예를 들어 단순한 III급 부정교합 환자라 할지라도 상악의 전후방 성장 결핍 또는, 하악의 전후방 과성장 또는, 상악의 수직적 성장 결핍과 동반된 하악의 과피개 교합, 또는 이들 모두 혼합한 형태를 띨 수 있다.

그림 3-1은 다양한 악안면 기형과 이들 사이의 관계를 감별 진단하는 안내도를 나타내고 있다.

또 그림 3-2는 정보 수집 과정에서부터, 자료기록 문제목록 작성 및 진단, 치료계획 수립에 이르기까지의 전 과정을 보여주고 있다.

이 장에서는 어떤 특정 증례들을 통하여 환자에 대한 체계적인 평가, 데이터베이스의 구성, 진단과정 및 치료계획 수립의 과정을 보여주고자 한다.

비록 각 증례들의 특정 치료 방법이 본문에서 아직 언급되지 않았다 하더라도, 이들을 통하여 각 증례의 시각적 치료목표(VTO : visual treatment objectives), 치료방법 및 치료결과 등을 보여줌으로써 독자들에게 환자평가의 초기단계 및 치료 계획 수립에 많은 도움을 줄 것이라 생각한다.

증례고찰

일반적 환자 평가

이름 : LM

나이 : 16세

병력 : 특이 사항 없음

치과 병력 : 18개월 동안 일반의에 의해 교정 치료. 현재 하악 전치부에 설측 유지 장치를 착용하고 있다. 4개의 매

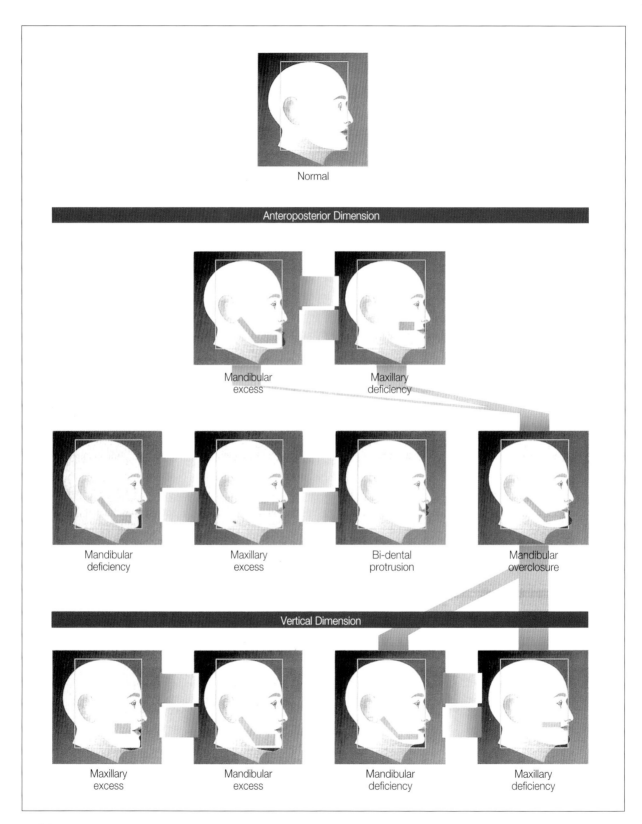

Normal

Anteroposterior Dimension

Mandibular
excess

Maxillary
deficiency

Mandibular
deficiency

Maxillary
excess

Bi-dental
protrusion

Mandibular
overclosure

Vertical Dimension

Maxillary
excess

Mandibular
excess

Mandibular
deficiency

Maxillary
deficiency

그림 3-1 다양한 악안면 기형과 이들 사이의 관계를 감별 진단하는 schematic guide.

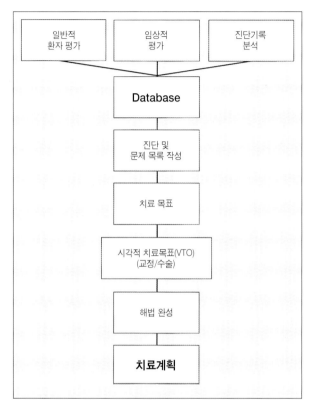

그림 3-2 정보수집부터 database 기록, 문제 목록 작성 및 진단, 치료계획 수립에 이르는 flowchart.

복된 제 3대구치가 있다.

주소 : 그녀는 전치로 음식을 씹는 것이 어렵다고 한다. 그녀는 왼쪽 하악 측절치가 잘못 위치되어 그녀의 얼굴이 전체적으로 뻐드렁니가 심한(toothy) 상태를 보인다고 생각하고 있으며, 입을 다물 때 입술이 긴장되어 보기 싫다고 느낀다.

동기 부여(Motivation) : 자발적

정신적 평가 : 부모의 협조가 좋은 편, 자신감이 없는 상태

임상적 평가

A. 구강외 검사

　1. 전두면(그림 3-3a 와 3-3b)

　　a. 증가된 하안면 고경

　　b. 증가된 interlabial gap

　　c. 상악전치의 과도한 노출

　　d. "Gummy smile"

　　e. 코 주변부의 약간의 flattening

　　f. 좁은 alar base

　　g. 하순측 vermilion의 과도한 노출

　　h. 좌측으로의 하악 비대칭

　2. 측면(그림 3-3c)

　　a. 볼록한 측모(Convex profile)

　　b. 하악이부의 전후방적 결핍

　　c. 하악골의 전후방적 결핍

　　d. 약간 튀어나온 아랫입술

　　e. 증가된 interlabial gap

　　f. 증가된 하안면 고경(lower facial height)

　3. Threee-quarters view(그림 3-3d)

　　a. 코주변부의 flattening

　　b. 하악이부 결핍 모양

　　c. 좁은 alar base

　　d. 불명확한 코끝형태

B. 구강 내 검사(그림 3-3e 에서 3-3g)

　1. 하악궁

　　a. 전치부의 총생(crowding)

　　b. 전방위치된 하악전치

　　c. 톱니모양의 전치부 절단면선

　　d. 하악전치부에서 부착치은의 부족

　2. 상악궁

　　a. 전방위치된 상악전치

　　b. 약간의 crowding

　3. 악간 관계

　　a. I급 부정교합 상태

　　b. 전치부 개방교합

　　c. 양악 치열 전돌 상태

　　d. 하악 치열 정중선의 1.5 mm 좌측 편위

C. 기타

　1. 전치부에서 약간의 치은염

　2. 구호흡

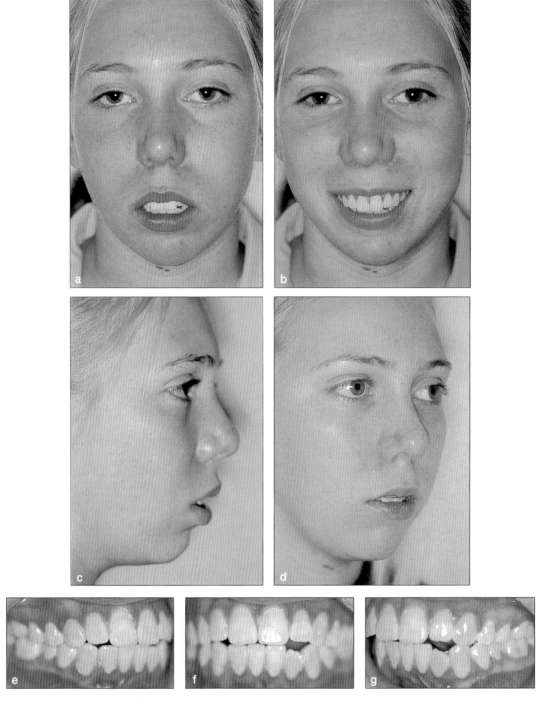

그림 3-3 수술 전 환자 LM의 평가. (a)정모 (b)정모, 웃는 모습. (c)측모, (d)정측모. (e)우측교합. (f)중심교합. (g)좌측교합.

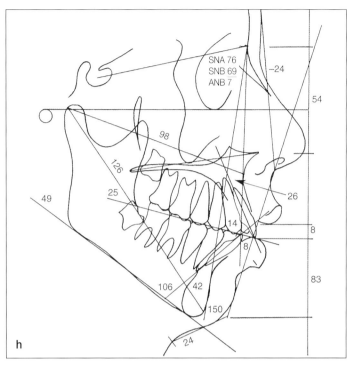

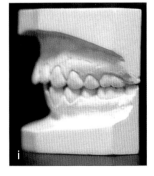
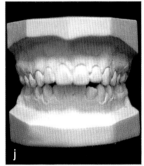
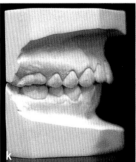

그림 3-3 계속 (h) 술 전 측모두부. (i to k)분석모형 : 좌측(i), 중앙(j), 우측(k).

특별 검사

방사선학적 평가

A. 두부계측 방사선사진 분석

  1. 연조직 분석(그림 3-3h)

    a. 증가된 facial contour angle(-24도)

    b. 증가된 inter labial gap(8mm)

    c. 증가된 상악 전치의 노출(8mm)

    d. 증가된 lip-chin-throat angle(150도)

    e. 감소된 chin-throat length(24mm)

  2. 골격 분석(그림 3-3h)

    a. 증가된 ANB angle(7도)

    b. 증가된 mandibular plane angle(49도)

    c. 증가된 수직 고경(83mm, midface는 54mm)

    d. 감소된 하악길이(126mm, 상악은 98mm)

    e. 하악골의 시계방향회전

  3. 치아 분석

    a. 상악전치의 돌출(26도)

    b. 하악전치의 돌출(42도, 14mm)

    c. 전치부 개교합

표 3-1 교정적 치료목표와 해결 방법

Treatment objective	Solutions
Reduce lip prominence	Retract maxillary and mandibular incisors
Correct bimaxillary protrusion	Retract incisors
reduce crowding	Extract premolars
Facilitate surgical advancement of the mandible	Extract maxillary second premolars and slightly retract maxillary incisors
	Extract mandibular first premolars, retract incisors, and increase overjet
Ensure orthodontic stability	Make no attempt to close open bite orthodontically

B. 파노라마 사진상의 평가 : 매복된 제3대구치

C. 정모 두부계측 사진 분석

    1. 좌측으로의 하악의 비대칭

    2. 하악 치열 정중선의 좌측 편위

D. 치아방사선사진 분석 : 특별한 이상 없음.

E. 교합평면 방사선사진 분석 : 특별한 이상 없음.

F. 기타 : 특별한 이상 없음.

치아 연구모형 분석

임상평가에서 나타난 사항들이 Cast 분석에서도 잘 나타나고 있다(그림 3-3i~3-3k).

진단 및 문제 목록 작성

A. 골격 진단 및 문제 목록

    1. 수직적 상악 과성장

    2. 하악골의 전후방적 성장 결핍

    3. 왜소턱(Microgenia)

    4. 좌측으로의 하악 비대칭

B. 연조직 진단 및 목록

    1. 볼록한 측면 안모

    2. 하악의 전후방적인 성장 결핍

    3. 이부 결핍

    4. 증가된 interlabial gap

    5. 하순의 외번(Everted lower lip)

C. 치아 진단 및 문제 목록

    1. 양악궁의 총생

    2. 양악 치열의 전방 돌출

    3. 매복된 제3대구치

    4. 하악 치열 정중선의 좌측 편위

D. 다른 분석과 문제점

    1. 구호흡

치료 목표

A. 연조상의 치료목표

    1. 볼록한 측모(facial convexity)의 수정

    2. 돌출된 턱끝(chin prominence)의 개선

    3. lip seal의 형성

    4. 입술 돌출을 약간 줄임

B. 골격상의 치료목표

    1. 수직적 상악 과성장의 개선

    2. 하악골의 전방이동

    3. 하악이부의 전방이동

C. 치성 치료목표

    1. 양악 전돌의 수정

    2. 전방 개교합의 수정

    3. 총생 해소

표 3-2 수술적 치료의 목적과 해결방법

Treatment objective	Solutions
Correct facial convexity	Advance the mandible
Improve chin prominence	Advance the chin
Reduce vertical maxillary excess	Reposition the maxilla superiorly
Correct open bite	Reposition the posterior maxilla superiorty
Creat a lip seal	Reopsition the maxilla superiorly
Correct mandibular asymmetry	Reposition the mandible to the right

치료목표의 평가

임상가는 이제 이 증례에 맞는 특별한 치료 목표들을 세우기 위하여 위에 작성한 치료목표들을 다시 한 번 평가하여야 한다. 그리고 최종 치료계획을 수립하기 전에 다음 3가지 기본적인 질문들을 명심하여야 한다.

1. 환자의 심미적 치료목표는 무엇인가? 그리고 이를 위하여 어떤 수술 방법이 가장 알맞은가? 어떤 수술적 과정이 적응증인가?
2. 목적하는 수술을 수행하기 위해 알맞은 교정치료는 무엇인가?
3. 이 환자에서 최상의 치료과정은 무엇인가? 보철 치주 및 교정치료의 알맞은 순서는 어떻게 되나? 그리하여 최소한의 시간에 원하는 결과를 얻기 위한 요구사항은 또 무엇인가?

교정적 치료 목적과 가능한 해결책이 표 3-1에 기술되어 있다. 또 수술적 치료 목적과 가능한 해결책이 표 3-2에 기술되어 있다.

치료계획

술 전 교정치료

술 전 교정 치료에 의해 기대되는 치아와 연조직의 변화는 그림 3-4a 및 3-4b에서의 cephalemetric tracing과 교정용 VTO에서 보여주고 있다.

상악궁에서는:
1. 양쪽의 제 3대구치의 외과적 제거와 제 2소구치의 발거
2. 전치의 가벼운 견인, 상순 지지의 유지
3. 악궁의 정렬(alignment), 발거공간의 폐쇄
4. 하악 치열궁과 호응하는 악궁 형태의 조성

하악궁에선:
1. 제3대구치의 외과적 발거, 제1소구치의 발거
2. 전치를 후방견인하며 overbite를 증가시키고 2급 부정교합을 형성.
3. 악궁을 정렬하여 상악궁과 호흥하는 악궁형태를 조성
4. 개방교합을 개선시키기 위하여 전치를 정출시키거나 구치를 합입시키지 말 것

수술

외과적 수술 목적의 윤곽을 그려보고 그림 3-4c에 수술적 VTO가 제시되어 있다.
1. 상악을 상방으로 재위치 시킴으로써 치아 입술 사이의 이상적인 관계와 하악의 autorotation 및 개방교합을 치료하기 위한 Le Fort 1 osteotomy
2. 하악의 전방이동을 위한 BSSRO
3. 하악이부의 전방이동을 위한 genioplasty

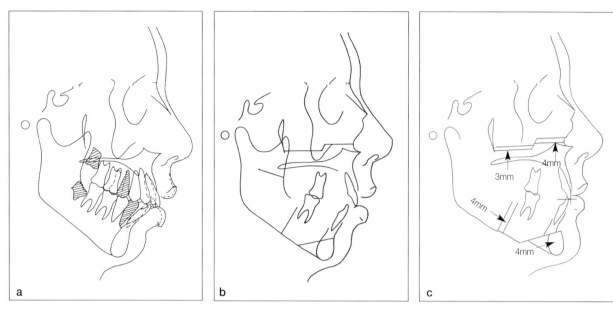

그림 3-4 Patient LM. (a)교정용 VTO, 4개의 제 3 대구치 및 양측 상악 제 2 소구치. 하악 제 2 소구치 발거를 시행하고 전치를 후방견인하여 2급 부정교합 상태를 형성한다.(b) 완성된 술 전 교정 VTO. (c)외과적 VTO : 상악을 상방으로 재위치(전방 4mm, 후방 3mm)시키고 하악을 전방 이동하며(4mm), 턱 끝은 전방이동시킨다(4mm).

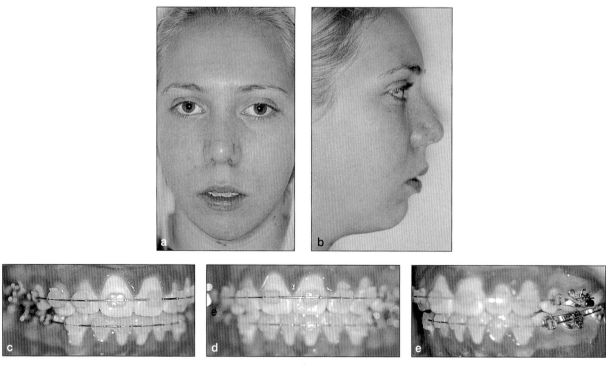

그림 3-5 환자의 LM의 수술 직 전 모습. (a)정모, (b)측모, (c)우측교합, (d)중심교합, (e)좌측교합.

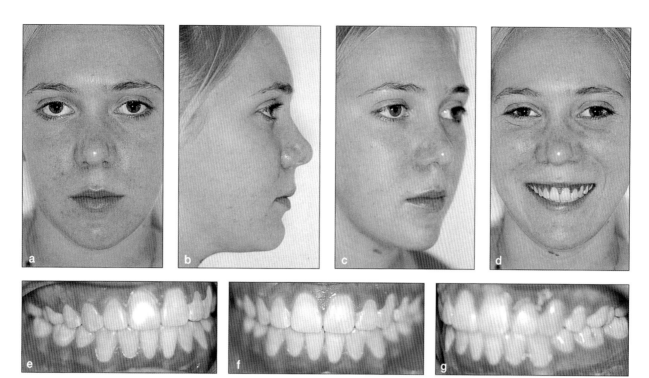

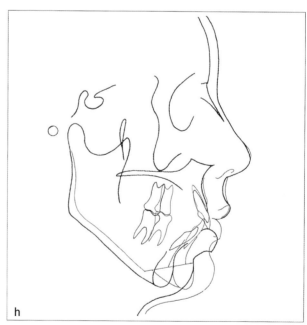

그림 3-6 환자 L.H의 최종 치료 후 모습.
(a)정모, (b)측모, (c)정측모, (d)정모 웃는 모습, (e)우측교, (f)중심
교합, (g)좌측교합, (h)측모두부방사선사진상의 치료전-후 연조
직 및 경조직 변화.

술 후 교정치료

1. 정상교합을 유도하기 위해 약간의 class II vector 와 함
   께 가벼운 3.5-oz quarter-inch elastics 사용

2. 3-4주 후 좀더 강한 up-down elastics (6-oz, quarter-inch
   elastics)

3. 교합의 완성

유지

1. 견치 사이의 유지 장치로 하악 고정

2. 상악 장치 제거

결과

술 전 교정의 목적을 달성한 상태의 모습이 그림 3-5에 나타나 있으며 술후 최종치료의 결과는 그림 3-6에 제시되어 있다.

이 증례는 다음의 카테고리 즉, 연조직, 골격, 치아 그리고 여러 다른 고려 사항 등, 문제점을 해결하기 위한 종합적인 접근 방식을 통해 달성된 것이다. 성공적인 치료 계획에서는 반드시 각 문제 해결방법간의 상호작용, 다양한 치료의 순서, 그리고 그 단계들이 상호간에 미치는 영향 등에 대해 반드시 고려하여야 한다.

골격의 재위치에 따른 안모의 변화

악교정 수술을 통하여 악안면 기형을 교정하는 경우, 결과적으로 안면부에 많은 심미적인 변화를 가져온다. 이때 악교정 수술방법을 결정하고 술 후 연조직의 변화를 예측하기 위해서 임상가는 하방 악골의 외과적 이동에 따른 연조직 반응양태에 대하여 심도있는 지식을 가지고 있어야만 한다. 다음 내용들은 기본적인 연조직 반응 양상을 나타낸 요점이라 할 수 있다.

A. 하악골의 전방이동

  1. 정면 안모의 변화

    a. 안면부 하방 1/3에서 수직고경이 증가한다.(하악각이 작은 경우보다 큰 경우에 더 많이 증가한다.)

    b. 하순의 외반양이 감소한다(하순에 대한 상악 전치의 외반효과가 감소하기 때문이다).

    c. labiomental fold 의 깊이가 감소한다(하순이 뒤로 말린다).

    d. 목-턱 끝의 윤곽선이 뚜렷해진다.

  2. 측모의 변화

    a. 턱끝의 돌출이 증가한다.

    b. 하순 vermilion 노출이 더 적어진다(하순이 뒤로 말린다).

    c. 하순의 긴장이 증가한다.

    d. 턱끝-목선의 각이 감소한다.

    e. labiomental fold 의 깊이가 감소한다.

B. 하악골의 후방이동

  1. 정면 안모의 변화

    a. 하악의 돌출이 감소한다.

    b. 상순의 vermilion이 더 도드라진다.

    c. 안면부의 하방 1/3의 높이가 감소한다(하악각이 작은 경우보다 큰 경우에 더 많이 감소한다.)

  2. 측모 변화

    a. 하악의 전후방 돌출이 감소한다.

    b. 하순 vermilion 노출이 줄어든다.

    c. 턱-목의 길이가 감소한다.

    d. 턱-목의 각이 증가한다.

C. 상악골의 전방이동

  1. 정면 안모의 변화

    a. 비익저(alar base)의 폭이 증가한다(조절가능).

    b. 상순의 긴장이 증가한다.

    c. 상순 vermilion의 노출이 감소된다.

    d. 코 주위가 더 풍만해진다.

  2. 측모 변화

    a. 코 주위가 더 풍만해진다.

    b. 비첨(코끝)이 거상된다(조절가능).

    c. 상순의 긴장이 증가한다.

    d. 턱과 코의 돌출이 감소된다(상대적임).

D. 상악골의 상방이동

  1. 정면안모의 변화

    a. 상악전치의 노출이 감소한다.

    b. 상순 vermilion의 노출이 감소한다.

    c. 입술간 거리가 감소한다.

    d. 상순의 길이가 감소한다(조절가능).

    e. 안면부 하방 1/3 높이가 감소한다.

f. 웃을 때 치은이 덜 노출된다.

g. 비익저의 폭(alar base width)이 증가한다(조절가능).

2. 측모 변화

a. 코 끝이 거상된다(조절가능).

b. 안면부의 하방 1/3 높이가 감소한다.

c. 입술간 거리가 감소한다.

d. 하악의 전후방적인 돌출도가 증가한다 (autorotation 시).

e. 코 주위가 풍만해진다.

E. 상악골의 하방이동

1. 정면안모 변화

a. 안면부의 하방 1/3의 높이가 증가한다.

b. 상순길이가 증가한다.

c. 상순 vermiliion의 노출 증가.

d. 상악치아의 노출이 증가한다.

2. 측모 변화

a. 상순의 돌출이 증가한다.

b. 비순각(nasolabial angle)이 더 커진다.

c. 하악의 돌출량이 감소한다(하악의 autorotation).

심미적 목표와 수술의 적응증

외과적 수술방법의 선택은 환자의 주소 및 임상검사에 의하여 결정되는 심미적인 치료목표에 의하여 결정되며 안면부 평가는 골격 및 연조직의 평가를 모두 포함하여야 한다. 이때 심미적인 치료목표는 교정적 및 수술적으로 시각화된 치료목표(orthodontic and surgical visual treatment objective. VTO)를 작성함으로써 얻을 수 있다. 이 과정에서 교정의사와 외과의사는 서로 긴밀하게 협조하여 보다 효과적인 치료계획을 세워야 한다. 예를 들어 하악골의 돌출도를 증가시켜야 하는 심미적 요구가 필요한 증례에서 하악골 이부의 모양은 수술방법을 선택하는데 매우 중요한 역할을 한다. 즉 이부에 대한 수술은 오직 하악이부가 너무 flat(microgenia)하거나 또는 labiomental fold가 너무 밋밋

한(obtuse) 경우에만 적응증이 되는 것이다. 그러므로 하악의 돌출도를 증가시키기 위한 수술방법으로는 다음 3가지의 경우가 있다.

(1) 하악이부의 외과적 전방이동

(2) 하악골의 외과적 전방이동

(3) 하악이부와 하악골의 외과적 전방이동이다.

이때 수술방법의 선택은 치아교합, 하악기저골의 위치, 하악이부의 형태에 따라 달라진다. 다음 기술할 사항들은 이러한 여러 요소들이 다양한 경우에서 어떻게 영향을 미치는가에 대하여 설명할 것이다.

Class II 부정교합

시나리오 1

만약 환자가 2급의 부정교합과, 하악골의 전후방 결핍을 보이지만 하악이부의 모양은 정상적이라면 이때의 해결책은 술 전 교정 과정에서 치아를 정렬시켜(tooth alignment) 더욱더 심한 class II 관계를 만든 다음 수술적으로 하악골을 전방이동시키는 것이다.

시나리오 2

그러나 어느 경우 환자는 2급 부정교합과 하악의 전후방적 결핍 그리고 microgenia(편평한 턱)를 가지고 있다면 해결책은 술 전 교정을 통하여 치아를 정렬시킨 후 하악골과 하악이부를 동시에 전방이동시키는 것이 방법이다. 또는 다른 방법으로 술지는 환자의 2급 부정교합을 그대로 수용하면서 하악이부만 전방 이동시키는 것도 한 가지 방법이 될 수 있다.

Class I 부정교합

시나리오 1

만약 환자가 1급 부정교합을 가지며 하악골은 전후방적으로 결핍을 보이고 있지만 턱끝의 모양은 정상적이라면, 이때의 치료방법은 술 전 교정을 통하여 2급 부정교합 관

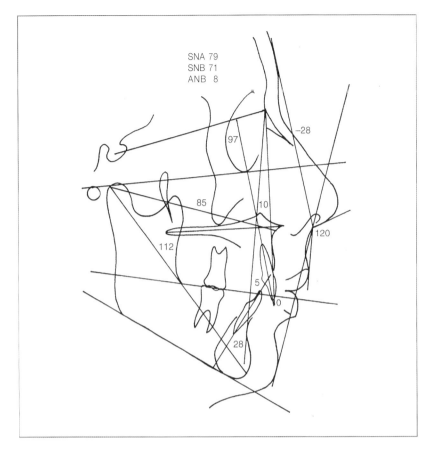

그림 3-7 하악골의 전후방 결핍과 2급 부정교합의 표준계측 방사선사진 증례. 제1 소구치를 미리 발치하였으며, 상악전치는 이에따라 너무 과도하게 후방견인되어 lip support와 overjet가 감소되었다. 이러한 요소는 장차 하악골의 전방이동을 충분치 못하게 제한하여 심미적 결과과 좋지 못할 것으로 예상된다. 또 현재의 하악이부의 모양과 labiomental fold는 정상이지만 하악골의 전방이동만으로는 하악이부가 돌출되지 못하고 하순의 지지를 얻을 수 없어 이를 위하여는 하악골 이부의 전진수술을 하여야 되는 입장이다.

계를 형성한 후에 하악골을 외과적으로 전방이동시키는 방법을 선택하여야 한다.

시나리오 2

하지만 어떤경우 환자가 1급 부정교합을 가지면서 하악골의 전후방적 결핍과 동시에 microgenia(평평한 턱끝)을 가지고 있다면 첫 번째 방법으로는 하악이부를 외과적으로 전방이동시키는 것이 될 것이며, 두 번째 방법으로는 매우 심한 경우에는 술 전 교정에서 2급 부정교합을 형성한 후에 하악골과 하악이부를 외과적으로 전방이동시키는 방법을 선택하여야 할 것이다.

수술을 편리하게 하기위한 구체적인 교정치료

교정 의사가 술 전 교정치료의 필요성을 이해하는 것만큼 외과 외사가 orthodontic decision making process를 이해하는 것 또한 중요하다. 왜냐하면 이들 두 전문 임상가들의 좋은 상호교류는 치료 결과를 개선시킬 수 있기 때문이다.

수술 전 치아의 위치는 외과적 수술의 정도와 마지막 심미적 결과를 결정한다.

미진한 술 전 교정으로 골격적 기형에 대한 치아의 보상(dental compensation)을 해결하지 않은 경우, 또는 치료계획에 미치지 못하는 술 전 교정은 수술의 문제점을 일으킨다. 이는 외과 의사에게 기능적 혹은 심미적 결과가 개선되게 하기 위해, 일차적인 치료계획에서 빠져 있는 분절골수술(segmental surgery), 이부성형술(genioplasty)과 같은 부가적 수술을 시행하도록 강요한다. 또한 치료 결과도 이상적인 해결 방법에서 다소 보상적인 면으로 바뀌게 된다(그림 3-7).

수술을 위한 교정치료 증례에서는 교정치료의 목표, 발치 양상, mechanic 등이 수술이 필요치 않은 순수교정 치료와는 다르거나 반대인 경우가 있다. 악안면 기형의 술 전 치료에 대한 교정 치료의 계획이 발달하면서, 몇 가지 기본적인 외과적 치료 시나리오가 설정되었다. 교정-외과적 decision-making process를 돕기 위한 지침으로서 여기에 한쪽 또는 양쪽의 악골에 대한 다양한 치료방법을 제시하고자 한다. 이때 편악수술만을 결정하였을 경우 수술하는 악골의 위치는 수술하지 않는 악골의 치아교합 관계에 의하여 결정될 것이다.

하악 재위치를 동반하는 편악 수술(Single-jaw surgery)

상악 치열에서 특히 상악전치는 하악의 새로운 수직, 전후방, 횡단위치를 결정한다(그림 3-8).

하지만 턱끝의 전후방 위치와 수직적 위치는 genioplasty에 의해 변할 수 있다. 또 이 위치는 labiomental fold 뿐만 아니라 턱끝의 돌출도와 형태에 의하여 영향을 받는다.

예를 들어 환자가 2급 부정교합과 microgenia와 결부된 하악의 전후방적 결핍을 가지고 있을 때 턱끝은 genio-plasty에 의해서 전방이동되어야 한다(그림 3-9).

또 두 번째 예로서 2급 부정교합을 가진 환자가 하악의 치아치조 돌기의 전후방적 결핍을 보이거나(그림 3-10a), 또는 너무 과도한 턱끝(macrogenia)을 보이는 경우, 수술 의사는 다음 2가지를 고려할 수 있다..

1. BSSRO(bilateral sagittal split osteotomy)와 reduction genioplasty를 통한 하악의 전방 이동(그림 3-10b)

2. Total subapical mandibular osteotomy를 통한 치아 치조 돌기의 전방이동(그림 3-10c)

교정적 고려사항

하악의 전후방적인 성장부족과 2급부정교합을 가진 환자는 상악전치의 과도한 retraction을 시행해서는 안 될 것이다. 왜냐하면 상순의 지지를 감소시키고 하악의 전방이동량을 제한시키기 때문이다. 교정의사는 VTO를 통하여 입술과 이부의 이상적인 연조직 위치와 상하악 전치부를 어디에 위치시켜야 하는지 결정할 수 있다. 이러한 배열로 인해 교정과 의사는 하악의 직선 전방이동량을 추론할 수 있는데, 이때 원하는 전치부위치는 발치가 적응증이 된다면 정확한 발치방법(어떤 치아를 발치할 것인지)을 결정하는 데 도움을 줄 것이다.

3급 부정교합과 하악의 전후방적인 과성장을 가진 환자에게 있어서는 하악전치와 구치부의 decompensation이 요구되어질지도 모른다. 또한, 원하는 연조직 위치는 VTO를 통하여 결정되며 이에 따라 하악의 직선적 후방이동량을 정할 수 있으며, 이러한 정보는 교정의사가 이상적인 전치부위치를 결정하는 데 도움을 줄 것이다. 하악의 전후방적 성장부족의 증례에서는 하악의 총생과 심한 Spee만곡이 종종 있을 수 있다. 이러한 것은 발치 적응증이 될 수 있는데 상황에 따라 다음 세 가지의 발치양상이 있다.

1. 하악전방부의 총생과 정상적인 상악 치열의 경우 : 하악 제1소구치 발거가 필요하다. 하악의 전방이동 후, 결과적으로 구치부 3급관계와 1급 견치관계가 나타날 것이다. 제1소구치의 발거는 하악전치부의 더 많은 retraction을 가능하게 한다.

2. 하악구치부의 총생과 정상적인 상악 치열의 경우 : 하악 제2소구치의 발거가 필요하다. 이것은 하악전치부 retraction양을 줄일 수 있을 것이다. 이러한 발거양상은 술 후 3급 구치부 관계와 1급 견치관계를 나타내게 될 것이다.

3. 양쪽 악궁 모두에서 발거가 요구되는 총생의 경우 : 일

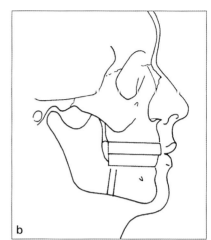

그림 3-8 (a)2급부정교합과 하악의 전후방적 성장부족 (b)교정적으로 해결된 상악악궁과 하악 전치부의 적절한 위치는 술자가 1급교합관계로 하악을 전방이동시키기 좋게 만들 것이고, 심미적 결과를 나타낼 것이다.

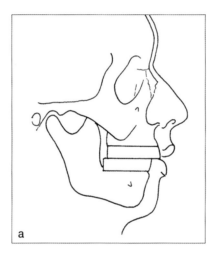
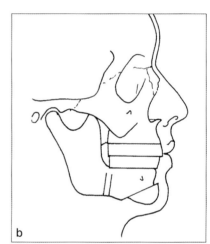

그림 3-9 (a)진단 : 2급부정교합, 하악의 전후방적 성장부족, microgenia (b)하악과 이부의 수술적 전방이동을 통해서 심미성을 얻을 수 있다.

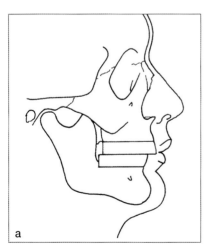
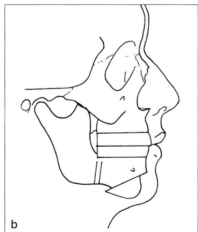
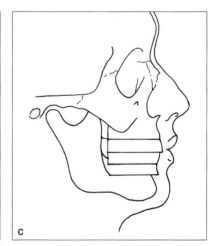

그림 3-10 (a)치아-치조골 전후방 저성장 (b)Reduction genioplasty과 하악의 전방이동 (c)Subtotal osteotomy방법으로 하악의 치아치조부의 전방이동. 두 가지 경우에 있어서, 상악전치부는 수술적 전방이동량을 결정하고 이부의 최종적 심미를 결정한다(필요한 chin reduction양, 또는 전방이동된 치아치조부에 의해서 결정되는 하순의 전방이동량).

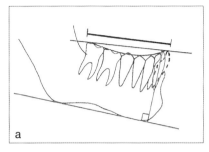
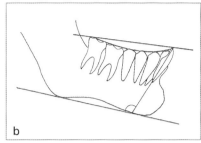
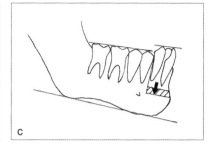

그림 3-11 (a)심한 Spee만곡이 존재하고 전치부가 upright 되어 있는 상태. 전치를 순측 이동시키면 악궁 leveling을 위한 공간을 만들어 낼 수 있다 . (b)하지만 전치부 총생이 있으면서 전치각도가 돌출되어 있으면 이 부적절한 전치위치는 악궁 leveling을 방해한다. 이때는 발치가 적응증 이다. (c)다른방법으로 하악전치부 분절골 수술을 통하여 악궁 leveling을 할 수 있다. 이때는 추가적인 악궁길이 확장은 필요치 않다.

반적으로 술 전 교정상 큰 overjet이 필요한 경우에는 상악 제2소구치와 하악 제1소구치의 발거가 필요하다. 위에서 언급한 두 가지 발거양상에 대한 원리에 대해서 명심하고 이 원리에 따라서 양악궁에서 제 1소구치 또는 제 2소구치가 발거되어져야 한다.

치열은 leveling하는데 있어서 적당한 악궁의 길이가 필요하다. 또 총생이 있다면 부가적인 악궁 길이의 확장이 필요할 것이다. 이때 추가적인 고려사항으로 하악전치의 각도와 하악전치 부착 치은의 양과 질을 들 수 있다.

만약 하악전치부가 설측으로 경사가 되어있어 순측이동을 통해서 각도를 개선시킨다면 악궁 leveling을 위한 공간을 만들어 낼 수 있을 것이다(그림 3-11a). 만약 하악전치부가 돌출되어 있으면서 총생을 가지고 있다면, 발치가 필요할 것이다(그림 3-11b). 하악궁은 또한 수술적으로도 leveling될 수 있다. 이때는 부가적인 악궁길이의 확장을 필요로 하지 않는다(그림 3-11c).

수술대상이 아닌 상악에서 치아의 midline이 얼굴의 정중선과 일치하는가 하는 것도 또 하나의 고려사항이다. 결국 상하악 치열이 일치하기 위해서는 상악치열의 leveling도 필요하게 된다.

상악골의 재위치를 통한 편악 수술

이 경우 하악(수술하지 않는 악골), 특히 하악 전치부가 상악의 새로운 전후방적인 위치를 결정한다(그림 3-12). 그러나 이때 술자는 상악의 하방 또는 상방으로의 수직적 높이를 변화시킬 수도 있다. 상악을 상방으로 재위치(수직적 상악골 과성장의 경우)시키거나 하방 재위치(수직적 상악골 저성장의 경우)시킬 때, 하악골은 하악과두를 기준으로 상악골의 위치에 맞게 자동회전(autorotation)될 것이다. 상악전치부의 전후방적 위치는 자동회전 후에 하악전치부의 전후방적 위치에 의해서 결정되어진다. 또한 상악의 횡적인 불일치(협착된 악궁 또는 확장된 악궁)나 수직적 교합평면의 불일치(open bite), 그리고 상악궁의 치간이개부는 분절골절단술에 의해서 교정되어질 수 있다.

상악이 수직적으로 과도하게 성장되었을 경우, 하악골의 자동회전에 따른 하악전치부의 전방회전으로 인해, 상악골의 상방으로의 재위치는 상하악이 다소 전방이동되는 결과를 나타낼 것이다(그림 3-13). 교정의사는 이러한 상악골의 "부가적인" 전방이동에 대하여 전치부를 보상치료 할 필요가 있는데 이때는 하악전치를 약간 후퇴시켜야 되는 경우도 있으며, 전후방적인 불일치가 단일 악교정수술에 의해서 치

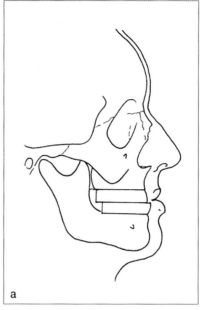
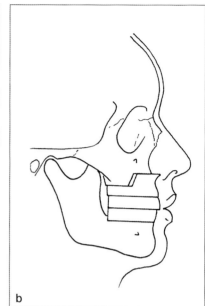

그림 3-12 (a)3급부정교합을 가진 상악의 전후방적 성장부전 (b)상악은 하악전치부의 전후방적 위치에 의해 결정된 1급교합형태로 전방이동된 상태.

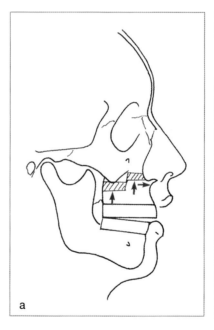
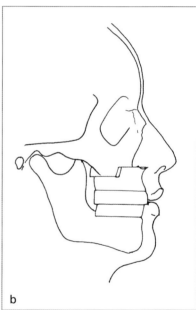

그림 3-13 (a)수직적 상악과성장과 전치부 open bite양상 (b)하악의 autorotation을 동반한 상악의 상방으로의 재위치로 인해 해소된 open bite. autorotation의 전방이동요소로 인해 상악은 다소 전방이동되어진다.

료되어지기에 너무나 많은 양이라고 한다면 양악 교정수술을 필요하게 할 수도 있을 것이다.

교정적 고려사항

교정적, 수술적 시각적 치료목표(VTO)를 통하여 이상적인 상,하악 전치부의 위치를 결정할 수 있다. 이때 하악의 자동회전이 전치부의 전후방적인 위치의 변화를 일으킬 수 있다는 것을 명심하여야 한다.

상악의 전후방적인 성장부족은 상악궁에서 종종 치열의 총생을 보이게 한다. 그리고 이때 발치는 치열의 조화를 위해 필요할 수도 있다. 이 경우 상황에 따른 세 가지 발치 형태는 다음과 같다.

1. *상악 전치부의 총생과 정상적인 하악치열의 경우;*
상악 제1소구치의 발거를 통하여 술 후 2급 구치부 교합관계와 1급 견치 교합관계를 이룰 수 있다. 이때 제1소구치의 발거는 상악 전치부의 더 많은 retraction을 허용할 것이다.

2. *상악궁 구치부의 총생과 정상적인 하악 치열의 경우;*
상악 제2소구치의 발거는 술 후 2급 구치부 교합관계와 1급 견치 교합관계를 초래할 것이다.

3. *양측 악궁의 총생*
위의 두 경우에서 설명되어진 원리는 이 경우에서도 적용되어진다. 부가적으로 많은 overjet이 요구되어지는 경우, 상악 제1소구치와 하악 제2소구치의 발거가 필요하다.

Open-bite의 수술적 교정과 같은 상악골의 분절골 절단술을 필요로 하는 경우에는 교정적으로 분절골의 alignment가 더 쉽기 때문에, 제1소구치의 발거가 우선되어진다. 치간 골절단은 다음 두개의 부위 중 한 부위에서 이루어지는데 즉 변위된 측절치와 견치의 치근사이, 또는 변위된 견치와 제1소구치의 치근 사이이다.

변위된 측절치와 견치의 치근 사이에서 골절단을 하면 중요한 장점(그림3-14)이 있는데, 이것은 수술의사가 견치간 폭경을 조절할 수 있으며 따라서 좋은 1급교합관계를 얻어낼 수 있다. 더구나 대개는 술 전에는 견치치근이 원심

측으로 변위되어져 있는데, 치간 골절단부위로부터 떨어져 있게되므로 이것은 대부분의 교정의사가 치료의 마무리 단계에서 목표로 하고 있는 사항이다. 왜냐하면 교정적 마무리 단계에서 큰 견치 치근을 원심측으로 위치시키는 것은 적어도 몇 달은 소요되기 때문에 이러한 점들은 술 후 교정단계에서 중요한 의미를 가지고 있다. 또한 마지막으로 이러한 방법은 수술 부위에 접근하기 쉽고, 치조골은 더 얇기 때문에 치간 골절단을 시행하기에 쉽다는 장점도 있다.

반대로 견치와 제1소구치사이의 변위된 치근 사이에 골절단을 시행하는 것 또한 몇가지 장점이 있다(그림 3-15). 즉 이 부위가 상악궁에서 자연적인 치열의 step이 형성되어 있는 경우에는 골절단위부로 우선적으로 선택될 수 있다. 하지만 이 부위가 골 분절을 위한 알맞은 위치라 할지라도 이 부위에서 절단을 시행하면 술 후 견치의 치근이 전방으로 기울어지게 되고 술 후 교정과정에서 이것이 해소되어야 하기 때문에 결과적으로 술 후 교정기간과 작업이 길어지게 된다. 또한 이 부위는 제1 소구치의 발치공간을 수술적으로 해소하여야 할 경우 우선적으로 선택되어진다. 이때 교정의사는 견치간 폭경을 확실히 확보해야 하며, 수술의사는 (악골의 더 많은 분절을 시행하지 않은 경우를 제외하고) 단지 구치부 분절부위의 폭경만을 조절할 수 있다. 또 잔존하는 발치공간은 분절골절단술에 의해서 해소되어질 수 있음을 염두해 두어야 한다.

하악골의 시계반대방향의 회전은 하악 전치부위를 전방으로 회전시킬 것이다(하악각이 작은 경우에서 보다 하악각이 큰 경우에서 더욱 그러하다)(그림 3-16). 반면에 시계방향의 회전은 전치부를 후방으로 이동시킬 것이다. 이것은 악골의 전후방적인 최종 관계에 있어서 중요한 영향을 미친다.

교정의사는 술 전에 하악치아의 정중부(수술하지 않은 악골)를 안면의 정중부에 일치되게 교정해야 한다. 반면에 상악의 치아정중부는 수술에 의해서 교정되어질 수 있다.

마지막으로, 분절골절단술이 적응증이 될 경우(협착, 확장, 수직적 변화, 또는 치간이개부위를 해소시켜주는 경우), 치간 골절단부에 인접한 치근은 적절히 벌려져 있어야 한다.

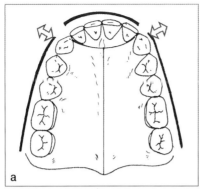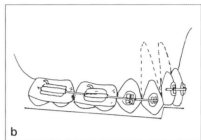

그림 3-14 (a)상악측절치와 견치 사이에 치간 골절단을 시행한, 3분절(3분절 LeFort I형 상악골 골절단술) (b)전방분절골(전치부)와 후방분절골(견치~제 2대구치)사이의 교합면에 존재하는 step. 측절치와 견치의 치근은 변위되어 있기 때문에 견치의 치근위치를 수정하기 위한 술 후 교정기간은 감소될 것이다.

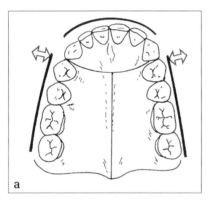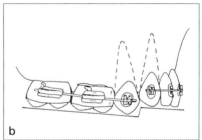

그림 3-15 (a)상악견치와 제 1 소구치 사이에 치간 골절단을 시행한 (3분절 LeFort I형 상악골 골절단술) (b)전방분절골(전치부와 견치)와 후방분절골(구치부)사이의 교합면에 존재하는 step. 견치와 제2소구치의 치근은 벌어져 있다. 이때 변위된 견치의 치근위치를 수정하기 위한 시간 은 술 후 증가하게 될 것이다.

상악과 하악의 재위치를 통한 양악 수술

상하 양악수술이 결정되어졌을 때, 보통 상악수술은 먼저 시행하게 된다. 그러므로, 하악의 최종 위치는 재위치된 상악에 의해서 결정된다. 그리고 이후에는 하악의 위치결정은 하악을 재위치시키는 단일악교정 수술의 원리가 적용되어진다.

수술적 결정 요소

양악 수술의 경우 상악의 위치를 정하는 몇 가지 중요한 결정요소가 있다.

1. *상악전방부의 수직적 위치*

   이 위치는 상악전치-상순간의 관계에 의해서 결정되어 진다(그림 3-17).
2. *상악후방부의 수직적 위치*

   이 위치는 상하악 복합체의 회전이 적응증인 경우를 제

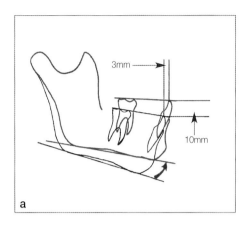
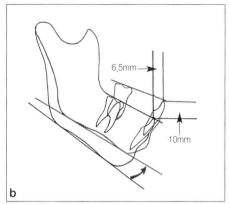

그림 3-16 작은 하악각을 가진 하악골에서 (a)상악을 상방으로 10mm 재위치시킨 경우. 하악은 10mm 상방으로 위치되어질 것이고, 3mm 전방이동되어질 것이다. (b)큰 하악각 경우. 상악을 상방으로 10mm 재위치시킨다면 하악전치부는 6.5mm 전방이동되어질 것이다.

외하고는 하악이 autrotation한 후의 하악 구치부에 의해서 결정되어진다(그림 3-18).

3. **상악 좌 우측 부의 수직적 변화**

이 변화는 (보통 안면비대칭과 연관된) 상악의 수평적 부조화(cant)가 존재하는 경우와 관련이 있다. 이 부조화는 보통 동공간선(interpupillary line)에 맞추어교정되어져야 하지만 동공간선이 항상 수평적이지는 않다. 수직적인 상악 전치부-상순의 관계는 이러한 부조화를 교정할 때 중요하게 고려하여야 한다(그림 3-19). 양악수술시 교합평면의 횡적 부조화를 교정하는 것은 하악골의 대칭성에 심각한 영향을 끼칠 수 있으며 상하악 양측을 모두 포함한 안면비대칭의 교정에 있어서 필수요소이기도 하다(그림 3-20).

4. **상악의 전후방적인 위치**

이 위치는 상악전부-입술 관계(입술의 지지도), 코주변형태, 안면윤곽선에 의해서 결정되어진다(그림 3-21).

5. **상악의 좌우측의 전후방적 위치**

상악궁의 회전은 전후방적 위치의 변화를 결정할 것이다(그림 3-22).

6. **상악의 횡적인 위치**

이 위치는 안면의 정중선에 의해서 결정되어진다. 양악교정수술에서 술자는 상하악의 치아정중선을 재위치시킬 수 있으며, 이때 치아정중선과 안면정중선을 일치시켜야 한다. 그러므로, 교정의사는 치아정중선의 교정을 하느라 시간을 소비할 필요는 없다. 또 하악에서 치아정중선과 이부의 정중선이 일치하지 않는 경우에는, 이부의 대칭성을 수정하기 위해서 이부성형술이 고려되어야 한다는 것을 기억하여야 한다. 또 비대칭 환자의 경우, 임상가는 치아 정중선과 기저골의 정중선 사이의 관계를 분별해 낼 수 있어야 한다(그림 3-23).

7. **상악의 횡적 폭경**

하악궁 폭경을 수술적으로 변화시키는 경우를 제외하고 상악의 횡적 폭경은 하악치열궁의 폭경에 의해서 결정되어진다(그림 3-24). 치아 기울기로 인한 좁은 상악치

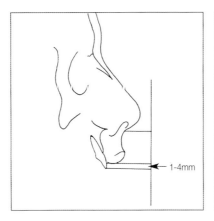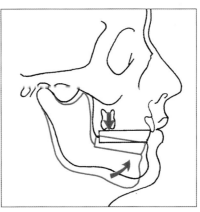

그림 3-17 상악치아의 이상적인 노출양은 1~4mm정도이다(긴 상순을 가진 환자에서는 노출을 작게 짧은 상순을 가진 환자에서는 노출을 크게 한다.) 정상적인 상순의 길이는 여자 : 20+2mm, 남자 : 22+2mm 이다.

그림 3-18 최종교합평면은 상하악 전치부의 수직적 위치가 결정되어진 후, 하악의 교합평면에 의해서 결정되어진다. 그러므로, 상악구치부 치아의 수직적 위치는 (자동회전 후) 하악구치부 치아에 의해서 결정되어질 것이다.

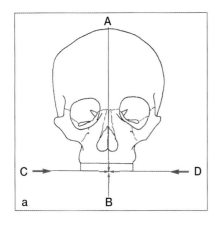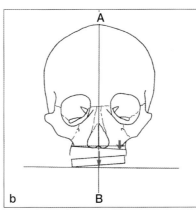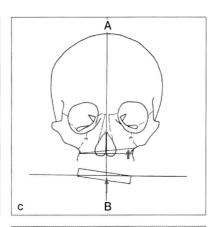

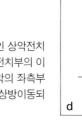

그림 3-19 (a)교합평면의 부조화(cant)를 수술적으로 교정하는 것과 동시에, 이상적인 상악전치부 수직적, 수평적 위치를 잡아야 한다. A-B는 안면정중선을 나타내고, C-D는 상악전치부의 이상적인 수직적 높이를 나타낸다. (b)상악의 좌측부위를 하방이동한 경우이다. (c)상악의 좌측부위를 상방으로 재위치시킨 경우이다. (d)상악의 좌측부위는 하방이동, 우측부위는 상방이동되어졌다.

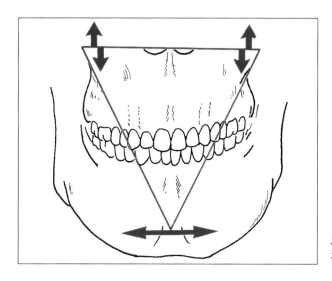

그림 3-20 횡적교합부조화(cant)의 변화가 하악 대칭성에 큰 영향을 끼친다.

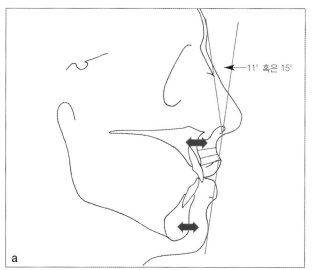

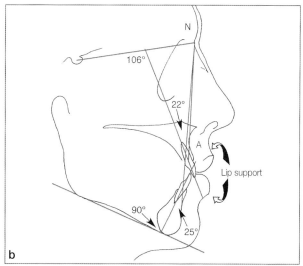

그림 3-21 (a)이상적인 facial contour angle(또는 angle of facial convexity)은 -11에서 -15도이다. 상악이 너무 전방으로 위치되어 있거나, 하악이 너무 후방으로 위치되어 있으면, 이 각을 증가시킬 것이다. 2급부정교합의 경우 더 볼록한 외형을 나타낼 것이며 반면에, 3급부정교합은 더 오목한 외형을 나타낼 것이다. (b)상순에 대한 상악과 상악 전치부의 지지는 좋은 심미성을 위한 필수요소이다. 상악전치부의 위치와 각도는 또한 nasolabial angle을 결정하는 인자이다. N-A에 대한 상악전치의 정상각도는 22도이다. 또한, N-A에 대해서 상악전치부 끝은 4mm전방에 위치한다. Nasolabial angle은 90에서 110도가 이상적이다.

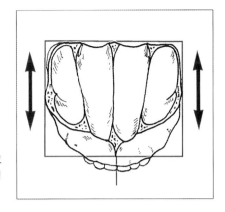

그림 3-22 악궁관계는 악궁형태와 혼동되어서는 안된다. 그리고 두 가지 모두 교정적으로 교정되어져야 한다. 그러나, 상악궁 형태는 수술적으로 변화되어질 수도 있다. 술자는 양악교정수술 시에 상악의 좌우측의 대칭적 위치를 확실히 해야 한다.

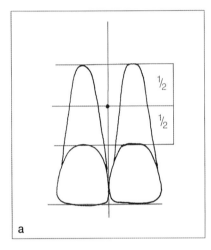
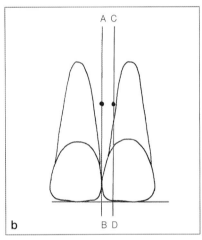
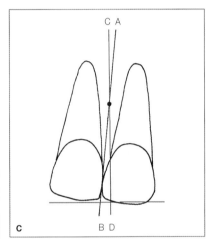

그림 3-23 (a)치근단 기저부 정중선은 상악중절치 치근 중심선의 수직이등분선의 중심점이다. (b)이 그림에서는 상악전치의 각도는 정상적으로 형성되어 있으나, 치근단기저부 정중선(A-B)은 안면정중선(C-D)와 일치하지 못여 상악의 정중선을 수술적으로 교정하여야 한다. (c)이 그림에서는 치근단 중심선은 안면중심선과 일치하지만, 전치각도가 기울어져 상악 중심선이 틀어져 있다. 이 경우에는 술 전에 교정적으로 이를 바로 잡아야 한다.

열궁은 치아 교정으로 수정되어 질수 있지만, 골격적인 횡적 공간부족의 경우는 급속구개확장술 또는 외과적 수술을 동반한 치아교정술(surgically assisted orthodontics) 또는 성인의 경우, 수술적 확장술에 의해서 교정되어질 수 있다(그림 3-25).

상악의 재위치는 정확한 계획이 필요하며, 하악의 재위치를 위한 기반을 설립하기 위해서 주의깊게 수술을 시행해야 한다.

교정적 고려사항

교정의사는 상악치열의 leveling을 확실히 확보해 주어야 한다. 일반적으로 상악의 교합평면에 만곡이 심하면 수술시 수술의사가 상악 전후방부를 수직적으로 정확히 위치시키기는 매우 힘들기 때문이다. 그러나 개교합에서와 같이 술 전 교정에서 분절형태로 교정 leveling을 시행한 몇몇 증례에서는 교합평면을 수술적으로 leveling해야 되는 경우도 있다.

양악교정수술에서 치아발거양상은 다음의 인자들에 의

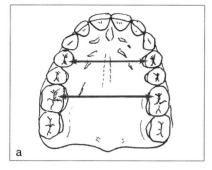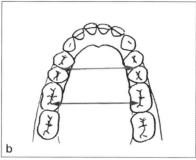

그림 3-24 (a와 b) 악궁의 넓이는 수술 전 진단 모형에서 측정-분석할 수 있다. 즉 상악 제 1 대구치의 중심 설측 교두사이의 거리와 이에 일치하는 하악 제 1 대구치 중심과 사이의 거리를 서로 비교 분석하여야 하며, 또한 상악 제 1 소구치의 설측 교두사이의 거리와 하악 제 1 소구치 원심 변연부 사이의 거리로 비교하여야 한다.

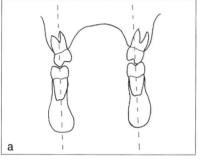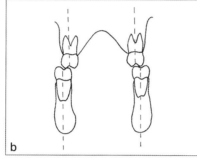

그림 3-25 (a) 상악구치는 설측으로 기울어져 있지만, 상악의 골격적 넓이는 적절한 경우, 이러한 반대교합은 치아교정에 의하여 교정될 수 있다. 반대교합(crossbite)은 교정적으로 교정되어질 수 있다. (b)그러나 반대교합(crossbite)이 상악의 골격적인 횡적 부조화에 의해서 야기되어진 것이라면, 수술적으로 교정되어야 한다.

해서 영향을 받는다 : 총생(전치부 또는 구치부) 이상적인 심미성을 얻기 위해, 악골의 중심부위에 안정적 위치에 치아를 위치시키기 위해 알맞은 전치부 부조화의 양이 고려되어져야 한다. Spee만곡과 잔존발치공간을 수술적으로 해소시키는 것의 가능성도 고려되어져야 한다. 양악 수술에 있어서 술 전 교정치료과정은 다음과 같은 기본적인 원칙을 따른다.

1. 안면비대칭 환자의 경우, 횡적인 교합평면의 부조화(cant)를 교정적으로 leveling하기 위해 시도해서는 안된다. Cant는 반드시 안면비대칭의 수술적인 방법에 의해서 교정되어 leveling하여야 한다.

2. 상악전치부의 기울기 및 위치를 교정하는 것이 매우 중요하다. 상악전치부의 위치(그리고 상순과의 관계)는 상악의 최종적인 전후방 위치를 결정할 것이기 때문이다.

3. 좋은 악궁형태가 만들어져야만 한다. 교정의사는 상악 치열의 전후방적, 좌우측의 수직적 부조화를 교정하기

위해서 시간을 낭비할 필요 없다. 이러한 부조화들은 수술적으로 교정되어질 수 있기 때문이다.

4. 상악의 치아 정중선은 수술적으로 교정되어질 수 있다. 그러므로 악궁형태가 좋다면, 상악 치아정중선은 수술적으로 교정하여야 한다.

5. 치아의 기울어짐(tipping)을 동반한 상·하 악궁의 횡적 부조화는 교정적으로 개선되어야 한다. 반면에 악골의 횡적 부조화는 수술적으로 개선되어질 수 있다. 골격적 기반을 넘어서는 상악골의 교정적 확장은 재발경향이 강하게 나타날 것이기 때문이다. 상악치열궁의 넓이는 하악궁 넓이에 의해서 결정되어지기 때문에 술 전에(전치부와 구치부의 보상치료(decompensation)에 의한) 하악궁의 형태를 알맞게 만드는 것이 매우 중요하다. 왜냐하면 하악의 전후방, 수직적, 횡적위치는 수술적 재위치 후의 상악에 의해서 결정되지만 상악의 교합평면은 하악이 상악에 맞추어 회전(auto-rotation)한 후의 하악의 교합평면에 의해서 결정되기 때문이다.

상하악 복합체의 회전에 의한 양악 수술

상하악 복합체를 회전시킴으로써 교합평면을 변화시키는 양악 수술은 전통적인 방식의 양악 수술로는 심미적으로 혹은 기능적으로 좋은결과를 얻을 수 없을 때 사용된다. 이러한 치료과정에서 회전(autorotation) 후의 하악의 교합평면이 최종적인 교합평면이 되지는 않을 것이기 때문에 술자는 이 수술에서는 상악을 위치시키기 전에 다음과 같은 두 가지 사항을 고려해야 한다.

1. 먼저 새로운 교합평면의 각(occlusal plane angle)과 상하악복합체의 회전방향을 결정하여야 한다.
   이는 턱끝의 전후방적 위치, 코주위의 형태, 안면각 등에 따라 결정된다.
2. 상하악 복합체 회전의 기준점을 정해야 한다.
   전비극(ANS), 후비극(PNS), 그리고 Pog을 포함하는 삼각형을 설정하고 다양한 회전의 기준점 또는 회전방향을 형성함으로서 이에 따른 여러 심미적, 기능적 결과를 예측할 수 있다(그림 3-26a). 회전점의 선택은 측두두부 방사선사진의 예측 트레이싱에 의해서 결정되는데 이들 과정에서 다음과 같은 사항을 염두에 두어야 한다.
   a. 이부(Pog)의 전후방적 위치
      회전점이 보다 높이, 그리고 전방에 위치할수록 이부의 전후방적인 이동량이 더 커지게 된다(그림 3-26b).
   b. 코주위의 편평도
      회전점이 보다 낮게(Pog 근처) 위치할수록 전비극의 전후방적인 이동은 더 커지게 된다(그림 3-26c).

상하악복합체(교합평면의변화)의 회전 원리는 4장에서 포괄적으로 언급되어질 것이다.

교정적인 고려사항

상악과 하악의 재위치를 통한 양악교정수술에 대해서 언급되어진 교정적 원리는 이 경우에서도 적용되어진다. 교정의사는 특히 전치부의 기울기에 대해서 주의를 기울여야 하는데 이것이 교합평면의 정도를 결정짓는다는 것을 항상 염두에 두어야 한다. 필요하다면, 교정의사는 예상되는 변화에 대한 전치 기울기를 교정과정에서 보상 치료를 해야만 한다.

원하는 결과를 얻기 위한 최상의 치료과정

술 전 교정치료를 시작하기 전에는 여타 보존적, 치주적 치료를 미리 시행하는 것이 필요하다. 이 과정은 교정과정 동안 치아와 치주조직을 건전하게 유지시켜 줄 것이다. 이 단계에서 매복치의 제거도 필요하다.

일반적으로 수술은 다음과 같은 이유로 교정 과정에서 너무 조기에 시행되어서는 안 된다.

1. 수술을 늦게 할수록 술자는 수술 시에 더욱 정확하게 악골을 위치시킬 수 있다.
2. 악궁의 형태가 더욱 잘 형성되어 향상된 교합상태를 얻을 수 있고 이에 따라 술 후 안전성이 향상된다.
3. 수술을 늦게 할수록 술 후에, 환자의 외모는 개선된다.
   일반적으로 술 후 교정기간은 3~6개월을 넘지 않는 것이 바람직하다. 또, 임플란트 수복이 함께 이루어져야 하는 증례에서는 그 기능적 심미적 결과를 주의깊게 고려하여야 한다.

임플란트는 악교정수술 동안 위치되어 식립되어질 수 있으며, 환자는 부가적인 수술을 피할 수 있다. 그러나, 임플란트 식립의 이상적인 시기는 약 3개월 정도의 교정적 유지기 후이다. 임플란트의 보철적 수복을 통해 교정적 안정성을 증가시킬 것이고 공간폐쇄의 부작용을 방지하기 위해 공간유지장치를 장착하지 않아도 될 것이다.

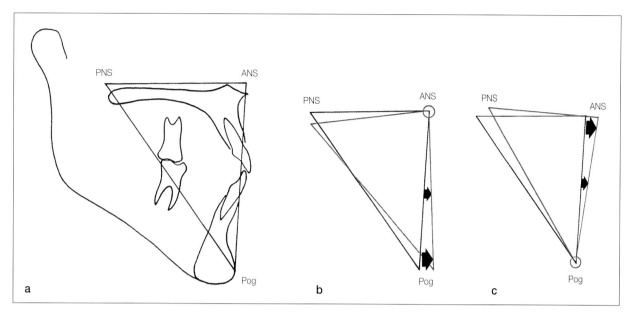

그림 3-26 (a)ANS, PNS, Pog을 포함하는 삼각형은 치료계획단계에 그려지게 되는데 이것은 회전점을 선택하는데 도움을 주고 시각적 치료목표 (VTO)를 설정하는데 도움을 준다. (b)ANS를 기준으로 하는 상하악복합체의 반시계방향의 회전을 묘사. 이것은 하악에서 심한 전방 이동되고 결 과를 나타낸다. (c)Pog를 기준으로 하는 상하악복합체의 시계방향의 회전을 묘사. 이것은 크게 상악을 전방이동시키는 결과를 나타낸다.

시각적 치료목표(visual treatment objectives : VTO)의 개발

정확하고 실제적인 VTO(visual treatment objectives)는 전반적인 환자평가로부터 얻어진 자료와 측두두부방사선 사진의 분석으로부터 얻을 수 있는데, 여기에는 2가지 형 태의 VTO가 있다. 즉 술 전 VTO는 수술 직전의 VTO가 그것이다.

이러한 치료 전 VTO는 일단 어떤 수술을 행할 것인가를 결정한 후 만들 수 있다. 이때 다음 사항들에 대한 고려가 필 요하다.

다음의 질문들은 PVTO가 발전하는데 유용하게 작용했다.

● 선택된 수술과정이 안면의 심미성을 높일 수 있을 것인가?
● 생리적인 범위 내에서 골격적인 변화를 이루어낼 수 있 는 것인가?
● 계획된 수술을 통해서 교정적 치아이동을 가능하게 만 들어 줄 것인가?

술 전 VTO는 전체적인 치료계획을 세우는데 사용되어 지는데 다시 다음 2가지로 구성된다. (1) 교정적 예상 트레 이싱 : 이는 바람직한 치아이동 형태를 보여주며 이에 따라 연조직의 변화를 알 수 있다. (2) 수술적 예상 트레이싱 : 이 는 악골의 재위치와 그에 따른 연조직의 변화를 알 수 있게 한다. 이 단계에서 악골의 이동량은 정상적인 수술 방법이 동원된다면 그리 중요하지 않다. 또 만약 수술적 및 교정적 방법이 한 가지 이상 고려되어진다면, 예상 트레이싱이 여 러 가지 만들어질 것이고, 각각의 잇점과 단점이 분석되어질 수 있을 것이다. 하지만 가능하다면, 단순한 방법이 최상의 방법이다.

수술하기 몇 일 전에 시행되는 수술전 예상 트레이싱은 최종적인 이동을 결정하게 되고, 연조직의 변화가 예측되어질 것이다. 술 전 교정치료가 마무리되고, 정확한 트레이싱과 이동에 대한 측정은 이상적인 결과를 보여줄 수 있을 것이다.

VTO를 사용하면 다음과 같이 몇가지 장점이 있다.

1. 이를 통하여 적절한 교정적 치아이동과 수술적 악골 재위치 후의 연조직 모습을 정확하게 예측할 수 있다. 필요하다면 예측된 연조직 측모를 분석하여 치료계획을 수정할 수도 있다.
2. 교정의사와 수술의사로 하여금 치료방법에 대해서 분석할 수 있게 해주고, 치료시작 전에 각각의 방법의 장점과 단점에 대해서 평가할 수 있게 해준다.
3. 치아발거여부 및 발거대상치아에 대해 분석할 수 있게 해준다.
4. 이부성형술과 같은 추가적 수술의 필요성에 대해서 평가할 수 있게 해준다.
5. 교정치료과정이 교정적 예측에 근거하여 관찰, 평가될 수 있다.
6. 술 후 골격적 이동을 평가할 수 있다.
7. 의사와 환자사이에서 뿐 아니라, 교정의사와 술자사이의 중간적 의사소통 도구로 사용될 수 있다.

교정적 예상 트레이싱

치아의 위치는 악골의 이동을 결정한다. 그리고 궁극적으로 안면 연조직 균형을 결정한다. 수술 전에 교정적 치아이동에 대한 정확한 계획과 술 전 교정의 정확한 시행은 수술의 예후를 향상시킬 것이며 또한 심미적 향상을 가져올 것이다.

하지만 수많은 치료의 방법들이 존재하기 때문에, 있을 법한 치료계획에 대해서 매번 방법과 발전에 대한 토론을 하는 것은 불가능하다. 그러므로, 대부분의 치료계획에 도움을 주는 몇몇 예측 트레이싱에 대해서만 다음 단락에서 설명하려 한다.

하악골 전방이동

그림 3-27은 하악골 전방이동을 시행하여 효과를 본 환자의 측두두부방사선사진 분석이다. 2장에서 논의된 측두두부방사선계측요소는 치아, 연조직, 경조직의 기준으로 사용되었다. 주지할 것은, 측정된 측모 두부방사선 계측값을 참조하여 이를 치아, 골격 그리고 연조직상태에서 혼합시켜 가장 이상적인 결과를 도출해 내어야 한다는 것이다.

하악골 전방이동이 고려되어질 때, 이부의 모양은 교정적 치료계획의 계획의 한 부분으로써 중요하게 고려하여야 한다. 이부의 연조직에 대한 심미적 계획은 연조직 pogonion의 수평적 위치를 통해 평가되지만 이보다 실질적인 이부의 모습을 종합적으로 평가하는 것이 더 중요하다. 다음의 요소들은 이부심미성을 평가하는 데 이용되어진다.(그림 3-28) : 즉 이부의 수직적 길이, 하순의 길이, 노출된 하순 vermilion의 양, 하순-이부-목으로 이어지는 각, 이부-목사이의 길이, 이부의 만곡도, 그리고 labrale inferior(Li)와 Pog'간의 수평적 관계가 그것이다.

그림 3-29는 수평적으로 동일한 전치 관계와 연조직 Pog의 위치를 가지고 있는 3명의 환자를 나타내고 있는데 그들 모두 다른 형태의 턱 끝 모양을 가지고 있음을 알 수 있다. 이는 턱 끝의 형태가 다르기 때문인데 그러므로 턱 끝의 형태를 개선시키기 위해서는 술 전 교정과정에서 이부성형술을 반드시 고려하고 교정 트레이싱에서도 이를 포함시켜야 하는 것이다.

1단계

Acetate종이에, 분석선 없이, 경조직과 연조직을 트레이싱하며 현재 환자상태의 기본 트레이싱(원형트레이싱)을 작성한다. 이 경우에는 facial depth angle과 facial contour angle이 "이상적인" 경조직과 연조직 위치의 indicator(기준)으로 사용되었다. Facial depth angle은 N에서 A점까지

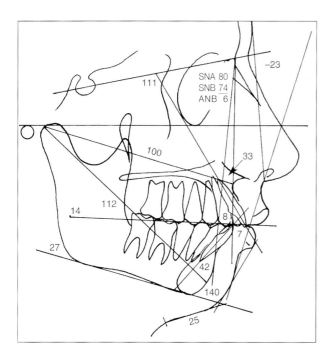

그림 3-27 아래와 같은 진단내용을 가진 환자의 술 전 측두두부방사선 분석. 17세 여자환자. 주소는 이부의 성장부족이다. 골격적 분석: 하악의 전후방적인 성장부족과 microgenia. 치아 분석 : 2급부정교합 (division 1) 약간 좁은 상악궁, 약간의 상악전치부 전돌, 하악전치부의 전돌, 하악전치부의 총생. 연조직 분석 : 돌출된(convex) 측모, 이부의 성장부족, 짧은 이부-목(chin-throat) 길이

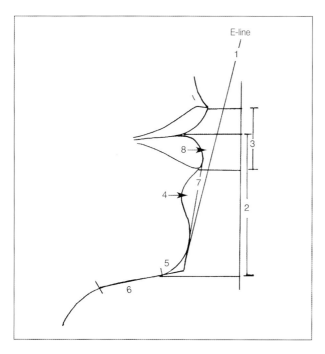

그림 3-28 이부의 종합적인 심리성을 평가하기 위해 사용되어진 기준. E-line(1)은 코끝(Pn)에서 Pog을 이은 선이다. 이부의 길이(2)는 안면의 하방1/3의 하방 2/3와 동일하다.(subnasale-stomion : stomion -soft tissue menton = 1 : 2) 또한, 이부의 길이는 여자 40±2mm 이며, 남자는 44±2mm이다. Vermilion노출(3). 하순은 상순보다 vermilion이 약 25%정도 더 노출되어 있다. labiomental fold(4). labiomental fold는 이부와 하순을 연결하는 부드러운 오목한 곡선으로 표현된다. 하악전돌환자의 경우 종종 labiomental fold는 편평하게 나타난다. 반면에 하악의 성장부족환자의 경우, 종종 깊은 fold를 나타낸다. lower lip-chin-throat angle(5). 110+8도. 이 각은 하악전돌환자의 경우 정상보다 더 적은 각을 나타내며, 하악성장부족환자의 경우, 정상보다 더 큰 각을 나타낸다. Chin-throat length(6). 정상은 42 ±6mm이다. 전방이동 이부성형술은 이 길이를 증가시킬 것이다. 반면에 이 길이는 후방이동(setback)의 경우 감소한다. curvature of the chin(7). Stomion inferius에서 연조직 menton까지 부드러운 S 모양을 형성한다면, 이부는 더 강조되서 보인다(8). E-line에서 하순은 2+2mm 부위에 있다.

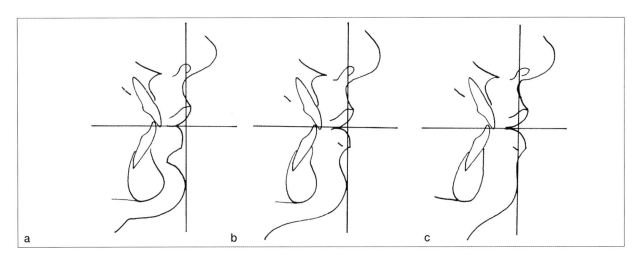

그림 3-29 이부의 모양이 Pog'의 수평적 위치보다 심미에 미치는 영향이 더 크다. (a)깊은 labiomental fold와 knobby chin (b)심미적인 이부 (c) 이부를 편평하게 보이게 하는 둔한 labiomental fold. 세 명 모두, Pog'의 수평적 위치는 동일하다.

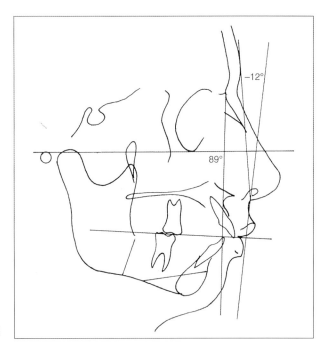

그림 3-30 기본(original) 트레이싱

이은선과 FH평면과 이루는 각에 의해 형성되어진다(남성 :90도, 여성:89도). N-A의 연장선은 Pog'과 만날 수도 있을 것이다. Facial contour angle은 upper facial plane(UFP)과 lower facial plane(LFP)이 이루는 각이다. 남자는 -11도에 서 -15도 정도이고, 여성의 경우는 -13도에서 -17도 정도이 다. 또한, 하악 제2대구치부위에서 수직적인 선을 그리면 SSRO의 수직골절단선을 만들고 이부에서 수평선을 그어 이부 성형술의 위치를 파악한다(그림 3-30).

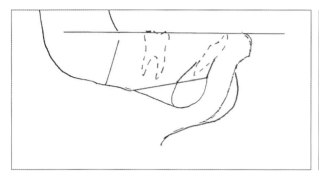

그림 3-31 예상 트레이싱

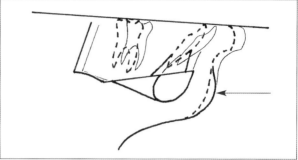

그림 3-32 이부의 골격적 전방이동의 예상(경조직이동:연조직이동 =1.0:0.9)은 예상된 연조직 Pog이 결정된 후, 원래의 트레이싱의 연조직 Pog'과 일치할 때까지 좌측으로 이동시킴으로서 얻어낼 수 있다.

2단계

이 증례에서는 이부모양의 임상적, 측두두부방사선적 평가결과 이부의 전방이동술이 필요로 하였다. 그리하여, 수직골절단선의 전방 하악골을 트레이싱하고 수평골절단선 위에 트레이싱 하여 예상 트레이싱을 시작하는데(빨간색으로 표시하라) 치아, 하순, 이부는 점선으로 표시한다. 그 후 이 트레이싱에 이부의 이상적인 연조직 형태를 그린다(그림3-31). 이때 이부에서 경조직이 변함에 따라 변하는 연조직의 비율이 0.9:1.0이라는 것은 염두에 두어야 한다. 그 후 새로그린 이부의 연조직이 환자원래의 트레이싱과 일치할 때까지 왼쪽으로 이동시켜 실제 요구되는 이부의 전방이동량을 측정한다. 연조직 Pog은 이상적인 수평적 위치에 있을 것이며, 이부의 모양은 심미적일 것이다. 그 후 교합평면도 이어서 트레이싱한다(그림3-32).

이 증례에서, 하악 교합평면은 leveling이 잘 이루어져 있다. 부정교합의 환자는 대개 두드러지는 Spee만곡을 가지고 deep bite를 가지는 경우가 많이 있는데 이때 spee만곡을 수술 전에 교정할 것인가, 혹은 술 후에 교정할 것인가를 결정하여야 한다. 왜냐하면 이것은 안모의 심미성, 수술적 전방이동량, 이부성형술의 필요성에 영향을 미치기 때문이다. 과도한 Spee만곡은 다음과 같은 경우에 있어서 술 전에 수정되어져야 한다.

1. 하악전치가 전방이동해야 할 거리만큼 이부의 이동량도

비슷하게 큰 경우
2. 약간의 하안면부 수직적 신장이 필요한 경우. 수직적 신장양은 교합평면의 기울기 때문에 우각부의 각이 큰 경우가 작은 경우보다 약간 더 많다.
3. 원하는 하악이부의 돌출도를 얻기 위해서 하악전치의 보상적 치료(compensation)가 많이 필요하지 않는 경우

수술 과정상 하악 원심부위가 시계방향으로 회전하는 것이 이로울 경우에는 술 전에 Spee 만곡은 leveling하는 것은 바람직하지 않다(그림 3-33). 예를 들면,

1. 하악 전치의 전방이동량이 이부의 전방이동량 보다 더 크게 요구되는 경우
2. Overbite이 너무 커서 수술과정에서 전하방 1/3의 수직고경을 증가시켜야 할 필요성이 있는 경우
3. 보통 deep bite가 존재하면서 deep labiomental fold가 있는데 이때 하악전치 전방이동과 이부의 하방으로의 회전을 통해서 해소하여야 하는 경우

위에서 언급된 사항들을 고려하면서, 임상가는 전방이동의 기준평면을 선택해야만 한다. 하악은 다음과 같은 세 개의 교합평면을 따라 전방이동 되어질 수 있다(그림 3-34). (1)기능적 교합평면 (2)상악의 전치-구치 평면 (3)하악의 전치-구치 평면(이 case에서는 세 개의 평면이 모두 일치된다.)

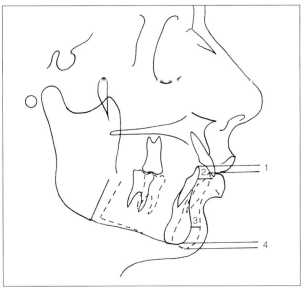

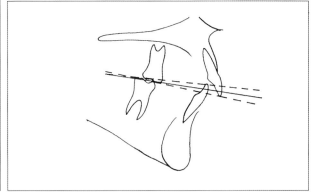

그림 3-33 Spee만곡은 교정되지 않은 상태로 하악은 전방 이동되고 이때 시계방향으로 회전하였다. 그 결과 전치부(2)는 Pog'(3)보다 더욱 전방이동하였으며, 반면에 deep bite(1)의 교정으로 이부의 수직 높이 또한 추가적인 이부성형술 없이 같은 양으로 증가하였다.

그림 3-34 3개의 교합평면. (a)하악의 전치-구치 교합평면. (b)기능적 교합평면. (c)상악의 전치-구치 교합평면.

3단계

다음 단계는 그려진 예상 tracy을 교합평면을 따라 우측으로 이동시키는데, 골격 Pog가 이상적인 facial depth선에 일치되고 연조직 Pog도 이상적인 lower facial plane line과 일치할 때까지 이동시킨다(그림 3-35). 이때 골격보다는 연조직선이 더 우선시된다. 왜냐하면 심미적 안모를 결정하는 것은 연조직선이기 때문이다.

4단계

다음으로는 나머지 안면구조물들을 그리는데 상악치아는 점선으로 그린다(그림 3-36). 이때 하악이 전방위치 됨에 따라 전치부에는 반대교합이 이루어 질 것이다. 이때 결정할 것은 새로운 악골관계에 치아들이 이상적인 관계로 위치되어질 수 있을 것인가 하는 문제이다. 이 과정에서 교정의사는 다음과 같은 선택을 할 수 있다.

1. 발치 또는 비발치로 하악전치를 견인하는 방법

2. 상악 전치부를 전방이동하는 방법
3. 하악을 적게 전방이동시키고 대신 이부의 전방이동량을 많이하는 방법

5단계

다음으로 여러 계측 기준 선들을 이용하여 가장 이상적인 상하악 전치의 위치를 상·하 악궁내에서 트레이싱한다(그림 3-37).

6단계

이제 전치부를 어떻게 위치시킬 것인가를 주의깊게 고려하여야 한다. 이 증례에서 하악전치부는 후방견인 시켜야한다. 그러나 입술 지지를 감소시키고 하악의 전방이동을 제한할 수 있는 상악적치부의 후방견인은 과도하지 않게 해야한다. 대개 2급부정교합의 상악궁은 하악이 전방이동되었을 때 상악 악궁에 맞추기 위하여 다소의 확장이 필요하다. 이 확장은 상악전치의 이상적인 위치를 잡는데 충분

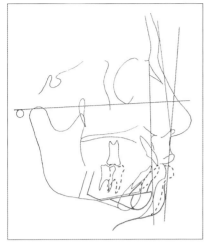

그림 3-35 3단계

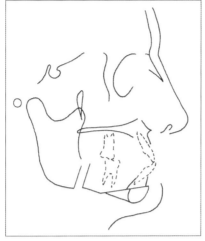

그림 3-36 4단계

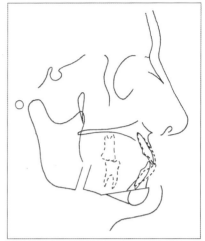

그림 3-37 5단계

한 공간을 제공할 수 있다. 하지만 상악궁에 총생이나 교합만곡이 존재할 때에는 소구치의 발거가 필요할 수 있으며, 1mm의 arch leveling시 마다, 1mm 씩 전후방적인 악궁 길이는 증가할 것이다. 견치부에서는 1mm씩 악궁을 확장시킬 때마다 악궁길이는 약 1mm씩 증가할 것이며, 구치부에서 1mm 악궁확장을 할 경우 악궁길이는 4mm씩 증가하게 될 것이므로 다음의 인자를 주의 깊게 고려하면서, 임상가는 치아발거 여부를 결정해야 한다.

1. 현재의 전치부 위치
2. 정확한 하악의 전방이동량을 위해 필요한 전치부의 위치
3. 총생의 양과 위치
4. 교합만곡의 정도
5. 악궁확장의 필요성
6. interdental stripping의 가능성

7단계

요구되는 악궁의 길이는 이 단계에서 결정된다. 만약 발치를 결정하였다면 발거될 치아의 폭을 현재의 악궁길이에서 빼고 계산하며, 그래도 남아있는 공간은 구치의 전방이동에 의해 해소되어질 수 있다.

이제 하악전치의 위치를 확실하게 예측할 수 있게 된다.

몇몇의 경우에서 (치아를 발거 했음에도 불구하고)악궁길이의 부족과 치아이동을 제한하는 얇은 하악정중부, 또는 치료시기의 증가 등 때문에 약간의 치아보상이동(dental compromise)이 필요할 지도 모른다. 이 증례에서는 예상 트레이싱에서 요구되는 하악전치의 후방이동량을 얻으려면 양측 소구치 발거가 이루어져야 하며, 남아있는 공간은 구치의 전방이동으로 없애야 한다.

구치부관계 또한 결정될 수 있다. 이 증례에서는 상악치아의 발거가 필요하지 않으므로, 상악구치부는 이동하지 않을 것이며, 하악구치부와의 교합관계는 3급부정교합 관계가 될 것이다. 전치부는 충분히 후방견인 되어질것이며, 하악구치는 남아있는 발치공간을 해소하기 위해서 약간 전방이동해야 할 것이다(그림 3-38).

8단계

이제 이 단계에서 연조직 측모분석은 완성되어질 수 있다. 상악전치의 적은 견인량 때문에 상순은 매우 적게 이동할 것이다. 그러나, 하악전치의 후방견인과 상악치아의 하순에 대한 영향이 제거됨으로써 하순의 모양은 뒤로 말리면서 이동될 것이며, 이 하순의 회전은 이순부 상방의 연조직 모양에도 영향을 미치게 된다. 일반적으로, 하순은 상순

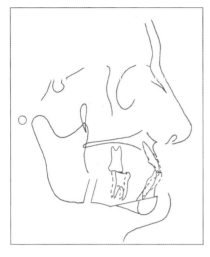

그림 3-38 7단계

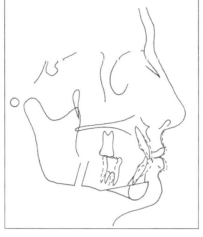

그림 3-39 8단계

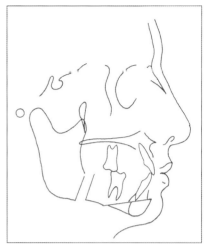

그림 3-40 완성된 예상 트레이싱

과 같은 두께를 가지고 있다(그림3-39).

그림 3-40은 완성된 예측 트레이싱(VTO)을 보여준다. 이 트레이싱은 예상되는 교정적 치아이동, 하악과 이부의 수술적 재위치, 기대되어지는 연조직 위치 등을 나타내고 있다.

상악골의 전방이동

그림 3-41은 상악골의 전방이동을 통해 개선된 환자의 측모두부방사선 트레이싱을 나타낸 것이다. 우선 관련된 경조직, 연조직을 모두 그리고, 모든 치아를 표시하여 기본 트레이싱으로 만든다. 그 후 상악에 LeFort I 골절단선과 하악교합평면을 그린다. 그리고 다음의 선들을 이용하면 치아를 이상적으로 위치시키고 상악을 수술적으로 재위치시키는 데 도움을 줄 것이다(그림 3-42).

1. Facial depth line은 N으로부터 FH에 수선을 내려 나타낸다. 이 선은 Pog 뿐만아니라 상악의 A점에 접선이 된다. 그러나, 이 증례에서는 A점의 전방 5mm에 위치한다. 이것으로 상악의 전후방적 결핍이라고 진단내릴 수 있다.

2. Subnasale(Sn)의 이상적인 위치는 환자의 이상적인 facial contour angle을 작도함으로써 예측되어질 수 있다. 이 환자에서는 이상적인 facial contour angle은 -13

도로 정하였으며(남자의 경우 정상이 -11에서 -15도, 여자의 경우 -13에서 -17도이다.) UFP과 LFP를 각도기를 이용하여 13도에 맞추어 트레이싱하였다. 이때 glabella(G)와 Pog'은 움직이지 않는 점으로 하였으며 Sn이 전방으로 이동되었다.

1단계

우선 깨끗한 acetate종이에 수술에 의하여 변하지 않는 안면골격을 모두 그린다. 두개저와, labiomental fold하방의 이부의 연조직, LeFort I 골절단선 상방의 경조직, 하악골, 하악교합평면, 이마, supratip break 상방 코의 연조직은 모두 표시하여야 한다. 하악의 치아(전치부와 구치부)는 점선으로 그린다. 그 다음으로 중안면부에서 facial depth line과 LFP을 그린다. Facial depth line은 상악에서 이상적인 A점의 기준선이며, LFP는 원하는 Sn의 기준선이 된다. 이 트레이싱이 예상 트레이싱으로 발전하게 될 것이다(그림 3-43).

이 환자에서는 상악에서 약간의 수직적 증가가 필요하다. 그러므로, 전치부위에서 하악교합평면 하방에 짧은 2mm의 수평선을 그어 상악 전치부 끝의 원하는 수직적 위치를 나타낼 수 있다(여기에서 2mm는 전치부 피개교합을 나타낸다)(그림 3-43을 보라).

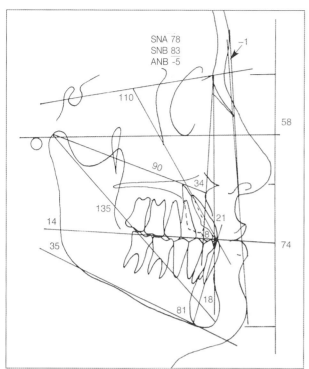

그림 3-41 다음의 진단내용을 가진 환자의 측두두부방사선사진. 3급
부정교합의 교정을 위해 의뢰된 19세 남자환자. 골격적 진단 : 상악의
전후방적 성장부족과 수직적 상악성장부족. 치아 진단 : 상악궁에 총생
이 존재하는 3급부정교합, 연조직 : 상순지지의 부족, 오목한 측모, 편
평한 코 주변부.

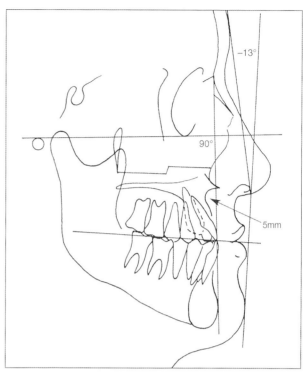

그림 3-42 기본 트레이싱에 facial depth line, facial contour angle,
occlusal plane, LeFort I 골절단선이 그려진 상태.

2단계

첫 번째 순서로 예상 트레이싱을 좌측으로 이동시킨다. 본
래의 트레이싱은 우측으로 이동될 것이며 상악은 전방이동
할 것이다. 이때 본래 트레이싱의 A점이 facial depth line에
접선이 되고, Sn이 LFP의 접선이 되거나 근접될 때까지 본래
의 트레이싱에서 상악을 전방이동시키는데 이 환자의 경우,
A점은 facial fepth line을 살짝 지나가게 될 것이고, 반면에 Sn
은 LFP에서 약간 미치지 못하게 될 것이다. 또 상악전치 끝은
이상적인 수평선에 위치시킨다(그림 3-44). 그 후 예상 트레
이싱에 상악구치부와 전치부를 그려넣는다(그림 3-45).

예상 트레이싱은 다시 한번 주의 깊게 관찰하여 다음과
같은 사항을 체크한다.

1. 증가된 전치부 overjet이 존재한다.

2. 상악은 6.5mm만큼 전방이동되었다.

3. 상악은 2mm하방으로 재위치되었다.

4. 구치부는 이 상태에서 2급교합관계를 가지고 있다.

이때 술자는 다음과 같은 치료 option을 생각할 수 있다.

1. 더 좋은 교합관계를 얻고 상악전치의 후방견인량을 줄
   이기 위해 상악을 더 적게 전방이동시킨다면 여전히 상
   악에는 총생이 존재할 것이며 이로 인하여 심미적으로
   는 더 좋지 않을 것이다.

2. 상악 제1소구치를 발거함으로써, 상악전치를 견인하여
   기울기를 개선하며, 남은 공간은 구치부의 전방이동에
   의해서 해소한다. 하악 전치는 보상치료하면서, 상악 전
   방이동량을 6.5mm로 유지시킨다.

위 2가지 치료 option 중 2번째 치료 option이 더 좋은 결

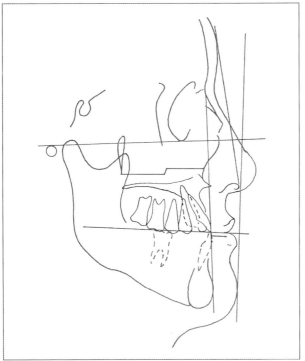

그림 3-43 1단계 : 예상 트레이싱. 수술에 의하여 변화되지 않는 모든 안면 구조물은 빨간색으로 그린다.

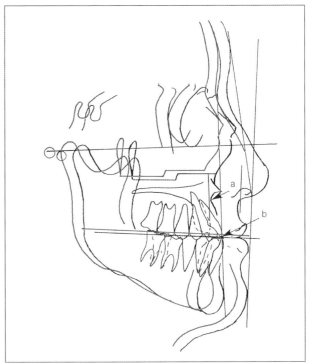

그림 3-44 2단계 : 예상 트레이싱을 A점이 (a)Facial depth line의 전방과 수직적으로 선정한 상악 중절치(b)에 올 때까지 좌측과 약간 상방으로 이동시킨다.

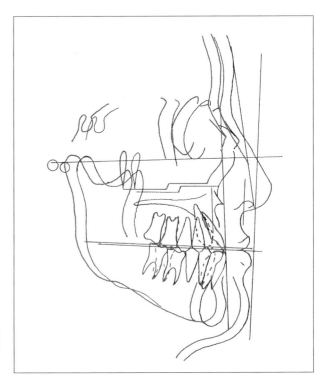

그림 3-45 여러 치료 option은 이 단계에서 연구되어야 한다. 여기에서는 증가된 전치부 수평피개를 유의한다. 상악의 전방이동량(6.5mm), 상악의 하방 이동량(2mm), II급 구치부 관계 등에 유의한다.

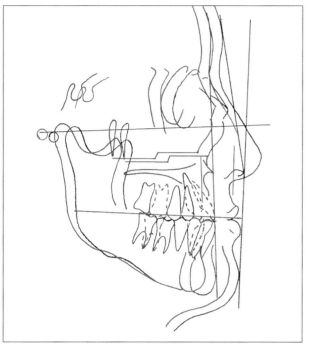

그림 3-46 예정된 외과적 재위치가 LeFort I 골절선 사이를 비교하면 뚜렷이 표시된다.

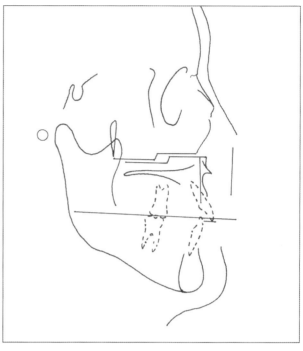

그림 3-47 상악이 전방위치되고 약간 하방으로 재위치되었다. 치아와 연조직 예상이 이루어졌다.

과를 가져올 것이라는 것은 명백하다. 상악의 경조직과 LeFort I 골절선을 그리면 그림 3-46이 되며, 그림 3-47은 예상 트레이싱이 이 단계에서 어떤 모습이라는 것을 보여주고 있다.

3단계

2단계에서 작성한 두부계측 지표에 맞추어 예상 트레이싱지에 상악중절치의 위치와 모양은 표시하는데 이때 치아가 치조골의 중앙에 위치하도록 약간 경사시키며 그린다. 그 다음으로 상악구치부는 약간 전방이동된 상태로 그리며, 이때 제 1 소구치는 발거되어 있는 상황이다. 하악중절치도 정상 경사를 생각하여 순측 경사시키면서 하악구치도 이에 맞추어 약간 전방이동시켜 트레이싱 한다 (그림 3-48).

4단계

그 다음으로 예상 트레이싱을 기본의 트레이싱에 명확히 겹쳐서 보면 상악의 위치변화가 보일 것이다(그림 3-49).

상악의 재위치에 따른 연조직 변화는 다음의 조건에 입각하여 그릴 수 있다.

1. 홍순(stomion superius) : 상악 수평이동량의 50-75%
2. 비순각 : 상악의 1mm 전방이동에 의하여 1-4도 감소
3. 코끝 : 이동량의 30% 이동 그리고 조절 가능함.

먼저 점선으로 예상되는 연조직 변화를 그린다(그림 3-50). 그 후 이 예상선이 만족스러울 때 완전한 선으로 그린다. 이순구상방의 하순의 연조직을 그릴 때는 상순이 전하방으로 이동하였기 때문에 하순의 약간 오그라짐(curling)이 일어날 것이다(그림 3-50).

5단계

두 가지 LeFort I 골신선사이에서 수평적, 수직적인 계측으로 가시적 치료 목적(visual treatment objective)을 완성한다. 그리고 교정적 치아 이동을 표시한다(그림 3-51).

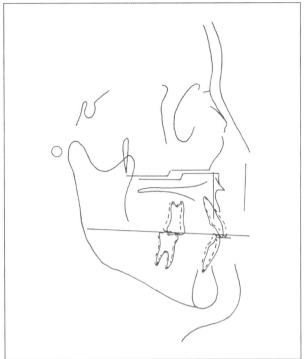

그림 3-48 3단계. 중절치와 대구치의 위치 예상. II급 구치부 관계를 주의한다.

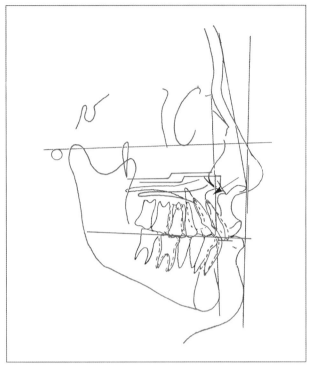

그림 3-49 예상 트레이싱과 원형 트레이싱사이에서 A점의 위치 비교에 의해 골의 전방이동양이 보인다(이 경우 6.5mm).

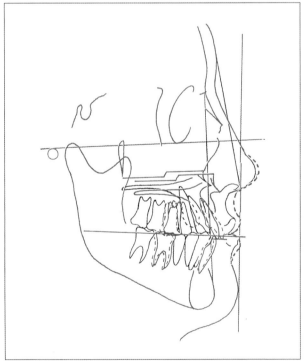

그림 3-50 연조직 예상 트레이싱

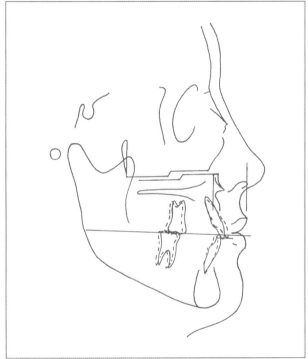

그림 3-51 치료 전 예상의 완성

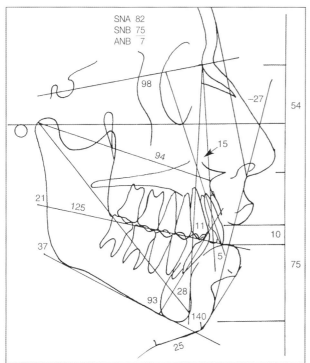

그림 3-52 다음의 진단결과를 보이는 16세 남자 환자의 치료 전 두부계측 방사선 트레이싱. 골격 : 수직적 상악 과성장 및 하악의 전후방적 결핍. 치성 : II급 부정교합 및 강조된 spee 만곡. 연조직 : 증가된 상, 하순 간격, 상악 중절치의 과다노출, 안면의 하방 1/3의 길이 증가.

그림 3-53 기본 트레이싱에서 facial depth line과 facial contour angle은 상악과 연조직 pogonion의 수평적 위치 결정과 필요한 A점의 위치와 이부 연조직을 계획하는데 지표로 작용한다.

상악골의 상방 이동, 하악골의 전방이동, 이부 전방이동 성형술

그림 3-52는 II급 부정교합, 수직적 상악 과성장, 하악의 전후방적 열성장 및 microgenia을 보이는 환자의 치료 전 두부계측방사선 트레이싱을 보여준다. 먼저 임상가는 치아가 중심위에 있는지 입술은 방사선 촬영동안 편안한 상태인지를 확인하여야 한다.

기본 트레이싱위에 분석선은 제외하고, 깨끗한 acetate를 올려놓고 나머지 연조직과 경조직을 트레이싱함으로써 예상 트레이싱을 시작한다. 그리고, 예상 트레이싱을 발전시켜가기 위해 원형 트레이싱에 다음의 선과 각을 작도한다 (그림 3-53) :

1. N점과 A점을 통과하면서 FH 평면에 수직인 facial depth line을 그린다. 이 증례에서 이선은 N에서 FH에 수직으로 수선을 그으면 A점은 이선의 약간 전방에 위치하게 된다. 또한 이 선은 골격성 이부(Pog)의 이상적인 최종 위치의 기준이 되는데 본 증례에서 최종 Pog의 위치는 이 선의 약간 전방에 위치케 될 것이다.

2. Facial contour angle은 UFP와 LFP에 의해 이루어지고 남자에서는 11-15도, 여성에서는 13-17도이다. 이 증례에서는 15도의 facial contour angle이 선택되는데, 임상가는 이 기준선에 맞추어 연조직이부위치(Pog`)를 결정할 수 있다.

3. 이 경우 LeFort I 상악골 절단술(상방재위치), 하악시상분할절단술(전방이동), 이부성형술이 도움이 될 것이다. 후에 측정의 정확을 위해 골절단이 시행될 부위에 근접하여 골절단선을 그린다.

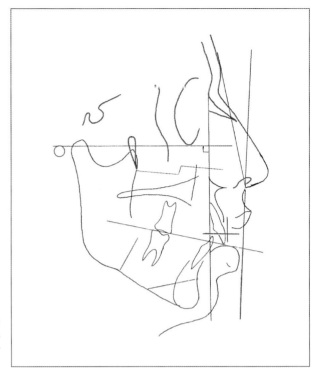

그림 3-54 1단계. 수술에 의해 영향받지 않는 모든 구조물을 빨간색으로 그린다. 상악 중절치의 이상적인 수평적 수직적인 위치가 그려지고, LFP 하부가 그려진다.

1단계

깨끗한 acetate 위에 수술에 의해 영향받지 않는 모든 안면 구조물을 그린다. 즉 두개저, 전두부의 연조직, supratip break 상방의 코의 연조직 등이며, 이 트레이싱은 예상 트레이싱으로 발전될 것이다. 상악 중절치의 이상적인 수직적인 위치는 상순 하방 약 3mm 수평선이 기준이다. 이 결정은 2장에서 거론된 것처럼 상악의 상방재위치 후 상순하방으로 중절치의 노출량에 근거한다. 이때 입술이 짧아짐을 명심하여야 한다. 상악 중절치의 순측면의 이상적인 전후방적 위치를 결정하는 수직적인 선은 수평선에 직각으로 그려진다(이 선은 각각의 증례의 연조직 요구량에 근거하여 결정된다). 그 다음으로 구성된 LFP의 하부를 그린다(그림 3-54).

2단계

예상 트레이싱에서 condylion의 후방에 약한 힘을 적용시키고 condylion을 중심으로 시계방향으로 트레이싱을 회전시켜 상악전치의 수직적인 위치에 예상 트레이싱을 위치시킨다. 이 증례에서 환자는 깊은 수직피개교합과 만곡이 심한 curve of spee를 가지고 있기 때문에 장차의 교합평면은 상악의 교합평면으로 결정될 것이다. 상악 중절치가 이상적인 수평선에 일치될 때까지 회전시킨 다음, 하악 상행지의 근심측 상방모양선과 상악의 교합평면을 그려 넣는다(그림 3-56).

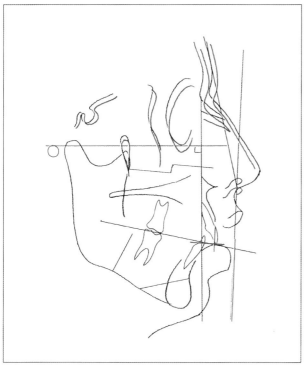

그림 3-55 상악 중절치는 이상적 수직위치에 있다 : 그러나 선택된 수평위치의 전방에 있다.

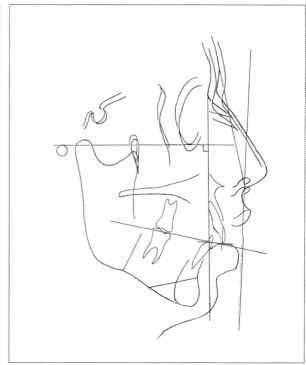

그림 3-56 하악 상행지는 자동회전되고 그려진다.

3단계

다음으로 원형 트레이싱상의 연조직 이부(Pog')가 이상적인 위치 즉 LFP에 접할때까지 예상 트레이싱지를 왼쪽으로 이동시킨다. 하악원심골편의 위치에 대하여 예상 tracing 상에서 다음 3가지 사실을 관찰할 수 있다(그림 3-57).

1. 하악 중절치는 상악 중절치의 이상적 순측면을 나타내는 수직선의 전방에 위치한다.
2. 하악 중철치의 절단은 상악중절치의 수직적인 위치를 나타내는 수평선의 상방 3mm에 위치한다.
3. 수직 골절단선은 원형 트레이싱에서 8mm 전방에 있는데 이는 이상적인 이부의 위치에 도달하기 위해서는 8mm의 외과적 전방이동이 필요함을 나타낸다.

그러므로, 술자는 다음과 같은 치료 option을 생각할 수

있다.

1. 하악 중절치의 견인. 하지만 이 증례에서는 하악 중절치의 각은 정상이다. 그러므로 만약 하악견치를 후방 이동시킨다면 치아가 너무 서게 되고, 또는 후방치아의 발거가 필요할 수도 있다.
2. Spee 만곡의 조절. 이 선택은 하악 악궁의 길이를 증가시키고 약간 하악 중절치의 전방이동이 필요하게 된다. 발치가 필요할 수도 있다.
3. 하악 전방이동을 보다 적게 : 이 선택은 심미적인 안모를 해칠 수도 있다.
4. 하악 전방이동을 약간 적게 하면서 전방이동 이부성형술을 동시에 시행하는 것 : 이 경우 환자는 작은 턱끝과 크고 외반된 하순을 가지고 있으므로 턱 끝을 전방이동시킨다면 환자에게 도움이 될 것이다. 환자는 적은 이부와 크고 외반된 하순을 갖고 있다. 이부의 전방이동이

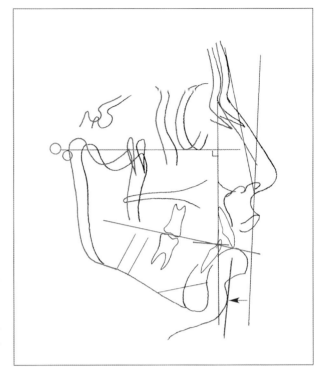

그림 3-57 3단계. 예상 트레이싱은 교합평면을 따라서 왼쪽으로 이동된다. Pog`는 예상된 LFP에 접한다(화살표). 상악 중절치의 이상적 전후방적 위치를 나타내는 수직선의 전방에 하악 중절치가 있음을 주의한다; 하악 중절치는 상악 중절치의 이상적 수직 위치를 나타내는 수평선의 상방 3mm에 하악 중절치가 위치한다; 8mm의 하악 전방이동이 예상된 이부의 위치에 도달하는데 필요할 것이다.

환자에게 도움이 될 것이다.

위의 고려사항에서 최선의 선택은 발치 없이 하악궁을 배열하는 것이다. 이에따라 하악 중절치는 약간 전방으로 이동될 것이며, 하악의 전방이동은 보다적게 하면서 대신 전방이동 이부성형술을 시행하는 것이 가장 타당할 것이다. 이 결정을 시험하기 위해 4단계에서 9단계까지 계속 시행한다.

4단계

원형 트레이싱위에 깨끗한 새 acetate를 놓는다. 먼저 하악의 수직 골절단선의 원심측을 그리는데, 이부성형술선의 하방 하악은 그리지 않는다. 점선을 이용하여 이순구 하방의 연조직 이부를 그린다. Spee 만곡은 전에 언급된 이유로 수술 전에 조정해야 하는데. 상악 교합평면을 그릴 때 제2대구치는 돌출되고(extruded) 중절치는 함입시키면서

약간 순측 이동시킨다. 이 트레이싱을 하악 트레이싱이라 부르기도 한다(그림 3-58).

5단계

이 하악 트레이싱에 예상 트레이싱을 중첩시킨다. 그리고 하악 중절치가 수직선의 1mm 왼쪽에 위치될 때까지 교합평면을 따라 예상 트레이싱을 이동한다. 이는 하악 중절치와 수직선 사이의 적절한 위치에 상악중절치를 놓게 할 것이다. 이것이 바로 상악 중절치의 순면을 결정한다. 이부의 연조직을 나타내는 점선은 예상된 LFP 후방에 있고 이것은 곧 전방이동 이부성형술이 필요함을 나타낸다(그림 3-59).

6단계

하악 트레이싱에서 하악의 원심부를 예상 트레이싱에 그린다. 외과적 전방이동량은 두개의 골절단선사이의 거리에 의한다(그림 3-60).

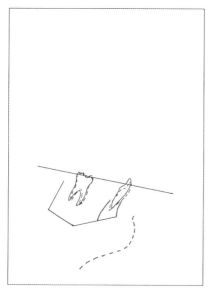

그림 3-58 4단계

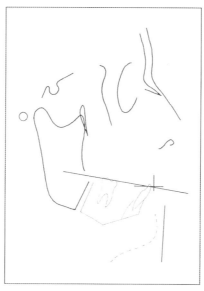

그림 3-59 5단계

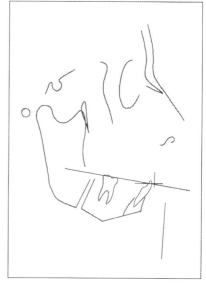

그림 3-60 6단계

7단계

다음으로 이 예상 트레이싱을 원형 트레이싱에 중첩시키는데 교합평면이 일치하도록, 그리고 제 1대구치가 1급관계에 놓이도록 중첩시킨다. 중절치의 증가된 수평피개가 명확하다(그림 3-61). 이 단계에서 술자는 이상적인 전치관계를 도달하기위해 상악 중절치의 후방견인이 가능한지를 결정하여야 한다. 이 증례에서는 후방견인이 가능하다고 선택하였으며 이에 따라 하악 중절치에 대한 상악 중절치의 이상적인 관계를 표시한 후 LeFort I 골절단선을 그린다(그림 3-62). 이들 두 선은 상악의 상방재위치를 나타낸다(상방 이동은 후방부위에서보다 전방에서 더 뚜렷하다). 그림 3-63은 이 단계에서의 subnasale 하방의 연조직의 모습없이 예상 트레이싱을 보여주고 있는데, 아직 이부성형술이 완료되지 않는 이 단계이다. 이때 LFP는 연조직 필요한 이부의 전후방적인 위치를 나타낸다.

8단계

다음 단계는 상순과 비첨에 대한 예상 트레이싱이다. 예상 트레이싱과 원형 트레이싱을 중첩한 후 원형 트레이싱의 입술위치를 기준으로 하며 입술이 짧아짐을(총 상방재위치양의 10-20%) 유의하면서 상순을 그린다. Subnasale는 약간 전방으로 이동될 것이고 입술의 곡선은 두툼해질 것이다. Supratip break 하방의 비첨은 약간 전방이동될 것이다.

9단계

연조직, 경조직 이부와 하순을 예상하기 위해 하악 골격부위를 원형 트레이싱 위에 예상 트레이싱을 놓는다. 이부의 연조직(점선)이 LFP 선에 접할 때까지 이부성형술선을 따라 예상 트레이싱을 왼쪽으로 이동시킨다(그림 3-65). 이 순구 하방의 이부의 연조직뿐만 아니라 이부성형술의 골절단선 하방의 경조직도 그린다. 하순에 대한 상악 중절치의 영향이 감소됨을 유념하면서 하순을 그린다. 홍순의 노출이 감소되면서 입술은 후방으로 회전될 것이다(그림 3-66).

그림 3-67은 경조직과 연조직의 최종 visual 치료 예상을 보여준다.

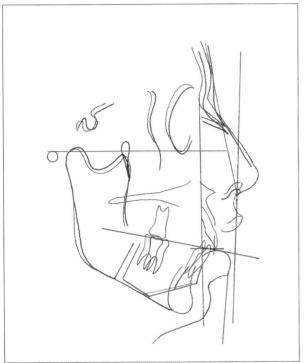

그림 3-61 상악 중절치는 수직선의 전방 2mm에 있다.

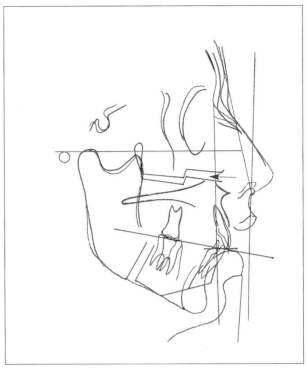

그림 3-62 상악의 상방이동량은 두개의 LeFort I 골절단선 사이의 거리에 의하여 결정된다(화살표).

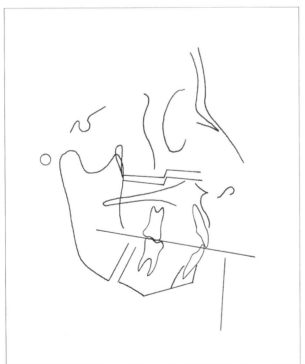

그림 3-63 비첨의 연조직, 상순, 이부성형술, 이부의 연조직이 예상되어야 한다.

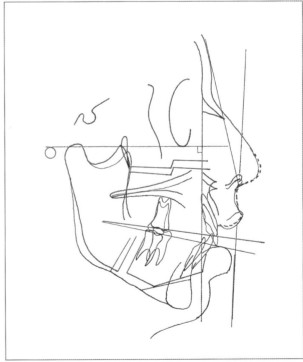

그림 3-64 비첨과 상순의 예상 트레이싱

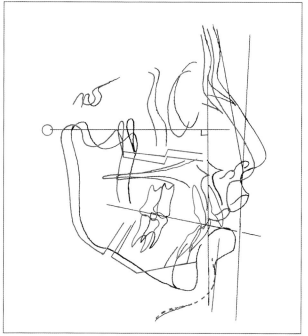

그림 3-65 이부의 예상 트레이싱

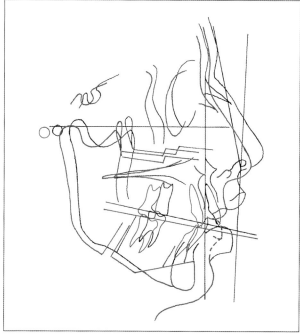

그림 3-66 하순의 예상 트레이싱

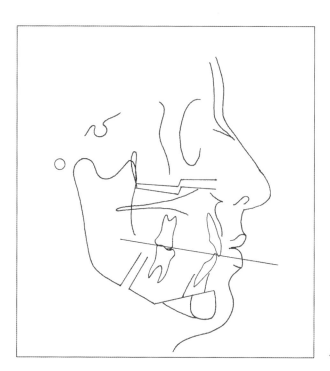

그림 3-67 완성된 예상(VTO) 트레이싱

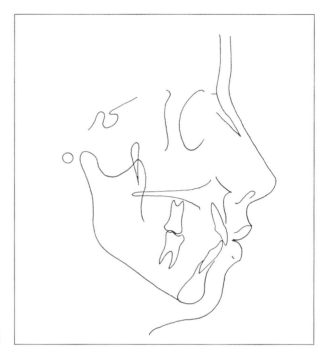

그림 3-68 원형 트레이싱

최종 외과적 시각 치료 예상

외과적 시각적 치료 목표는 술 전 측면두부방사선(술 전 교정치료가 완료된)에 근거하여, 기능적 및 심미적인 치료 목표에 도달하는데 필요한 골격의 외과적 이동량을 결정하기 위함이다. 또한 이 시각적 치료 목표는 수술 후에 목적하는 결과에 도달하였는지를 평가하는데 이용될 수 있다.

그러나, 치아안면기형 치료를 위한 외과적 술식이 너무 다양하고 또한 서로 혼합되어 있기 때문에 모든 특정 기형들마다 알맞은 시각적 치료 예상 트레이싱을 모두 작성하기란 불가능하다. 하지만 반복된 노력과 실패를 통하여 술자는 연조직 변화예상에 대한 자기만의 자료를 쌓아갈 수 있을 것이며, 이것이 각자의 치료예상 능력을 보다 완벽하게 만들어 나갈 것이다.

수술 며칠 전에 측면두부계측방사선사진을 환자의 중심위교합과 입술의 안정위에서 찍고 원형 트레이싱을 만들기 위해서 이 방사선사진을 이용하여 모든 관련된 경조직과 연조직 구조물들을 나타낼 수 있도록 정확히 그린다. 모든 치아 구조물들도 또한 치아의 치관과 치근을 정확히 그린다. 분석선은 이 트레이싱에는 그리지 않는다.

전방이동 이부성형술

1단계

그림 3-68의 원형 트레이싱에서 보이는 환자는 전방이동 이부성형술로 개선될 수 있는 환자이다. 먼저 이부에 골절단선이 나타나도록 원형 트레이싱에 선을 그린다. 특히, 이공과 치근같은 해부학적 구조물들에 주의하면서 트레이싱한다. 또한 골절단이 이루어지는 각도가 전방이동되면서 이부의 수직고경에 영향을 줄 것이라는 것을 염두해 두어야 한다(5장). 상부와 하부 안면 평면이 만드는 facial contour angle을 그리고, 점선을 이용하여 이상적인 하부안면 평면선을 예상 트레이싱한다(이 증례의 경우 상부 안면 평면에 대해 -15도의 각이 선택되어진다)(그림 3-69).

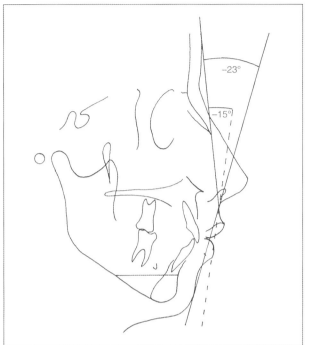

그림 3-69 전방 하악 수직 고경의 수직적 변화는 없다. 그러므로 이부 성형술을 위한 골절단선이 수평으로 그려진다.

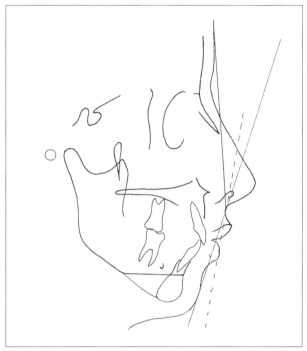

그림 3-70 2단계. 수술에 의해 영향받지 않는 모든 구조물들은 빨간색으로 그린다.

2단계

원형 트레이싱 위에 깨끗한 acetate 종이를 올려놓고, 골절단선과 외과적 술식에 의하여 변화되지 않는 모든 골격과 연조직을 그린다 - 이 증례의 경우 이부성형술 선 상방의 모든 구조물이 될 것이며, 이 트레이싱을 예상 트레이싱이라 부른다(그림 3-70).

3단계

임상의는 이부의 이상적인 연조직의 위치(이 증례의 경우 facial contour angle이 이용된다)에 대한 모든 가능한 참고점과 예술적 감수성을 가지고 예상 트레이싱에 연조직이부를 그린다(그림 3-71).

4단계

예상 트레이싱을 원형 트레이싱의 연조직 이부선이 예상 트레이싱의 연조직 이부선에 접할 때까지 혹은 약간 전방까지 왼쪽으로 이동한다(경조직에 대한 연조직의 변화는 90-100%이다). 그 후 원형 트레이싱에 중첩된 골격의 변화를 그린다(그림 3-72). 이때 수직적인 변화를 골절단선 모양에 따라 보일 수 있다(즉, 이부의 수직감소를 위해 또는 수직증감을 위한 골절단선은 그 각도를 변화시킴으로써 보다 수직 또는 수평적으로 이동시킴으로써 변화를 조절한다(그림 3-73).

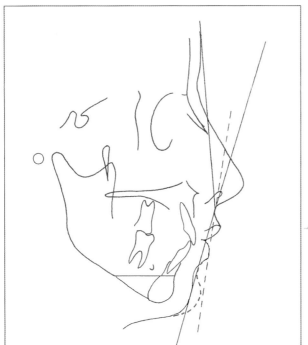

그림 3-71 3단계. 연조직 예상 트레이싱

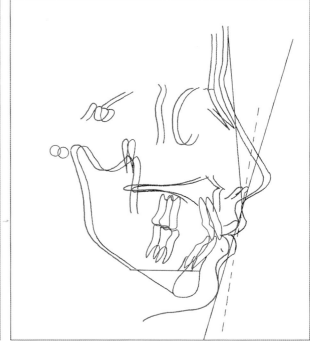

그림 3-72 4단계. 경조직 예상 트레이싱

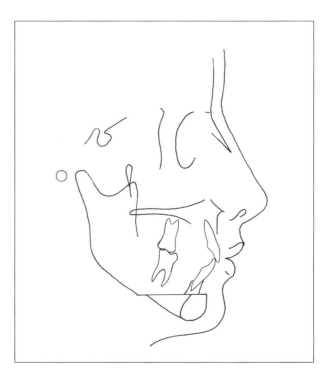

그림 3-73 완성된 예상 트레이싱

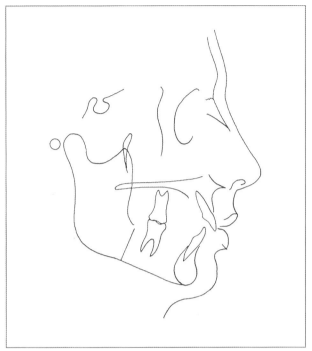

그림 3-74 하악의 전방이동이 필요한 환자의 원형 트레이싱

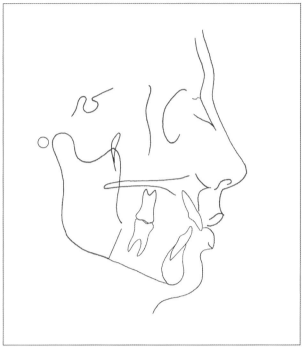

그림 3-75 2단계. 수술에 의해 영향받지 않는 모든 구조물들은 빨간색으로 그린다.

하악골의 전방이동

1단계

깨끗한 acetate 종이 위에 모든 경조직과 연조직 구조물들을 분석선 없이 그린다. 양측성 하악골 상행지 골절단술의 수직 골절단선을 나타내기 위해 하악의 체부에서 제2소구치의 후방에 선을 그린다. 이 트레이싱을 원형 트레이싱이라 부른다(그림 3-74).

2단계

원형 트레이싱 위에 깨끗한 acetate 종이를 올려놓는다. 그리고 수술에 의하여 영향을 받지 않는 모든 골격과 연조직을 그린다. 하악의 수직 골절단선 원심부의 경하악조직과 연조직은 그리지 않는다. 이 트레이싱이 예상 트레이싱으로 발전될 것이다(그림 3-75).

3단계

예상 트레이싱을 왼쪽으로 이동시킨다(원형 트레이싱 구조물들은 오른쪽으로 이동될 것이다). 예상 트레이싱에서 상악치아들과의 가장 적절한 절치간, 대구치간 관계에 따라 원형 트레이싱의 하악 치아들의 위치를 잡아 예상 트레이싱지 위에(그림 3-76) 하악 골격들과 치아들을 그린다. 또한 이순구 하방의 이부의 연조직을 그린다(경조직 전방이동에 따른 pogonion의 반응은 0.9:1에서 1:1이다)(그림 3-77).

4단계

이제 하순을 그린다. 참고점으로 경조직 변화에 따른 일반적인 연조직 반응을 이용한다(그림 3-78). 이순구는 편평해진다. 하순의 홍순은 수평적 골격이동의 75% 수준에서 (66%에서 100%) 전방이동된다. 하순에서 상악 중절치의 영향은 없어지고 하순은 홍순의 노출이 감소되면서 후방으로 오므라들 것이다. 그림 3-79는 완성된 예상 트레이싱을 보여준다. 하악 전방이동의 양은 두개의 수직골절단선 사이의 거리를 측정하여 얻어질 수 있다.

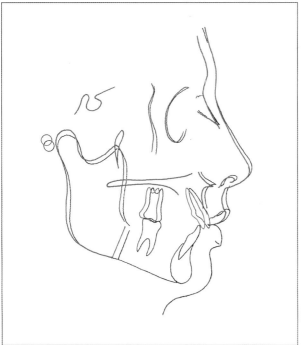

그림 3-76 원형 트레이싱에서 하악 치아들은 예상 트레이싱에서 상악 치아들과 I급 구치부 관계를 보이고 이상적인 수직피개와 수평피개를 보인다.

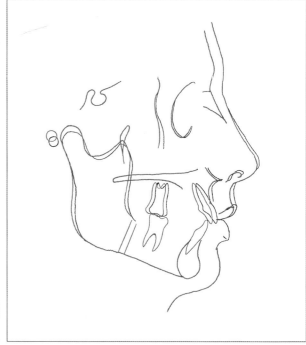

그림 3-77 3단계. 하악의 골격들과 치아들, 이순구 하방의 이부의 연조직을 그린다.

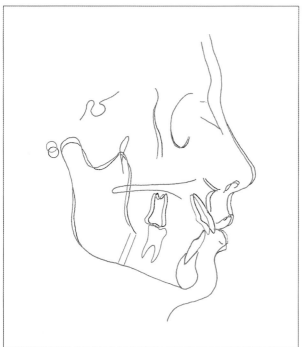

그림 3-78 4단계. 외반된 하순은 상악 중절치의 영향이 감소됨에 따라 후방으로 회전된다.

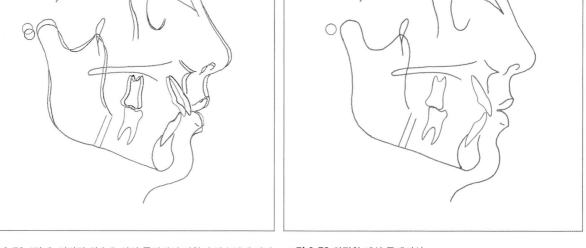

그림 3-79 완전한 예상 트레이싱

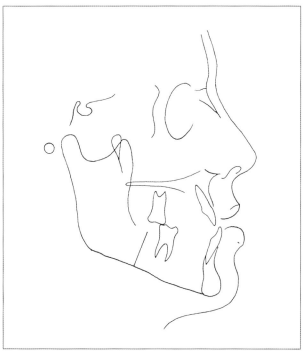

그림 3-80 III급 부정교합을 갖는 환자의 원형 트레이싱. 외과적 치료 계획은 하악 후방이동으로 이루어진다.

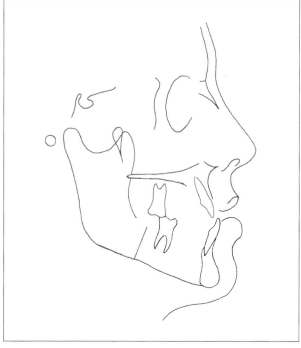

그림 3-81 2단계. 수술에 의해 영향받지 않는 모든 구조물들은 빨간색 으로 그린다.

하악의 후방이동

1단계

양측성 하악 시상분할골 절단술의 수직 절단선을 나타내기 위해 하악의 체부에서 원형 트레이싱지에 선을 그린다. 이선은 실제 골절단술이 이루어지는 부위에 최대한 가깝게 그린다(그림 3-80).

2단계

원형 트레이싱지 위에 깨끗한 acetate 종이를 올려놓고, 수술에 의해 영향을 받지 않는 모든 골격들과 연조직을 그린다. 이때, 상순 또는 하악의 골절단선의 원위부의 경조직과 연조직은 그리지 않는다(그림 3-81).

3단계

위의 예상 트레이싱지를 가장 적절한 절치간, 대구치간 관계에 도달할 때까지 오른쪽(하악 원위부가 왼쪽으로 이동되도록)으로 이동시킨다(그림 3-82). 그리고 다음으로 경조직부분과 원심편의 골절단선을 그린다. 그다음 이순구 하방의 이부의 연조직을 그린다(경조직의 이동에 따른 연조직의 변화는 pogonion에서 90%에서 100%이다)(그림 3-83).

4단계

상순에 대한 하악 중절치의 영향(III급 깊은 수직피개의 경우)은 이제 감소되므로 입술은 약간 후방으로 이동될 것이다. 이에 맞추어 상순의 새로운 위치를 그린다. 몇몇 III급 부정교합의 경우(예를 들면 개교합의 경우) 하악 중절치는 상순에 영향을 미치지 않는다. 이 증례의 경우처럼 영향을 미치지 않는다면 하순은 시작할 때 트레이싱 할 수 있다. 따라서 예상 트레이싱에서 하순은 같은 위치에 그린다. III급 심피개교합의 경우(overclosure) 하순은 상순과 상악 중절치의 영향에 따라 변할 것이다. 하악의 후방이동양은 두개의 골절단선 사이의 거리를 측정하여 완전한 예상 트레이싱에서 결정될 것이다(그림 3-84).

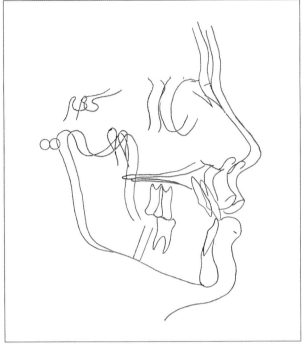

그림 3-82 원형 트레이싱에서 하악 치아들은 예상 트레이싱에서 상악 치아들과 I급 구치부 관계를 보이고 이상적인 전치부 관계를 보인다.

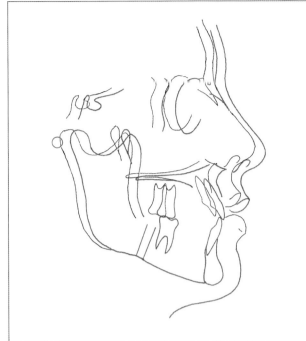

그림 3-83 3단계

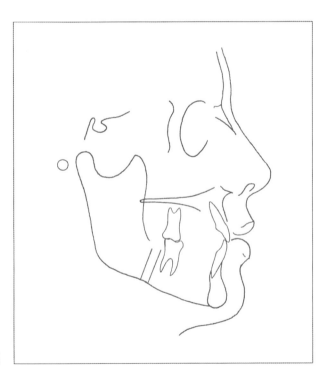

그림 3-84 완성된 예상 트레이싱

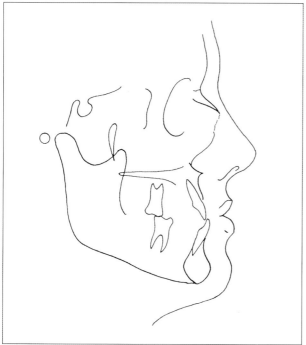

그림 3-85 III급 부정교합의 치료를 위해 상악의 전방이동이 필요한 환자의 원형 트레이싱

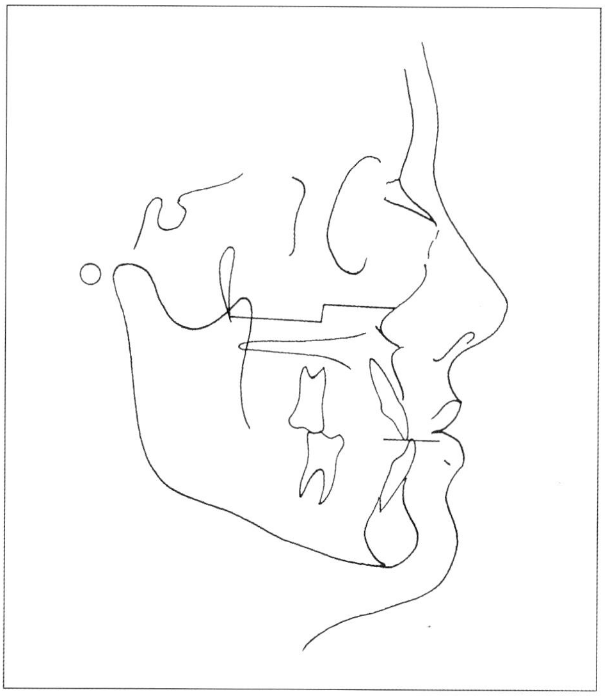

그림 3-86 1단계. LeFort I 골절단선이 그려지고 상악 중절치의 이상적인 높이가 결정된다.

상악골의 전방이동
1단계

III급 부정교합을 갖는 환자의 원형 트레이싱이 그림 3-85에 나타나 있다. 우선 원형 트레이싱에 Lefort I 골절단선을 나타내는 선을 그린다. 이 선은 상악에서 실제 골절단술이 이루어지는 부위와 해부학적으로 유사하여야 한다. 이것이 상악 재위치의 측정을 좀더 정확하게 한다.

골절단선은 상악이 이 선을 따라 전방이동되도록 상악의 교합평면에 평행하여야 한다. 이 선이 상방으로 경사되어 있다면 전방이동 후에는 악의 높이가 감소될 것이며, 만약 골의 접촉이 유지된다면 전방에서 개교합이 일어날 것이다. 또, 만약 이 선이 하방으로 경사되어 있다면 상악은 하방으로 이동될 것이다. LeFort I 상악골 전방이동술에서 상악의 최종 전후방적 위치는 하악 치열에 의해 결정될 것이다. 그러나 상악의 수직위치는 수술자에 의하여 조절될 수 있다. 이에따라 하악은 자동회전된다(상악 높이가 증가되면 하악은 시계방향 회전, 상악높이가 감소되면 하악은 반시계 방향 회전). 술자는 이상적인 치아 입술 관계에 근거하여 상악 중절 치의 최종 수직적 위치를 결정한다. 이상적인 상악 중절치의 수직적 위치를 나타내는 전치부의 수평선을 그린다. 이 증례의 경우 상악의 현재 높이는 그대로 유지되는 것이 좋다(그림 3-86).

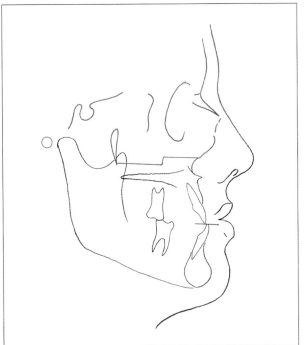

그림 3-87 수술에 의해 영향받지 않는 모든 구조물들은 빨간색으로 그린다. 상악중절치의 절단의 이상적 수직위치를 나타내는 수평선 또한 그린다.

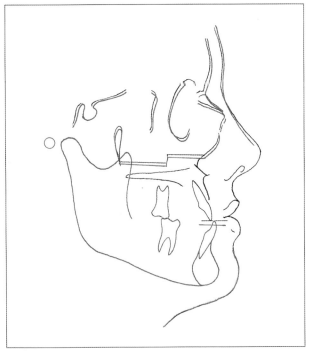

그림 3-88 예상 트레이싱을 하악 중절치 절단이 수평선 상방 2mm에 올 때까지 condylion을 중심으로 시계방향으로 회전시킨다. 이 투영은 전치의 수직피개를 나타낸다.

2단계

원형 트레이싱지 위에 깨끗한 acetate 종이를 올려 놓고, 수술에 의해 영향 받지 않는 모든 골격과 연조직을 그린다 (그림 3-87). 골절단선 하방의 상악골과 치아들 그리고 코의 supratip break 하방의 연조직, 상순, 하순은 그리지 않는다. 또한, 이 단계에서는 하악의 연조직과 경조직은 그리지 않는다. 이 증례의 경우 이상적인 상악 중절치의 수직 위치를 나타내는 선에 하악 중절치의 높이가 일치하므로, 정상적인 전치부 수직피개에 도달하기 위하여 하악 중절치는 선 상방으로 2mm정도 회전이 필요하다. 우선 condylion 후방에 연필을 놓고 중절치가 수평선 상방 2mm

될 때까지 예상 트레이싱지를 시계방향으로 회전한다. 그 후 이순구 하방의 하악 경조직과 연조직을 그린다(그림 3-88).

3단계

예상 트레이싱을 왼쪽으로(원형 트레이싱 구조물들은 오른쪽으로 이동될 것이다) 이동시킨다. 그리고 예상 트레이싱지의 치아들과 가장 적합한 전치간, 대구치간 관계에 도달하도록 원형 트레이싱의 경조직을 중첩한다(그림 3-89). 이어 예상 트레이싱 상에 이동된 상악골의 골격과 골절단선을 그린다(그림 3-90).

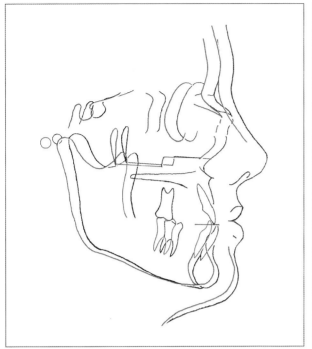

그림 3-89 원형 트레이싱에서 상악 치아들은 예상 트레이싱의 하악 치아들과 교합한다.

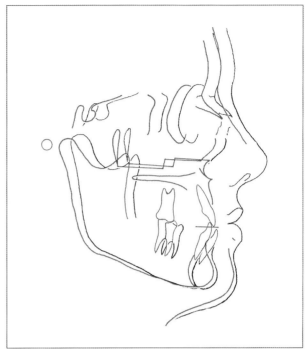

그림 3-90 3단계

4단계

이제 연조직을 그린다. 이때 상악의 전방이동에 의해 야기되는 연조직 변화를 고려해야 한다. 원형 트레이싱위에 예상 트레이싱을 일치시킨 상태에서 올려 놓은 후 코와 상순의 변화를 그려야 하는데 만족할만한 선이 나올 때까지 점선을 이용하여 연조직 모양을 그린 후 완전한 선으로 그린다(그림 3-91). 홍순(stomion)의 이동은 수평 이동의 50%에서 75%정도 반영될 것이며, 비순각은 상악골이 1mm 전방이동될 때 1도에서 4도 감소한다. 비첨은 30%정도 전방이동되지만, 이것은 충분히 술자에 의하여 조절될 수 있다.

하순의 연조직 변화를 예상하기 위하여는 하악 경조직과 이부 연조직이 일치하도록 원형 트레이싱을 예상 트레이싱에 중첩한 후 상순과 하순의 새로운 관계를 설정하여야 한다. 상순은 하순을 약간 하방으로 미는 경향이 나타나고 어느정도 하순을 외반시킨다. 점선으로 예상된 변화를 그리고 예상 트레이싱에 마무리 한다(그림 3-92).

그림 3-93은 경조직과 연조직의 변화를 예상하는 완전한 트레이싱을 보여준다. 외과적 이동량은 술 전과 술 후 골절단선의 참고선을 비교하여 측정된다.

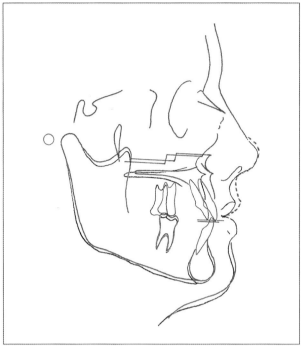

그림 3-91 비점과 상순부위의 연조직 예상 트레이싱

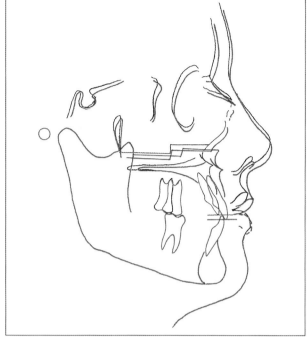

그림 3-92 하순의 연조직 예상 트레이싱

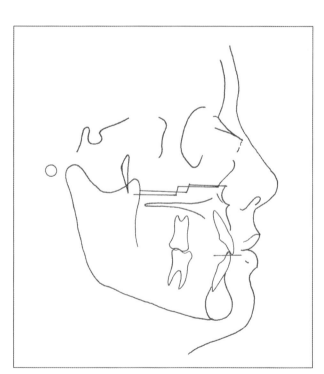

그림 3-93 완성된 예상 트레이싱

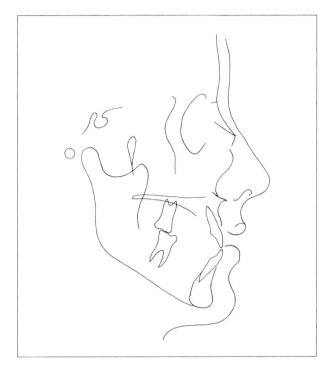

그림 3-94 상악의 수직적 과잉을 가진 환자의 원본 트레이싱. 상악은 상방으로 재위치될 것이다.

상악골의 상방 재위치
1단계

상악의 수직 과성장의 교정을 위해 상악의 상방 재위치가 필요한 환자의 원형 트레이싱이 그림 3-94에 그려져 있다. 방사선사진은 환자의 입술에 긴장이 없으면서 하악 과두의 안정위에서 촬영되어야 한다. 상악의 수직 과성장을 교정할 때, 상악 전치와 상순의 관계는 시각적 치료 목표(VTO)의 기초가 된다.

원본 투사지 위에 실제로 수술시 상악에 가해지는 Le-Fort I 골 절단선과 가능한 비슷하게 수직적 계단을 가진 수평선을 그린다. 외과적 치료 목표(STO)의 가장 중요한 판단 사항인 상악 전치 절단부의 최종 수직적 위치를 이제 결정하는데, 이러한 판단은 상악의 상방 재위치 시 연조직의 반응, 임상적 경험, 그리고 미적 감각에 대한 지식을 바탕으로 두부규격방사선 지침에 따라 결정되어진다. 이러한 판단에 도움을 주는 몇 가지 지침은 다음과 같다.

- 상악 전치는 상순의 하방으로 1~4 mm 노출되는 것이 정상 범주로 여겨진다.
- 상순이 긴 경우 상악 전치의 노출이 적고, 상순이 짧은 경우 상악 전치의 노출이 많다.
- 절대 'Gummy smile'을 교정하기 위해 시도해서는 안 된다. 미소를 지으면 상순 하방으로 노출되는 치은의 양은 노출된 상악 전치에 의해 결정된 상방 이동량 보다 더 많은 양의 치은이 노출될 것이기 때문이다. 'Gummy smile'을 치료하려 시도할 때에는 자칫 상악의 과도한 상방 이동을 야기하여 이로 인해 치아가 보이지 않는 외형이 만들어질 수 있다.
- 상악의 후방이동과 동반된 상방 이동은 상순과 코주위 연조직 지지를 손상시켜 좋지 않은 심미적 결과를 가져올 수 있다.
- 상악의 상방 이동은 상순이 짧아짐을 야기한다(상악 상방 이동량의 10~20 %).
- 입술 사이 간극(interlabial gap) 또한 치료하려 시도해

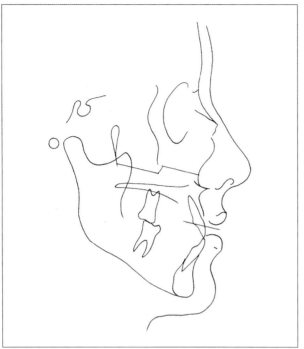

그림 3-95 1단계

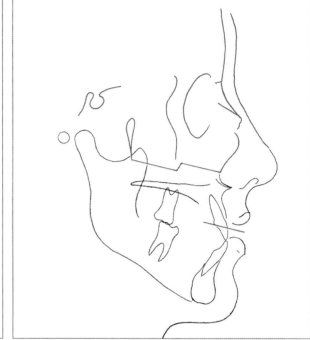

그림 3-96 2단계

서는 안된다. 상악의 수직 과성장의 교정과 이상적인 치아-구순과의 관계의 확립은 대부분의 경우에서 구순 봉합(lip seal)을 만들 수 있다. 입술 사이 간극은 1~3 mm가 적절하며 약간 벌어져 있는 것이 오히려 심미적으로 좋다. 그러므로, 상악의 상방 재위치 양이 구순 사이 거리에 의해 결정되어서는 안된다.

- 상순 길이, 입술 두께, 그리고 종합적인 심미성은 외과적 테크닉에 의해 또한 영향을 받는다(5장 참조).
- 상악의 상방 재위치 시 짧은 쪽 보다는 긴 쪽에서 오차가 더욱 발생한다.

필요한 상악 전치 절단부의 수직적 위치를 나타내기 위해 원본 투사지 위에 수평선을 그을 때 위와같은 지침을 고려한다(그림 3-95). 상악 전치의 전후방 위치는 하악의 자동 회전(autorotation) 후에 하악 전치부의 위치에 의해 결정되어질 것이다.

2단계

원형 트레이싱 위에 예상 트레이싱을 겹치고 상악의 상방 재위치에 영향을 받지 않는 경조직과 연조직을 그린다. 이때, 비첨, 상악과 하악의 경조직과 연조직은 그리지 않는다(그림 3-96).

3단계

이제 하악 전치 절단부가 상악전치 수평선 상방 2 mm 위치에 위치할 때까지 연필을 condylion의 후방에 위치시키고 예상 트레이싱을 시계방향으로 회전시켜 하악을 자동 회전(autorotation)시킨다. 수평선 위의 절치의 양은 수직 피개(overbite)의 양을 나타낸다(그림 3-97). 이후 하악 경조직 및 이순구(labiomental fold) 밑의 연조직을 그린다(그림 3-98).

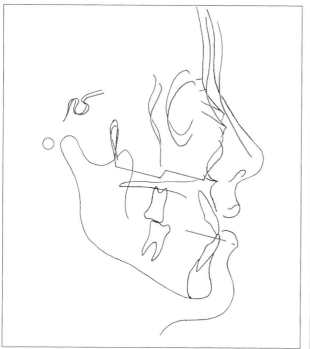

그림 3-97 수평선 2mm 상방으로 하악 전치가 위치될 때까지 하악을 자동회전(autorotate)시킨다.

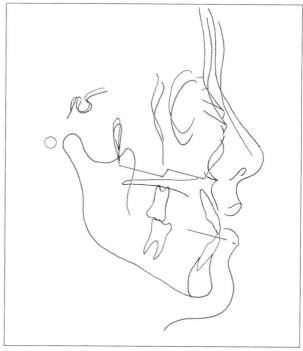

그림 3-98 3단계.

4단계

최적의 전치와 구치부 관계를 얻기 위해 예상 트레이싱의 하악 치아를 원본 트레이싱 위에 중첩시킨다. 상악의 전후방 위치는 하악 전치의 위치에 의해 결정된다. 교합 평면은 자동 회전(autorotation) 후 하악의 교합 평면에 의해 결정된다(그림 3-99). 이후 상악의 경조직을 그리고 Le-Fort I 골절단선도 그린다(그림 3-100).

5단계

다시 예상 트레이싱을 수술에 의해 영향 받지 않는 구조물 위에 일치되도록 원형 트레이싱 위에 위치시킨다. 상악의 상방이동량을 이제 명확히 알 수 있다. 상악의 반시계방향 회전에 의해 발생한 상악의 전방 이동량 또한 명확히 알 수 있다. 예상되는 연조직의 변화를 경조직 변화에 대한 연조직 변화량의 통계치에 의해 그린다. Le-Fort I 상방 재위치 시, 홍순(stomion)은 수직 이동량의 10~20%로 변하고, 비순각(nasolabial angle)은 감소하는 경향이 있다. Le-Fort I 전방 재위치 시, 홍순(stomion)은 수평 이동량의 50~75%로 변하며, 비순각(nasolabial angle)은 1mm 전방 이동 마다 1~4도 정도 감소한다. 비첨(nasal tip)은 상방으로 회전한다(그러나 변화량은 매우 다양하고 예측 불가능하다).

이를 토대로 먼저 점선으로 예상 연조직 모양을 그린후 예상이 만족스럽다면 완전한 선으로 비첨과 상순을 그린다(그림 3-101).

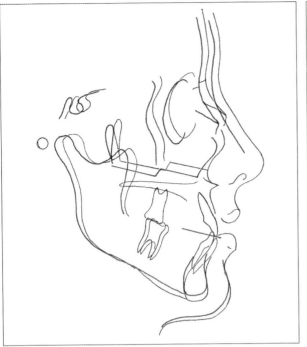

그림 3-99 이제 예상 트레이싱 위의 하악 치아는 원형 트레이싱 상악 치아에 교합되게 한다.

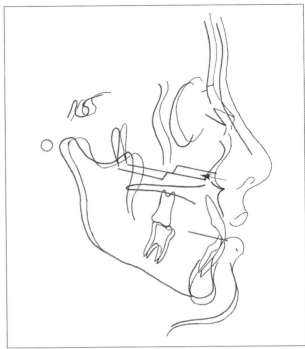

그림 3-100 4단계. 상악의 구조물과 골절단선이 상악의 재위치를 나타내기 위해 그린다(화살표).

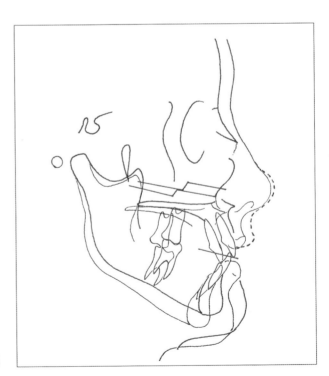

그림 3-101 비첨과 상순의 연조직 예상 트레이싱

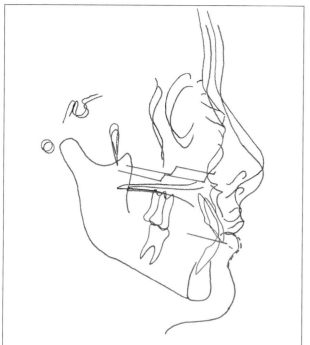

그림 3-102 하순의 예상 투사지 트레이싱

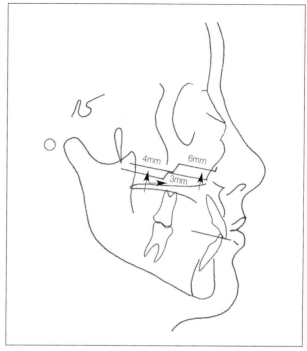

그림 3-103 완성된 예상 트레이싱. 상악이 후방부에서는 4mm, 전방부에서는 6mm 상방으로 재위치되었다. 하악의 전방 회전에 의해 상악의 3mm 전방이동이 필요하다.

6단계

예상 트레이싱을 하악의 경조직 구조와 중첩시키기 위해 원형 트레이싱 위에서 이동시킨다. 이제 구순 접촉을 확립하고, 이근(mentalis muscle)의 긴장을 이완시키고(이부의 연조직 두께가 증가될 것임), 하순이 약간 후방으로 내반된다는 것을 생각하면서 하악 연조직을 그린다. 또 상악 전치는 이제 하순에 영향을 미쳐 하순의 약간 전방 이동을 야기한다. 예상되는 하순의 모양을 점선으로 일단 그리고 이것이 만족스럽다면 실선으로 마무리한다(그림 3-102).

원형 트레이싱과 예상 트레이싱 사이의 골절단선 거리를 측정하여 실제 골격적 이동을 기록한다. 여기에서 예시된 증례를 통하여 다음과 같은 사실들을 명확히 알 수 있다(그

림 3-103).

1. 상악의 상방 재위치양은 전치부(6mm) 보다 구치부(4mm)에서 적다. 이는 심한 전치부 개교합의 교정에 의한 것이며 또한 하악의 자동회전(autorotation)을 허용하기 위해 구치부에서도 많은 상방 이동이 필요했기 때문이다.

2. 상악의 전후방 위치는 하악의 자동회전 후에 하악 전치의 위치에 의해 결정된다. 하악이 반시계방향으로 회전되면 이때 전방으로의 회전이 발생된다. 이에 따라 상악이 전방 이동하게 된다(이 경우에서는 3mm 전방 이동되었다).

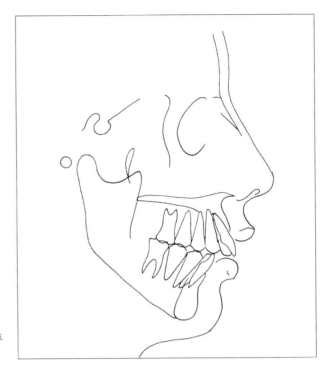

그림 3-104 상악 수직 과잉을 가진 환자의 원본 투사지. 상악의 전후 방 과잉과 하악의 전후방 결핍. 2급 부정교합

상악 제1 소구치의 발치와 동반된 상악 분절골의 상방 재위치와 하악골의 전방이동

1단계

원형 트레이싱에 트레이싱을 시작한다(그림 3-104). 우선 원본 투사지에 골절단선을 그리는데, Le-Fort I 골절단선을 가상한 계단 모양의 수평선을 가능한 한 실제 상악 수술 시의 골절단선과 비슷한 위치에 그린다. 상악 제2 소구치와 견치 사이에 치간 골절단선(interdental osteotomy line)을 나타내는 두개의 수직선을 그린다. 제1 소구치는 수술 시 제거되고 수술적으로 공간이 폐쇄될 것이다.

매우 중요한 결정사항인 상악 전치의 수직적 위치가 이제 결정된다. 다른 곳에서 논의되었던 것처럼 이상적인 전치와 상순과의 관계에 대한 정보에 의해 상악 전치의 수직적 위치를 제시하는 선을 그린다. 이 선을 가로지르는 수직선을 그리는데 이는 상악 전치의 원하는 전후방 위치를 나타낸다. 상악 전치 절단부의 최종적 위치는 이 두 선이 만나는 부위에서 결정된다. 양악 수술을 할 때 술자는 상악 전치의 최종적인 수직적 위치와 더불어 최종적인 전후방

위치도 결정해야 한다. 상악 전치의 수직적 위치를 판단하는 지표는 앞에서 설명하였다.

다음의 지표는 술자에게 이상적인 상악 전치의 수평적 위치를 잡는데 도움을 줄 것이다.

● 상악 전치는 상순을 지지하는 역할을 한다. 상악 전방 분절의 심한 후방 이동은 입술 지지에 좋지 않은 결과를 일으켜 비심미적인 결과를 가져올 수 있다.
● 전방 분절의 후방 이동은 비순각(nasolabial angle)을 증가시키고 코를 더욱 두드러지게 한다.
● 구순 두께는 상악의 전방 분절을 얼마나 후방 이동시켜야 하는지를 알려주는 좋은 지표로 종종 사용된다. 일반적으로 상순과 하순의 두께는 동일하다.
● 상순의 홍순 노출(vermilion exposure)은 상악 전방 분절의 후퇴 시 감소한다.
● 상악 치아의 과도한 후방이동을 피하라. 심미적으로 편평하고 지지력이 좋지 못한 입술보다 둥글고 풍성한 입

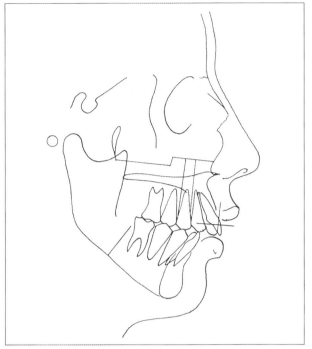

그림 3-105 1단계. 치아사이 골절단선과 요구되는 상악 전치 절단부의 수직적, 수평적 위치를 원본 투사지에 그린다. 제1 소구치는 수술시 발거되고 공간이 폐쇄된다.

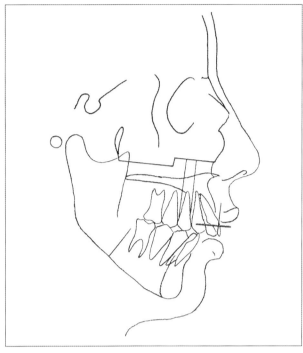

그림 3-106 2단계. 수술에 의해 영향을 받지 않는 모든 구조물을 빨간 색으로 그린다.

술이 보다 매력적으로 보인다.

양측 상행지 시상 분할 골절단술(BSSRO)의 수직 골절단선을 가상한 수직선을 하악의 골체부에 그린다(그림 3-105).

2단계

원형 트레이싱 위에 새로운 아세테이트 투사지를 겹치고 수술에 의해 영향을 받지 않는 모든 경조직과 연조직을 그린다(그림 3-106). 상악과 하악의 경조직, 비첨부(supratip break) 하방의 코의 연조직, 상순, 그리고 하악의 연조직 구조는 그리지 않는다.

연필을 condylion의 바로 후방에 위치시킨 후 예식 트레이싱은 하악 전치부가 상악전치 위치를 나타내는 수평선(이 선 상방의 하악 전치의 양은 예상한 수직피개(overbite)의 양을 결정한다)의 상방으로 약 2 mm 위에 위치할 때까

지 시계 방향으로 회전시킨다(그림 3-107). 다음으로 하악의 수직 골 절단선에 근심측 하악의 골격 구조를 그린다. 하악 전치는 이제 상악전치 수직선 후방 수 mm 뒤에 위치하게 된다(그림 3-108).

3단계

예상 트레이싱은 좌측으로 이동시키면, 원형 트레이싱의 구조물이 우측으로 이동될 것이다. 원형 트레이싱의 하악 전치가 수직선(수직선 후방의 하악 전치의 양은 예상된 수평피개(overjet)를 결정한다)의 1mm 후방에 오도록 예상 투사지를 중첩시킨다(그림 3-109). 하악 골체부(body)위의 두개의 수직 절단선은 하악의 회전 운동이 일어나지 않는 것을 보여 주면서 평행하게 위치될 것이다. 수직선의 원심측 하악 골격 구조를 그리고 이순구 하방 이부의 연조직을 그린다 (pogonion 1:1 반응)(그림 3-109).

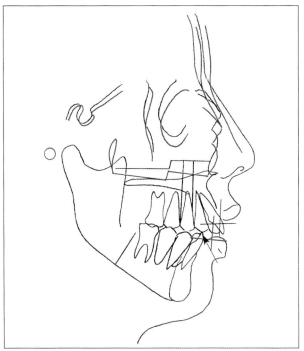

그림 3-107 하악을 하악 전치가 수평선 위로 2mm 나올 때까지 자동 회전시킨다.

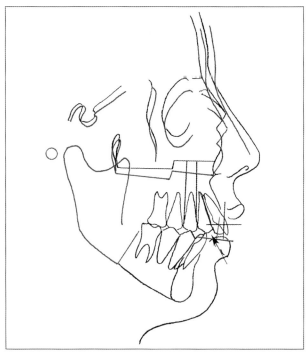

그림 3-108 하악의 자동회전 후에도 하악 전치는 상악 전치 순면의 위치를 결정하는 수직선의 몇 mm 후방에 위치한다(화살표). 하악은 전진되어야 할 것이다.

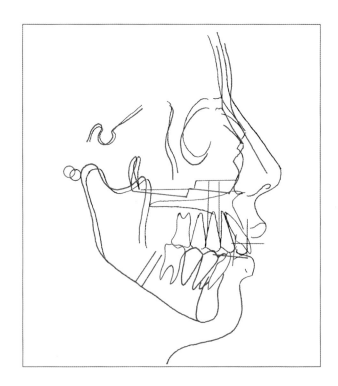

그림 3-109 예상 트레이싱은 좌측으로 이동시켜 하악을 전진시킨다.

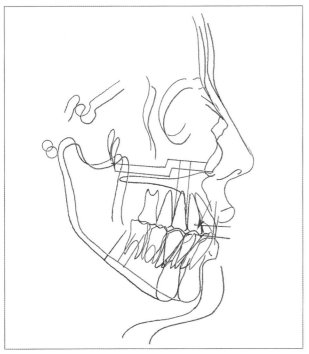

그림 3-110 원형 트레이싱 위의 상악 전방 분절의 치아를 예상 트레이싱 위의 하악 치아에 적합하게 위치시킨다.

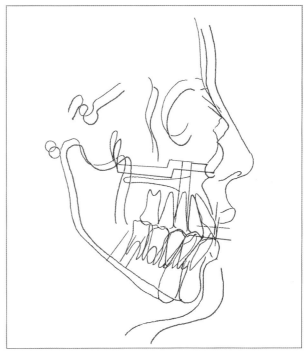

그림 3-111 상악 전치는 하악 전치와 수직선 사이에 위치되고 상악 전치의 순면은 이제 수직선에 접하게 된다.

4단계

상악 전치 분절이 자동 회전되고 전방 이동된 하악의 치아에 일치되도록 예상 트레이싱을 이동시킨다. 전치 절단의 위치는 1단계 트레이싱 때 그려진 수평선과 수직선의 만나는 지점과 하악 교합 평면과 적합한 상악의 교합평면에 위치된다(그림 3-110). 이제 분절위에 수직선(치간 골절단선)과 수평선(Le-Fort I 골절단선)을 포함한 상악 전방부 골격 구조를 그린다(그림 3-111).

5단계

다음으로 예상 트레이싱을 왼쪽으로 이동시켜 원형 트레이싱 위의 구조물을 오른쪽으로 이동시킨다. 그리고 원형 트레이싱의 상악 후방 치아를 하악의 후방 치아(소구치와 대구치)와 적합되도록 위치시킨다. 이는 치근이 제1 소구치의 발치와와 치간 골절단선(interdental osteotomy)에 근접해야 한다는 것을 명심하고 실제처럼 행해져야 한다. 수직 치간 참조선(vercical interdental reference line)은 최대

한 접촉하도록 해야 한다. 더 많은 이동은 외과적으로 실현 불가능하고 인접치아에 해를 줄 위험이 커진다. 이때 하악의 교합 평면은 상악의 후방 분절의 수직적 위치를 결정한다(그림 3-112). 상악 후방 분절의 골격구조를 그리고 수평 골절단선을 그린다(그림 3-113).

6단계

원형 트레이싱 투사지 위에서 예상 트레이싱을 수술에 의해 영향을 받지 않는 구조물 위에 중첩시킨다. 수직적, 수평적 변화는 상악 전치와 상순의 관계에서 명확해 진다. 비첨과 상순의 연조직 변화는 점선으로 연조직을 그려 예상한다(그림 3-114). 이때 고려할 사항으로, 홍순(vermilion, stomion)은 10~20% 정도 짧아지고, 비순각(nasolabial angle)의 변화는 다양하지만 약간 증가하는 경향이 있고, 비첨(nasal tip)은 약간 위로 들린다. 그 후 술자의 예상에 확신이 있다면 상악의 연조직을 실선으로 그린다.

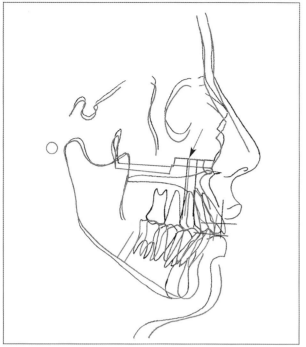

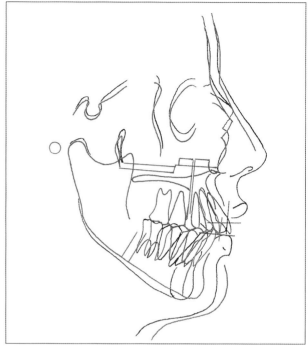

그림 3-112 원형 트레이싱의 상악 후방 치아는 예상 트레이싱을 왼쪽으로 이동시켜 전방이동시키고 예상 트레이싱의 하악 구치부 치아에 위치하게 한다. 수직선(치간 골절단선)은 중첩되어서는 안되며 가능한 한 가까이 접하게 한다(화살표).

그림 3-113 치간 골절단선이 골절단선 주변 인접치의 뿌리에 손상이 가해지지 않도록 안전하게 수행되며 1mm 정도의 거리가 있게 한다.

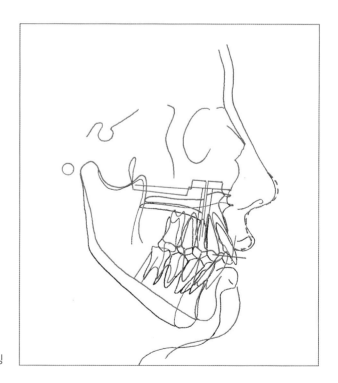

그림 3-114 비첨과 상순의 연조직 예상 트레이싱

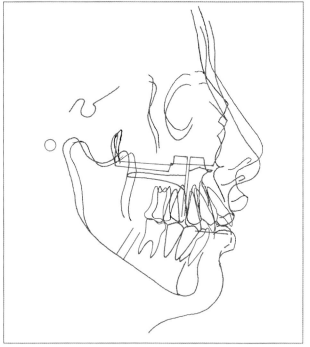

그림 3-115 하순의 예상(prediction)

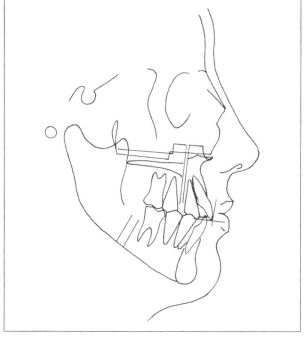

그림 3-116 완성된 예상 트레이싱(surgical VTO)

7단계

다음으로 예상 트레이싱을 원형 트레이싱의 골격과 하악의 원심측 구조물 위에 중첩시킨 후, 하악의 전방이동 술식에 맞는 알려진 연조직의 반응을 참고로 하여 하순을 그린다(그림 3-115). 하순의 홍순(Lower vermilion)은 수평 이동에 대해 75%(66~100%)의 비율로 감소되고, 하순은 감아올려지면서 후방이동되고 이순구는 보다 평평해 질 것이다.

그림 3-116은 최종 외과적 시각적 치료 목표(surgical visual treatment objective)를 보여준다. 수술에 의해 얻어진 경조직의 이동은 골절단 참조선의 거리 측정에 의해 기록될 수 있다.

상하악 복합체의 회전

모든 이전에 제시한 예상 트레이싱은 최종 교합평면이 (상악의 수직적 재위치가 발생한 경우에서는 자동 회전된

후의) 하악의 교합 평면에 의해 결정되었다. 이때 하악은 (하악의 교합평면) 과두의 후방부의 한 점이나 면을 주위로 회전할 것이다. 그리고 어느 특정한 전후방 이동은 "새로운" 평면을 따라 이루어 진다(그림 3-117). 그러나, 이러한 원칙은 상하악 복합체(maxillomandibular complex)의 회전이 요구되는 치료계획에는 적합하지 못하고 교합 평면의 변화가 자연히 발생하는 증례들이 있다.

증례 1 : 상하악 복합체의 시계방향 회전을 포함하는 증례의 외과적 예상 트레이싱

증례 1의 술 전 두부규격방사선사진 분석이 그림 3-118에 나와 있다. 진단은 2급 부정교합, 상악의 전후방적 성장 결핍, 거대 이부(marcogenia), 그리고 하악 치조골의 전후방 결핍이다.

그림 3-119는 상악의 전방이동, 하악의 전방이동, 그리고 축소 이부성형술(reduction genioplasty)을 포함한 통상적

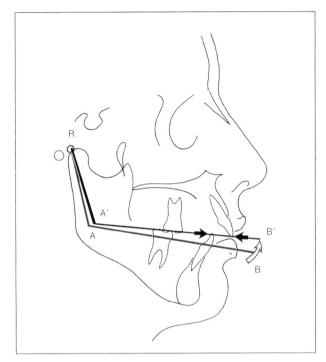

그림 3-117 상악이 상방으로 재위치되고 하악은 하악 과두의 후방에 위치하는 점(R)을 중심으로 자동 회전되었을때, 교합평면은 A-B에서 A'-B'으로 변한다. 그리고 이때 상하악의 어떠한 전후방적 이동도 이 새로운 교합 평면을 따라 일어난다.

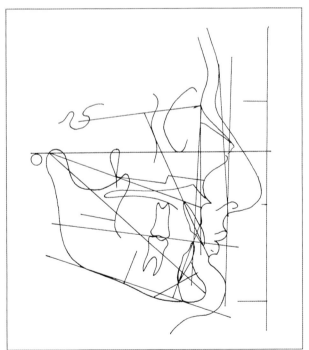

그림 3-118 증례 1 환자의 술 전 두부규격방사선 분석

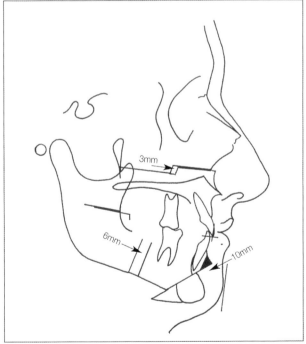

그림 3-119 통상적인 원칙에 따른 외과적 예상 트레이싱. 수술은 상악과 하악 모두의 전방 이동과 chin prominence를 해소하기 위한 많은 양의 reduction genioplasty를 포함한다. 그러나 labiomental fold의 소실과 하악 하연의 불명확함으로 인해 비심미적인 chin contour가 발생한다.

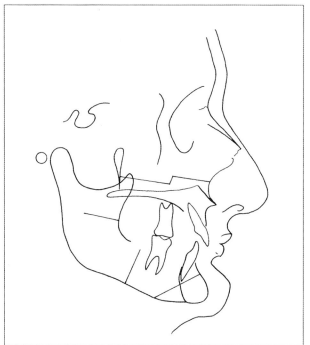

그림 3-120 증례 1 환자의 원형 트레이싱. 보다 정확한 측정을 위해 계획된 골절단선을 실제 골절단선과 가능한 비슷한 위치에 그린다. 하악지 시상 분할 절단술 시의 수평 절단선과 수직 절단선은 하악의 수평적 그리고 수직적 위치를 관찰하기 위해 그려진다.

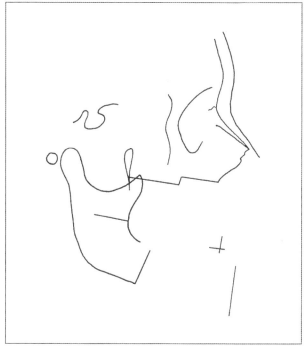

그림 3-121 예상 트레이싱. 수술에 의해 영향을 받지 않는 모든 경조직과 연조직을 그린다. 이상적인 상악 전치 위치를 위한 기준은 수직선(하악 전치 순면의 이상적인 전후방 위치를 지시)과 수평선(상악 전치 절단의 수직적 위치를 지시)이며 이부의 이상적인 전후방 위치를 지시하는 수직선을 그린다.

인 외과적 예상 트레이싱을 보여준다. 그러나 축소 이부 성형술에 의해서는 적절한 전후방적 위치와 심미적으로 양호한 이부외형을 얻기는 불가능하다. 이러한 경우에는 다른 방법으로 상악복합체의 시계방향 회전을 시도해 보아야한다.

1단계 원형 트레이싱에 상악, 하악, 이부의 골절단선을 그린다. 이부의 수직적 위치 변화가 없는 경우라면, 하악 치아의 치근첨과 이신경을 잇는 수평선으로 그린다. 그러나 이 증례는 수직적 증가와 전 후방 축소가 필요하므로 하방으로 각을 기울여 경사지게 절단선을 그려야 한다. 정확한 측정을 위해 골절단선은 골절단이 이루어지는 해부학적으로 가능한 한 원래의 위치에 그려져야 한다(그림 3-120).

2단계 원형 트레이싱위에 새로운 아세테이트 용지를 놓고 수술에 의해 변화되지 않는 모든 구조를 그린다. 이 투사를 예상 트레이싱라 부른다(그림 3-121). 상악 전치 절단부의 이상적인 위치는 전치 절단의 이상적인 수직적 위치를 제시하는 수평선과, 상순과 관련되어 전치의 이상적 전후방 위치를 제시하는 수직선이 만난 "box"에 의해 결정된다. 희망하는 이부의 전후방 위치 또한 수직선에 의해 결정된다. 이 선을 결정하는 도움이 되는 기준선은 안면각(angle of facial convexity, 0-degree meridian) 그리고 술자의 판단이다(그림 3-122).

3단계 원형 트레이싱 위에서 예상 트레이싱을 제거하고 원본 투사지 위에 새로운 아세테이트 용지를 올린 후, Le-

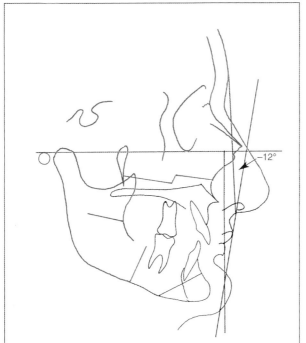

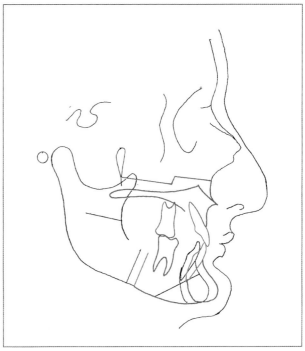

그림 3-122 Facial contour, 0-degree meridian, 그리고 술자의 임상적 판단이 이부의 이상적인 전후방 위치를 결정하는 가이드 라인이 된다.

그림 3-123 상하악 복합체의 트레이싱은 Le-Fort Ⅰ 골절단선 하방의 상악의 골격과 치열의 트레이싱에 의해 이루어진다. 이 증례의 경우 상하악 복합체의 상악치아와 원형 트레이싱의 치아와의 이상적인 교합을 얻기 위해 트레이싱은 좌측으로 이동되었다. 수직 골절단선의 전방에 하악 치아와 골격이 그려진다. 이부성형술을 위한 골전단선 또한 이 트레이싱에 그려진다.

Fort Ⅰ 상악 골절단선 하방의 상악 구조를 그린다. 그 후, 아세테이트 용지를 트레이싱된 상악 치아와 원본 투사지 위에 트레이싱된 하악 치아가 최적의 교합관계를 가지도록 이동시키고, 하악치아와 수직 골절단선 전방의 하악의 원심부(distal part)를 그린다. 또 이부에서 이부성형술(genioplasty)를 위한 골절단선을 다시 그린다(그림 3-123). 이것이 상하악 복합체 투사지이며, 이를 다시 원형 트레이싱 위에 놓는다.

4단계 원형 트레이싱 위에 예상 트레이싱을 위치시킨 후, 상하악 복합체 투사지를 원형 트레이싱과 예상 트레이싱 사이에서 이동 가능하게 놓는다. 이 증례에서는 이 상하악 복합체 투사지는 상악 전치 절단의 위치를 위한 "box"와

가이드라인에 따른 chin의 위치를 위한 수직선을 사용하여 상악이 전방 이동되고, 하악은 후방으로 회전되는 시계방향으로 회전이 일어난다. 이 증례에서 치료목표는 축소 이부성형술로써 거대이부(macrogenia)를 교정하고 이부의 수직적 높이(vertical height)를 증가시키는 것임을 주지해야 한다. 만족스러운 위치가 얻어졌다면 예상 트레이싱에 상하악 복합체를 그린다. 그러나 이부성형술 골절단선 하방의 이부 부위는 여기에서 그리지 않는다(그림 3-125).

5단계 상하악 복합체 트레이싱을 제거하고 원형 트레이싱 위에 예상 트레이싱를 다시 중첩시킨다. 경조직 변화에 따른 연조직의 변화를 통상적인 원리에 따라 동일하게 그린다(그림 3-126). 요구되는 이부축소와 이부의 이상적인

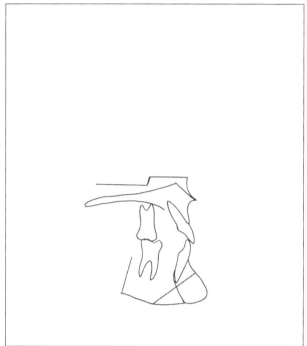

그림 3-124 상하악 복합체 트레이싱

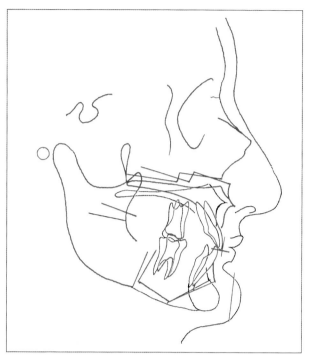

그림 3-125 상하악 복합체 트레이싱이 예상 트레이싱와 원형 트레이싱 사이에 위치되고 상악 전치의 위치를 결정하는 'box와 이부의 위치를 결정하는 수직선에 의해 시계방향으로 회전되었다.

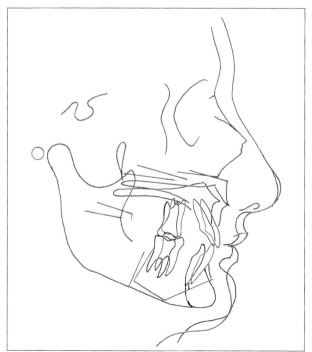

그림 3-126 예상 트레이싱이 원형 트레이싱 위에 중첩되었다. 이부의 이상적인 연조직을 포함한 기대되는 연조직의 변화를 그린다.

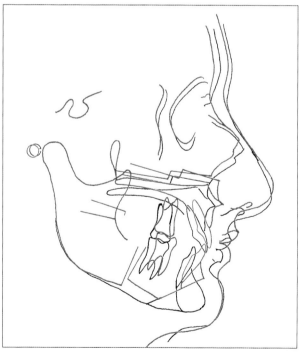

그림 3-127 예상 트레이싱이 예상되는 연조직 결과를 위하여 필요한 이부 축소를 위해 오른쪽으로 이동되었다.

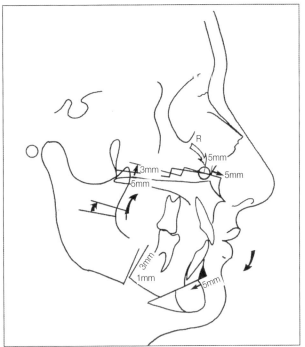

그림 3-128 증례 1의 완성된 외과적 예상 트레이싱. 회전중심(R)은 이 증례에서는 Le-Fort I 골절단선이 교차하는 piriform rim에서 5mm 후방에 위치한다.

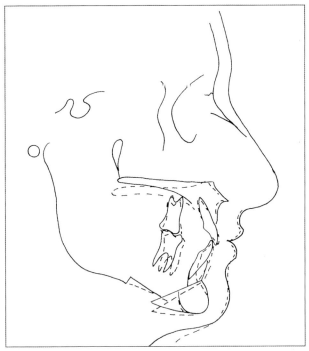

그림 3-129 통상적인 예상 트레이싱(점선)과 상하악 복합체(실선)의 시계방향 회전을 동반한 예상 트레이싱을 겹쳐진 트레이싱은 후자가 더욱 만족스러운 연조직 contour를 보임을 보여주고 있다.

연조직을 예상 트레이싱 위에 그린다(그림 3-127). 이렇게 하면, 통상적인 예상에 비해 보다 적은 양의 이부축소술이 이루어 짐을 알 수 있으며, 이에따라 보다 양호한 연조직 외형을 얻을 수 있다.

6단계 완성된 외과적 예상(surgical prediction 트레이싱) 트레이싱의 심미적, 기능적 결과를 평가한다(그림 3-128). 보다 더 나은 결과를 위해서는 개선이 필요할 수 있다. 여기에서 예로 든 증례에서, 이부축소(chin reduction)의 양은 상악의 증가된 전방이동의 효과를 생각하면서 한 상하악 복합체의 회전의 증가로 인해 감소될 수 있었다. 그러나 외과적 예상 트레이싱(surgical prediction 트레이싱)은 언제나 외과적 술식의 한계 내에서 이루어져야 한다.

7단계 원형 트레이싱과 예상투사지의 Le-Fort I 골절단선이 만나는 지점인 점(R)을 주목하라(그림 3-128). 이 점은 상하악 복합체가 수술시 회전하는 중심점이다. 회전 중심점의 정확한 위치는 모델수술(model surgery) 시와 실제 수술 시에 사용된다. 모든 악골의 운동은 예상투사와 모델 수술에 의해 측정되며 통상적인 치료에서처럼 기록되어져야 한다.

통상적인 치료계획에 의한 예상 트레이싱(prediction 트레이싱)과 상하악 복합체의 시계방향 회전을 반영한 예상 트레이싱의 비교에서 후자가 더욱 심미적인 결과를 보임을 알 수 있다(그림 3-129).

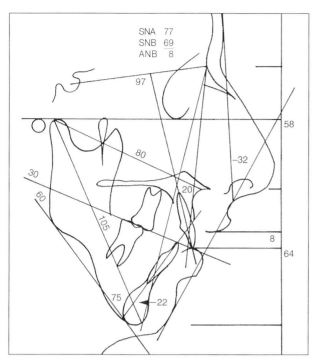

그림 3-130 증례 2 환자의 술 전 두부규격방사선사진 분석

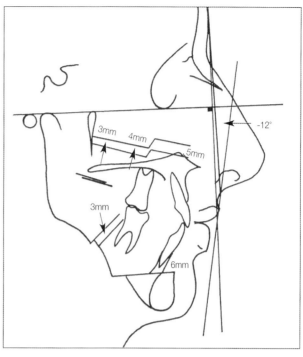

그림 3-131 통상적인 원칙에 의한 외과적 예상 트레이싱. 수술은 상악의 상방 재위치를 포함한다. 하악은 하악과두 직후방점을 중심으로 자동회전되고 다시 전방이동된다. 이부는 sliding genioplasty에 의해 전진된다. 측면상은 여전히 볼록하고 이부는 너무 후방에 위치되었다. 그러나 더 이상의 이부의 전진은 비심미적인 이부의 모양을 만들 것이다.

증례 2: 상하악 복합체의 반시계방향 회전을 포함하는 증례의 외과적 예상 트레이싱

증례 2 환자의 술전 측모 분석이 그림 3-130에 나와 있다. 진단은 Class II malocclusion, 하악의 전후방적 결핍, 상악의 수직 과잉, 그리고 microgenia이다.

상악의 상방 재위치, 하악의 자동 회전, 그리고 전진 이부성형술을 동반한 하악의 전방 이동술 등 통상적인 외과적 예상 트레이싱이 그림 3-131에 표현되었다. 이 경우 보다 이상적인 이부의 위치를 위해 이부의 전방이동이 더 필요하다. 그러나 이부성형술을 통한 전방이동은 심미적으로 좋지 않은 이부외형(chin contour)을 야기시킨다. 상하악 복합체의 반시계방향 회전이 외과적 예상 트레이싱에 의해 테스트되었다. 이는 그림 3-132에서 보여지듯이 보다 개선된 심미적 결과를 가져올 수 있다. 회전 중심인 (R)을

주목할 필요가 있다. 이 증례에서는 회전 중심이 후비극(posterior nasal spine)이다. 외과적 결과의 차이는 그림 3-133에 표현되어 있다.

수술 전의 모델 수술

모델수술(model surgery)의 일차적인 목적은 실제 수술의 정확한 재현을 위해 가능한 한 정확하게 환자의 악골을 기능적이고 공간적으로 재현하는 것이다.

이들 구조물들은 술전에 정확 위치가 측정되고 기록되어야 한다. 두부규격방사선사진상의 예상 트레이싱에 의해 계획된 악골이나 치아치조 분절의 외과적 이동이 모델상에서 재현되고 특정한 공간적 변화가 이 모델 수술을 통하여 기록되어야 한다. 다시 말해서, 모델수술은 외과적 수술 결

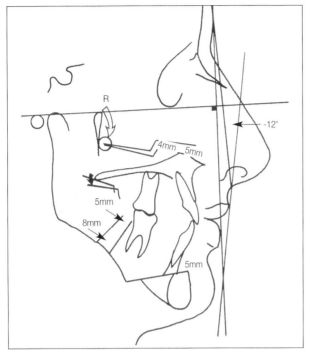

그림 3-132 후비극(posterior nasal spine)을 회전 중심으로 상하악 복합체의 반시계방향회전을 포함한 외과적 예상 트레이싱이다. 상악의 회전은 통상적인 트레이싱보다 보다 더욱 하악을 전진시킬 수 있게 한다. 이부의 전후방 위치는 받아들여질만 하며 양호한 연조직 모양을 만들 수 있게 한다.

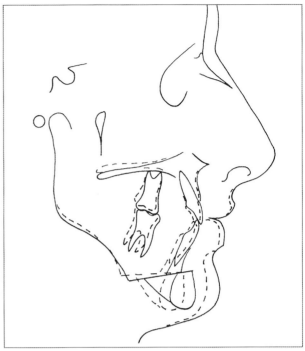

그림 3-133 두 트레이싱 결과의 차이가 합쳐져서 보여지고 있다. 통상적인 예상 트레이싱(점선)이 상하악 복합체의 반시계방향회전을 이용한 예상 트레이싱(실선)과 비교되어진다.

과를 위한 규격방사선사진예상의 dental cast version 버전이라 말할 수 있다.

3차원 공간에서 환자의 기형을 명백히 하는 첫 단계는 중심위에서 정확한 안궁인기(facebow transfer)를 하여 교합기 위에 모델을 마운팅하는 것이다. 석고는 상악의 해부학을 재현하기 위해 다듬어지며 하악도 가능한 가깝게 다듬는다. 그 후 마운팅 된 모델 위에 3차원 공간에서 악골의 위치를 기록하기 위해 참조선(reference line)을 그린다. 두 번째 단계는 외과적 예상 트레이싱과 술자는 이제 임상적 데이터의 도움으로 원하는 최종적인 악골의 위치를 결정하는 것이다. 세 번째 단계는 이동 전과 이동 후의 측정치를 비교하는 것이다. 임상가는 이제 외과적 목표를 수행하기 위해 필요한 공간적 이동이 무엇인지 정확히 결정할 수 있어야 한다. 외과적 선택은 세가지 기본적인 카테고리에 의

해 흘러간다. 즉 : (1) 하악 수술만 하느냐, (2) 상악 수술만 하느냐, (3) 또는 양악 수술을 동시에 하는가 이다.

하악수술만 시행하는 경우

하악 수술만 하려고 마음먹었다면, 하악의 전후방 이동이나 회전 이동은 상악의 치열에 의해 영향을 받는다. 하악의 교합은 상악에 적합해야 한다.

예를 들어 하악의 전방 이동의 경우에서 모델수술은 다음의 과정에 의해 시행된다. :
1. 하악의 교합평면에 평행하게 수평 골절단선을 그린다 (그림 3-134).
2. 대구치, 견치 그리고 중절치에서 모델의 기저부까지 수직선을 그린다(그림 3-134).
3. 수직선의 길이를 측정하고 데이터를 기록한다.

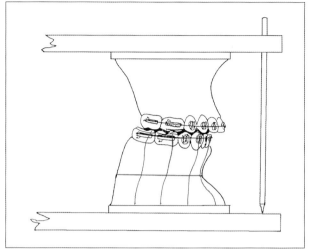 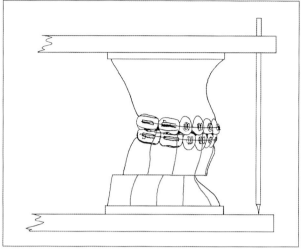

그림 3-134 하악의 외과적 이동은 하악의 교합 평면에 따라 이루어져야 한다. 모델의 골절단선은 모델이 이 평면을 따라 움직이도록 하악의 교합평면에 평행하게 그려야 한다. 수술부위의 시계방향이나 반시계방향 회전이 평가되고 기록되어질 수 있다.

그림 3-135 하악 모델이 적절한 교합상태를 이루기 위해 이동되었다. 이제 이동량을 기록할 수 있다.

4. 수평 절단선을 따라 하악 모델을 절단한다.

5. 가장 양호한 치아의 교합상태로 모델을 전진시킨다(그림 3-135).

6. 전후방, 수직 그리고 회전 운동을 측정하고 이동전의 데이터와 비교한다.

상악수술만 시행하는 경우

상악만 수술하기로 결정되었다면 하악의 치열에 의해 상악의 위치가 영향을 받는다. 만약 상악의 수직적 변화가 계획된다면, 하악은 자동회전될 것이고 이는 반대로 상악의 전후방 위치에 영향을 미치게 된다. 그리고 상악의 수직적 재위치에 의해 수직적 위치가 변화된다면 이때 상악의 전후방 위치는 하악에 의해 영향을 받는다. 기본적인 기준은 상악이 수직적인 재위치가 이루어지는 경우를 제외하고는 수술 받는 악골의 수술 후의 위치는 수술 하지 않는 악골에 의해 결정된다는 것이다.

다음은 상악이 재위치될 때의 모델수술 단계이다(이 증

례는 상악이 전진되는 경우이다).

1. 실제적인 Le-Fort I 골절단선이 시행될 위치와 가능한 비슷하게 수평 골절단선을 그린다(그림 3-136).

2. 골절단선 상방 5mm 위와 아래로 2개의 수평선을 그린다 (이 두선 사이의 거리는 10mm) (그림 3-136). 상악의 측방벽은 평행하지 않고 아래로 내려갈수록 경사져 있으므로 이런 상황은 특히나 상악의 후방부에서 종종 골구조물의 불일치가 일어나 골접촉과, 정확한 수술적 재위치, 그리고 적절한 골고정을 제한한다. 그러므로 이때 상하 5mm 떨어진 근접한 수평선 사이에서 거리를 측정함으로써 필요한 양을 보다 정확하게 예측할 수 있다(그림 3-137).

3. 치아의 협측 교두에서 모델의 기저부 까지 수직선을 그린다.

4. 수직선의 거리를 측정하고 데이터를 기록한다.

5. 골절단선을 따라 모델을 절단한다.

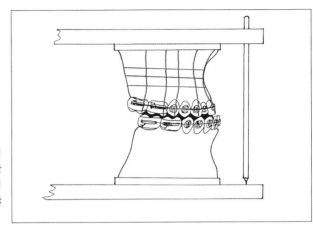

그림 3-136 교합평면에 평행하게 골절단선을 그린다. 이 선을 교합평면에 평행하게 그리지 않으면 상악이 전방이동되면서 상악의 길이연장이나 축소를 가져올 수 있다. 보다 정확한 측정을 위해 석고의 트리밍은 골절단선의 상방 5mm와 하방 5mm 안에서 제한적으로 이루어져야 한다.

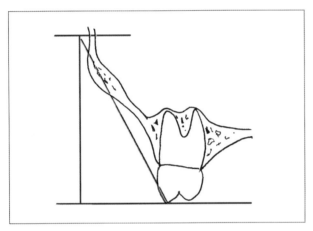

그림 3-137 실제적인 수직적 길이의 측정치와 경사진 상악 치아 평면의 측정치의 불일치를 보여지고 있다.

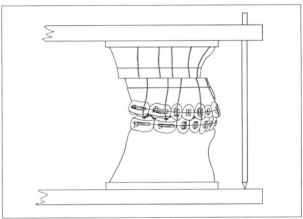

그림 3-138 계획된 위치에 놓인 상악 모델 이후 외과적 변화량을 측정한다.

6. 전후방으로 상악을 재위치시킨다.

　a. 계획한 교합평면을 따라 모델을 전방이동시킨다(그림 3-138).

　b. 만약 상악의 수직적 변화가 고려되지 않는다면 교합기 핀을 고정하여 수직적 위치는 유지되어야 한다.

　c. 이 위치를 유지하기 위해 모델을 다듬을 필요가 있기도 하다.

　d. 요구되는 외과적 이동량을 기록하기 위해 수직적, 수평적 거리를 측정한다.

상악 수술만 시행하는 또 다른 증례는 상악의 수직적 재위치이다. 다음은 그러한 경우의 모델수술에 사용되는 술식이다.

A. 상악의 상방 재위치

　1. 상악의 자유로운 이동을 위해 교합기 핀을 느슨하게 풀어 놓는다.

　2. 필요한 상방 이동을 허용하기 위해 모델을 트리밍한다.

　3. 모델을 계획된 교합대로 위치시키고 요구되는 수직적 축소가 제대로 수행되었는지 확인하기 위해 모델의 기저부에서 전치 절단부까지의 수직적 거리를 측정한다(그림 3-139).

　4. 교합기 핀을 조인다.

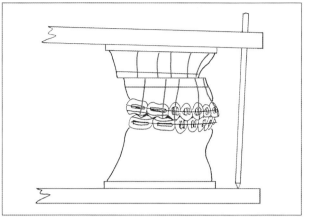

그림 3-139 모델의 상방부를 다듬는다. 상악을 요구되는 위치로 위치시키고 모델의 기저부에서 상악 전치 절단까지의 거리를 측정한다. 수평선 사이의 거리 측정으로 상악의 전방부와 후방부에서 제거된 골의 정확한 양을 확인할 수 있다.

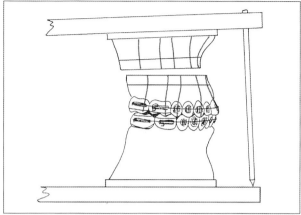

그림 3-140 정확한 상악의 수직적 증가만큼 교합기를 열어준다(cast의 기저부에서 전치부 절단까지의 거리를 측정한다.).

5. 위치된 모델에 왁스를 첨가한다.
6. 수직적 수평적 거리를 다시 측정하고 수술시 요구되는 변화를 기록한다(그림 3-139).

B. 상악의 하방 재위치 (하방 골이식; down grafting)
  1. 상악의 자유로운 이동을 위해 교합기 핀을 느슨하게 한다.
  2. 모델을 계획한 교합면에 따라 위치시킨다.
  3. 모델의 기저부에서 전치 절단부까지 수직적 증가량에 도달할 때까지 교합기를 열어준다(그림 3-140).
  4. 요구한 수직적 증가가 얻어지면 교합기 핀을 조여준다.
  5. 위치된 모델에 왁스를 첨가한다.
  6. 수직적 수평적 거리를 다시 측정하고 수술 시 요구되는 변화를 기록한다(그림 3-140).

양악 수술을 시행하는 경우

양악 수술을 계획하였다면 이는 대부분 복잡한 과정에 의하여 이루어진다. 따라서 체계적인 접근이 필수적인데

주의 깊게 임상적으로 또는, 두부규격방사선사진이나 교합의 분석 뒤에 술자는 다음 사항을 결정하여야 한다.

1. 상악 전치의 위치 : 이것은 전후방적인 위치 (입술의 지지도), 수직적 위치 (치아와 입술의 노출 관계), 교합면의 기울기(수평적인 관계), 치아의 중앙선(안면의 중앙선)을 포함하여 종합적으로 판단한다.
2. 이에 따른, 교합 평면 혹은 상악 후방의 수직적인 위치는 자동회전 후의 하악의 위치에 의하여 결정되며, 이때 교합평면의 변화가 고려되거나 하악의 교합평면의 수평적 기울기가 존재한다면 교정되어야 한다.
3. 가장 이상적인 하악의 전후방적 위치는 상악전치의 새로운 위치에 따라 하악이 자동회전된 후 상악교합에 맞추어 알맞은 교합을 이룰 수 있도록 하악교합평면을 따라 전방 혹은 후방으로 이동되는 위치이다.
4. 상악 좌우측의 전후방적 위치조절은 하악 악궁의 회전에 맞추어서 이루어진다.
5. 일단 하악의 위치가 결정된 다음에 악궁의 길이 또는 악궁의 수평적인 부조화의 평가와 후방 분절의 석고모형 모의 수술 등을 통한 교정이 이루어진다.

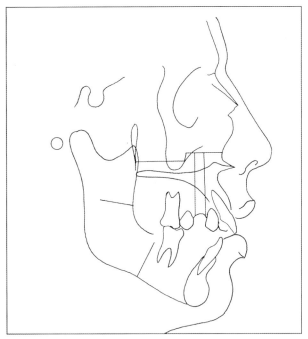

그림 3-141 술 전의 두부규격방사선사진의 트레이싱

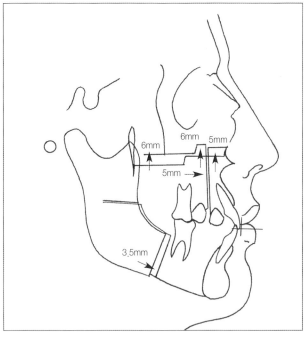

그림 3-142 외과적 시각적 치료계획 ; 수술계획은 상악의 Le Fore I 삼분절 골절 단술(3-piece Le Fort I osteotomy)이며 전방부는 5mm 상방이동과 후방부는 6mm 상방 이동, 전체적으로 5mm 전방 이동을 계획하고, 후방부는 확장이 필요하다. 하악은 자동 회전 후 3.5mm 전방이동한다.

모델의 수술의 예

그림 3-141에 보여진 두부규격방사선사진에서 환자의 술 전 문제점이 다음과 같이 분석되었다.

- Class I 구치관계와 Class II 견치관계
- 전치부의 개교합
- 좁은 상악궁
- 증가된 교합피개
- 상악 견치와 제이소구치 사이의 거리(제 1 소구치는 발거됨)
- 하악 제 1 소구치 발거와 공간의 교정적 폐쇄
- 상악의 수직적 과성장
- 하악의 전후방적인 저성장

수술적 치료 계획은 다음과 같다(그림 3-142).

- 상악골의 전방과 후방 분절을 서로 다르게 상방 재위치 시킨 Le Fort I 삼분절 골절단술을 통하여 상악을 재위치 시켰다.
- 후방 상악 분절의 확장
- 견치와 제2 소구치 사이의 공간의 폐쇄
- 하악의 전방이동.

1단계

안궁(facebow)을 이용하여 중심교합으로 해부학적 교합 기에 모형을 고정하였다(그림 3-143). 상악과 하악의 해부 학적 모습을 재현하기위하여 모형을 다듬는다. 하악모형 은 또하나의 복사본을 더 만든다. 교합기에서 고정된 하악 모형을 제거하고 똑같은 방식으로 복사본을 고정한다. 다 시 원본으로 바꾸고, 복사본은 나중에 intemediate splint를 만드는데 사용한다.

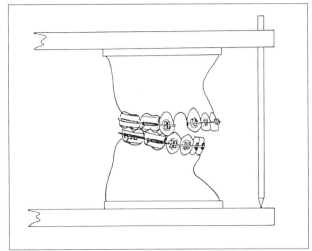

그림 3-143 중심 교합위에서 교합기에 고정된 모형.

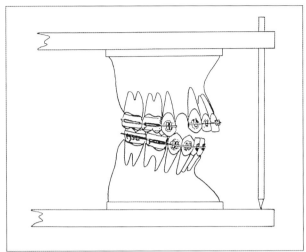

그림 3-144 치아의 치근 모양을 그린다.

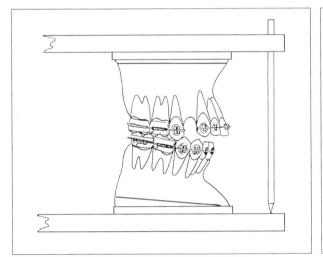

그림 3-145 수직적 거리를 측정하기 위한 수평선을 그린다.

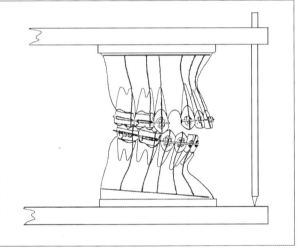

그림 3-146 술 전 높이와 계획한 수직적 수술변화의 양을 측정과 기록을 위하여 수직선을 그린다.

2단계

참고선을 그린다.

1. 모형에 파노라마 사진을 참고하여 치근의 모양을 그린다. 치간의 골절단을 위해서는 인접한 치아에 특별한 주의가 필요하다.
2. 상악과 하악 모형에 각각의 교합면에 평행하게 선을 긋는다(그림 3-145).

3. 치아의 협측 교두에서 수평선에 수직이 되게 수직선을 긋는다(그림 3-146).
4. 수술할 곳을 따라 실제적인 골절단 선을 그린다. 특히 상악 모형의 Le Fort I 골절단이 행하여질 평면과 각도가 똑같게 골절단선을 그리는 것이 중요하다. 하악 골절단선은 하악 교합 평면과 평행하게 그려야 한다(그림 3-147).

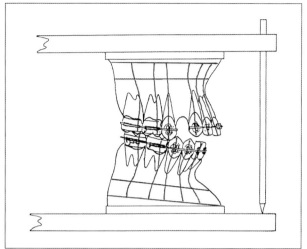

그림 3-147 상악과 하악의 교합면에 평행하게 골절단선을 그린다.

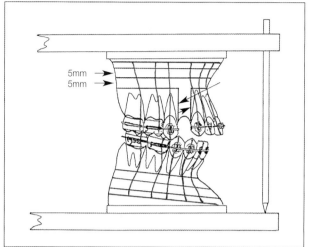

그림 3-148 골절단선에 평행하게 수평선을 위아래에 그린다(5mm 간격). 두 개의 화살표로 표기되어 있는 두 개의 수직선은 치근으로부터 안정된 거리에서 치간 사이의 골절단이 시행하도록 도움을 준다.

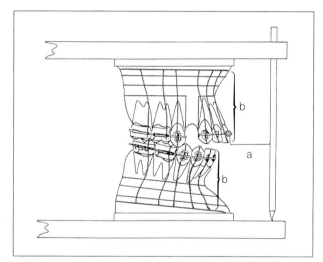

그림 3-149 상악 전치부의 전후방적인 위치 관계를 알기 위하여 거리를 측정하고(a), 수평선과 전치부의 끝과 협측 교두의 수직 거리를 측정한다(b).

5. 이 골절단선 상하 똑같은 거리 (5mm)로 2개의 수평선을 그린다. 그후 그 골절단선의 거리를 측정한다(10mm) (그림 3-148, 3-137).

6. 두 개의 수직선을 치아 사이 골절단 부위에 각각 그린다 (그림 3-148). 치아사이 골절단 부위의 치근의 손상 위험 없이 골이 안전하게 제거 될 수 있도록 모델 표면위에 정확히 그려야 한다. 이 선을 통하여 모델 수술하는 동안 안전한 골의 제거의 한계를 알 수 있다.

7. 상악 전치의 협측과 교합기의 수직 핀 사이의 거리를 측정한다(그림 3-149).

8. 상악모형에서 좌우의 대구치, 소구치, 견치의 설측 교두를 좌우 연결하는 수평선을 그린다. 그 후 이들 사이의 거리를 측정하고, 기록한다. 이 기록들은 수평적 이동시 참고한다(확장, 좁힘, 또는 다른 상악 분절편의 서로 다른 좌우 움직임을 알 수 있다)(그림3-150).

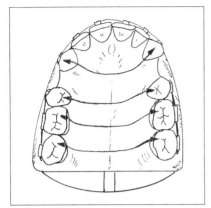

그림 3-150 구개부에서 수평적인 거리를 측정한다.

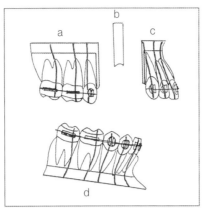

그림 3-151 모형을 절단하고 치아상의 골절단부위를 제거한다. (a)후방 상악 골절단부. (b)치간 사이의 골 제거된 부위 (c)전방의 상악 골절단부. (d)하악의 골절단부

그림 3-152 후방부위의 구개측 골절단

9. 모형의 모든 측정치를 기록한다. 기록한 자료는 교합기에 부착된 모형을 다루는 과정에서 손실될 수 있기 때문에 이러한 측정치들은 따로 기록해두어야 한다.

3단계

가는 톱을 이용하여 모형을 골절단선에 따라 자른다. 치아 사이는 참고 기준선을 넘어서는 안된다(그림 3-151). 또한 상악 후방부의 골절편확장을 위해 완벽한 구개 절단을 시행하여야 한다(그림 3-152). 교합기의 핀은 아직까지는 풀려 있지 않아야 한다. 또 만약 상악의 상방 재위치가 5mm 이상이 된다면, 석고를 조금 상악 모형에서 제거해야만 한다(그림 3-153).

4단계

전방 골절편을 두부규격방사선사진상의 시각적 치료목표(VTO) (계획된 상악 전치부의 전후방적, 또는 수직적 위치)에 따라 위치시킨다(그림 3-146). 이것은 참조선과 교합기의 핀사이의 측정치와 석고 분절편으로부터 석고를 제거함으로써 이루어진다. 이 골절편은 왁스로 고정을 시행한다(그림 3-154).

5단계

교합기의 수직 핀을 느슨하게 푼 다음에 하악 모형을 올려 놓고 하악은 자동회전시키면서, 앞으로 이동시킨다. 최상의 전치, 견치의 관계를 설정한 후, 하악의 분절편을 sticky wax로 단단히 고정한다(그림 3-155).

6단계

상악 후방 골절편의 상방 부위를 다듬어서, 하악의 교합에 맞게 상악의 치아를 위치시키면서 상악 후방 골절편을 고정한다. 만약 수평적인 부조화가 존재한다면, 상악 후방 골절편의 확장 또는 협착을 위해 정중부 구개 골절단을 고려해야 한다. 실제 해부학적인 구조물에 따라 모형을 다듬는다(그림 3-156). 모의 수술 동안 실제적이지 않은 이동은 실제 수술 시 문제를 일으킨다.

7단계

수직적, 수평적 변화를 측정하고, 수술적 이동량을 기록한다(그림 3-157). 구개측 교두에서 다른 구개측 교두의 거리로 수평적 변화를 측정한다(그림 3-158). 교합기의 핀을 재위치시키고 단단히 조인다.

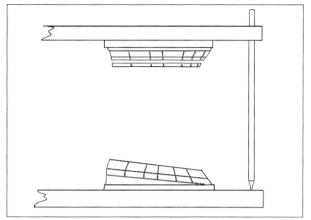

그림 3-153 상악의 기저부를 다듬는다. 그러나 평행 기준선을 넘어서는 안된다.

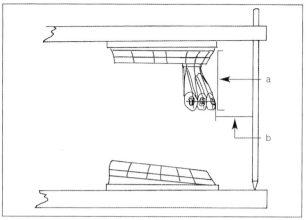

그림 3-154 상악의 전방 골절단 편을 치료계획에 따라 수직적, 수평적 위치에 왁스로 고정을 시행한다.

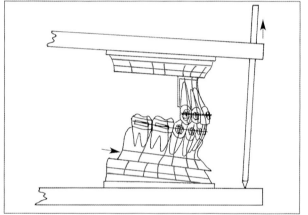

그림 3-155 교합기의 핀을 느슨하게 하여 하악의 자동회전을 가능하게 한다. 그런 다음 하악의 모형을 계획한 전후방적인 위치로 전방이동 시킨다.

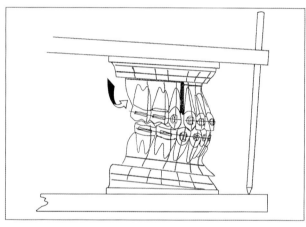

그림 3-156 후방의 상악 골절편을 교합에 맞게 다듬은 후 위치시킨다.

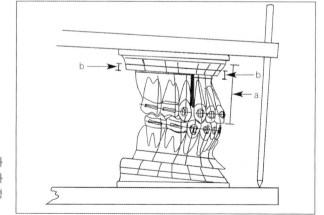

그림 3-157 치아의 교두와 수평선 사이의 수직적 거리를 다시 측정하여 수직적 변화를 알아본다(a). 제거된 골의 양을 보다 정확하게 측정하기 위하여 수평선과 그 선 위아래에 있는 골절단선과의 거리를 재측정한다(b).

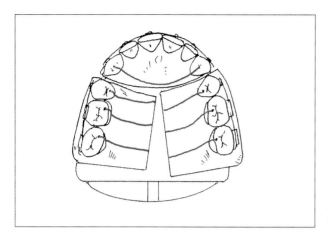

그림 3-158 수술적인 확장을 치아의 구개측 교두간의 거리를 측정하여 알아본다.

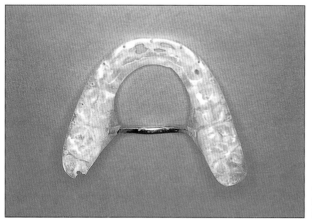

그림 3-159 Palatal bar로 보강한 surgical splint

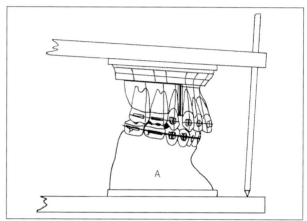

그림 3-160 모델 수술하지 않은 하악의 복제된 모형을 교합기 위에 고정하여 이 모형 상에서 intermediate splint를 제작한다.

8단계

계획하였던 위치에 모든 골절편이 이동되었다고 생각되면 arcrylic splint를 제작한다. 중합되는 동안 석고모형에 acrylic resin이 달라붙지 않게 하기 위하여 모형의 교합면에 분리제를 바른다. 적절한 양의 자가 중합형 레진을 섞어 일단 레진이 dough stage에 다다르면, 얇은 롤 모양으로 만든 다음 치열궁를 충분히 감싼다. 롤의 두께가 중요하다. 만약 너무 두꺼우면 모형으로부터 제거하기가 어렵고 모형이 부서지는 등의 문제점이 발생할 수 있다. 만약 splint가 너무 얇다면 쉽게 수술하는 동안 중요한 순간에 부서질 수 있다. 많은 구개부의 확장이 이루어진다면 palatal bar를 이용하여 강화 시키는 것을 고려해볼 수 있다(그림 3-159).

하악의 교합 평면에 acrylic roll을 올려놓는다. 천천히 교합기를 닫고 계획한 교합으로 치아에 힘을 가한다. 과도하게 나온 레진은 날카로운 칼로 다듬는다. 교합기를 압력 장치 내에 넣은 다음 압력하에 레진을 중합시킨다. 일단 중합이 완료되면 splint를 조심스럽게 제거하여 다듬는다. 상하악 악간 고정을 위하여 협측 치아 사이에 작은 구멍을 만든다. 어떤 술자는 수술 후에 상악의 spint를 유지시키는 것을 선호한다. 치아 사이의 구멍은 단지 상악의 splint를 고정을 하는데 도움을 준다.

9단계

교합기로부터 하악의 모형을 제거한다. 복사본을 다시 올려놓는다(단계 1을 참조). 이를 이용하여 Intermediate splint를 제작할 수도 있다. 이 splint는 수술동안 수술하지 않은 하악에 대한 상악의 보다 정확한 위치를 잡는데 보조하는 역할을 한다(그림 3-160).

Recommended Reading

Dann JJ 3rd, Fónseca RJ, Bell WH. Soft tissue changes associated with total maxillary advancement: A preliminary study. J Oral Surg 1976;34:19–23.

Epker BN, Fish LC. Surgical-orthodontic correction of open-bite deformity. Am J Orthod 1977;71:278–299.

Epker BN, Stella JP, Fish LC. Dentofacial Deformities—Integral Orthodontic and Surgical Correction. St Louis: Mosby, 1994.

Erickson KL, Bell WH, Goldsmith DH. Analytical model surgery. In: Bell WH (ed). Modern Practice in Orthognathic and Reconstructive Surgery. Philadelphia: Saunders, 1992.

Fish LC, Epker BN. Surgical-orthodontic cephalometric prediction tracing. J Clin Orthod 1980;14:36–52.

Frost DE, Van Sickels JE. Surgical treatment planning. In: Peterson LJ (ed). Principles of Oral and Maxillofacial Surgery, vol 3. Philadelphia: Lippincott, 1992:1307–1332.

Jacobson A, Sadowsky PL. A visualized treatment objective. J Clin Orthod 1980;14:554–571.

Kinnebrew MC, Hoffmann DR, Carlton DM. Projecting the soft tissue outcome of surgical and orthodontic manipulation of the maxillofacial skeleton. Am J Orthod 1983;84:508–519.

Mansour S, Burstone C, Legan H. An evaluation of soft tissue changes resulting from Le Fort I maxillary surgery. Am J Orthod 1983;84:37–47.

McCollum AGH, Reyneke JP, Wolford LM. An alternative for the correction of the Class II low mandibular plane angle. J Oral Surg 1989;67:231–241.

Proffit WR, Epker BN. Treatment Planning for Dentofacial Deformities in Surgical Correction of Dentofacial Deformities. Philadelphia: Saunders, 1980:155.

Radney LJ, Jacobs JD. Soft tissue changes associated with surgical total maxillary intrusion. Am J Orthod 1981;80:191–212.

Reyneke JP. Surgical cephalometric prediction tracing for the alteration of the occlusal plane by means of rotation of the maxillomandibular complex. Int J Adult Orthodon Orthognath Surg 1999;14:55–64.

Reyneke JP. Surgical manipulation of the occlusal plane: New concepts in geometry. Int J Adult Orthodon Orthognath Surg 1998;13:307–316.

Reyneke JP, Evans WG. Surgical manipulation of the occlusal plane. Int J Adult Orthodon Orthognath Surg 1990;5:99–110.

Reyneke JP, McCollum AGH, Evans WG. Towards Greater Acuity in Orthognathic Surgery, ed 3. Johannesburg: Univ of the Witwatersrand, 2000.

Reyneke JP, Tsakiris P, Kienle F. A simple classification for surgical treatment planning of maxillomandibular asymmetry. Br J Oral Maxillofac Surg 1997;35:349–351.

Reyneke JP. Vertical variation in skeletal open bite. A classification for surgical planning. J Dent Assoc S Afr 1988;43:465–472.

Sarver DM, Weissman SM. Long-term soft tissue response to Le Fort I maxillary superior repositioning. Angle Orthod 1991;61: 267–276.

Schendel SA, Eisenfeld J, Bell WH, Epker BN, Mishelevich DJ. The long face syndrome: Vertical maxillary excess. Am J Orthod 1976;70:398–408.

Wolford LM, Hilliard FW, Dugan DJ. Surgical Treatment Objective: A Systematic Approach to the Prediction Tracing. St Louis: Mosby, 1985.

제 4 장

특이한 악안면 기형의 진단과
치료의 기본적인 지침

이번 장은 각 개인의 악안면기형 문제점을 설명하고, 복잡한 문제점이 있는 경우와 적절한 치료 결과를 얻기 위한 증례들에 대하여 논의하고자 한다. 유사한 골격적, 연조직 그리고 교합의 특성을 가지는 환자를 그룹화시켜 설명할 수 있다. 임상가들은 각각의 환자들이 특별한 치료 반응을 요구하는 독특한 악안면 기형의 문제점을 가지고 있으며 하나 이상의 기형을 가질 수 있다는 것을 명심해야 한다.

기본적인 기형과 치료원리가 논의될 것이다. (1) 하악의 전후방적인 저성장(mandibular anteroposterior deficiency) (2) 하악의 전후방적 과성장(mandibular anteroposterior excess) (3) 상악의 전후방적 결핍(maxillary anteroposterior deficiency) (4) 상악의 전후방 과성장(maxillary antero-posterior excess) (5) 상악의 수직적 결핍(maxillary vertical deficiency) (6) 상악의 수직적 과성장(maxillary vertical excess) (7) 상-하악 복합체의 회전을 요구하는 증례 (8) 개교합증 open bite deformities (9) 악안

면 비대칭(dentofacial asymmetry)

하악의 전후방적인 저성장 (Mandibular Anterioposterior Deficiency)

하악의 전후방적인 저성장을 가진 환자는 의심할 나위 없이 수술적 악교정 환자의 가장 큰 분류에 들어간다.

class ll, division l malocclusion

임상적 특징

정면

- 후퇴되고 빈약한 이부(weak chin)
- 저성장된 하악 때문에 코가 커 보임

- 짧은 턱에서 목까지의 거리(chin-to-throat length)
- 둔각의 하순-턱-목이 이루는 각(lower lip-chin-throat angle)
- 후방하악전치에서 골이 져있고 외번(curled)된 하순
- 종종 상순이 짧고, 돌출되어 보임
- 예각의 이순구(labiomental fold)
- 증가된 facial contour angle (돌출된 측모)

측면

- 외번된 하순
- 이중턱 모양을 보이는 약한 이부
- 깊은 이순구(labiomental fold)

치성관계

- 큰 수평피개
- 일반적으로 증가된 수직피개와 두드러진 강조된 스피만곡(curve of spee)
- 일반적으로 하악 전치부의 총생
- 상악 전치부의 이개 경향

치료

사춘기 이후의 성장변화를 예견하는 것은 쉽지가 않다. 턱 관계의 수술적 교정 없이 교정적인 절충 치료는 다음과 같다.

1. 과도한 수평피개의 교정
   a. 상악 전치부의 후방 견인(제일 소구치의 발거 또는 비발거)
   b. 하악 전치부의 전방 경사
2. 과도한 수직피개의 교정
   a. 상악 전치부의 압하
   b. 하악 전치부의 압하
   c. 개교합에 의한 하악의 하방 회전

치료를 시작할 때 임상가는 교정만으로 할 것인지 또는

교정과 수술을 동반하여할 것인지 결정하여야 한다. 두 가지 접근방법에 있어서 교정치료는 매우 다르기 때문에 교정 치료를 시작하는 환자에게 수술 없이 교정만으로 치료된다고 설명 해주면 안된다.

술 전 교정

Class II, division 1 malocclusion을 가지는 환자의 술전 교정의 가장 기본적인 것은 다음과 같다.

1. 양 악의 치열궁의 배열
2. 계획된 전후방적, 수직적인 위치에 전치를 위치시켜야 한다. 전치를 정확하게 위치시키는 것이 매우 중요하다. 전치부의 위치는 수술적 이동을 나타내고 수술적 이동은 심미적인 결과를 의미한다.
3. 악궁의 적합성 완성

전후방적, 수직적 공간 안에 술 전에 상하악 전치의 적절한 위치는 교정에 있어서 특히 중요하다. 전치의 위치는 수술시 이동을 나타내고, 치아보정(dental compensation) 제거의 실패는 수술적 교정을 제한한다. 전치부의 총생과 심한 스피만곡(curve of Spee) 때문에 종종 하악에서 두개의 제일 소구치의 발거가 필요하다. 상악에서 발치는 종종 적응증이 되지는 않는다. 만약 상악궁에 약간의 총생이 있다면 상악궁의 부가적인 확장을 통하여 공간을 얻을 수 있기 때문에 발치를 안 할 수도 있다. 상하악의 조화를 위하여 수술적인 전방이동 후에 하악궁의 조절이 종종 필요하다. 만약 상악에서 발치가 필요하다고 생각된다면, 전치부의 최소한의 후방견인을 위하여 제2 소구치의 발거가 추천된다. 이러한 전치부의 후방견인은 수술적 이동을 제한할 뿐만 아니라 비심미적인 효과를 가져올 수 있다(입술의 지지도 상실과 증가된 비순각).

Class II, division 1, malocclusion 환자는 대개 과도한 스피만곡(curve of Spee)을 가지고 있다. 수술 전에 이러한 만곡을 교정하는 것은 중요하지 않다. 단안모의 환자는 종종 돌출된 이부를 지니고 있으며 심미적인 관점에서 보면 하악전진술을 받아들이지 못한다. 이런 증례에서는 술 전

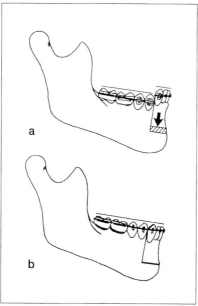

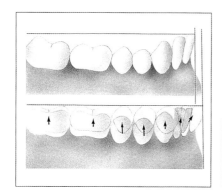

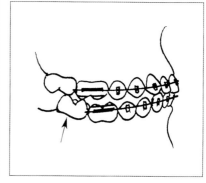

그림 4-1 스피만곡(curve of Spee)의 교정적인 수직적 조정은 전후방적인 악궁의 길이를 증가시킨 것이다. 만약 총생이 전치부에 존재한다면, 부가적인 전후방적인 공간이 악궁을 배열하는데 있어서 요구되어 질것이다. 1mm의 만곡의 수직적 조정은 0.6-1.0mm의 악궁길이 증가를 야기한다.

그림 4-2 스피만곡(curve of Spee)은 치열궁의 분할 교정법에 의하여 수술적으로 수직적 조정을 할 수 있다(a). 추후에 전방부의 치아치조골편이 수술적으로 하방위치로 교정된다.

그림 4-3 하악궁의 leveling은 제이 대구치를 포함하여야 한다. 비뚤어진 대구치(화살표)는 수술 시에 계획한 교합에 방해 요소로 작용한다.

에 스피만곡(cure of spee)을 평탄하게 만드는 것이 바람직하지 않다. 수술적인 하악의 전방이동은 회전 이동을 하게 될 것이며, 약간의 이부의 전방이동과 더불어 하악 전치부가 전방이동된다(3장). 일반적으로 단안모에서 수술 후의 소구치의 발거를 통해 만곡을 바로 잡을 수 있다. 더 좋은 안면고경, 더 좋은 치아의 수직적 조정은 전치부의 압하에 의해서 술 전에 시행될 수 있다. 전후방적인 공간은 치아의 수직적 조정(leveling)과 치아의 배열(align-ment)이 필요하기 때문에 발치는 하악의 전치부의 총생과 연관된 심한 스피만곡(curve of Spee)이 동반되었을 때 필요하다(그림 4-1). 만곡의 수술적인 수직적 조정은 고려될 수 있다(그림 4-2).

악궁의 적합성은 술 후 안정성에 매우 중요하며 수술하는 동안 splint 사용 없이 하악의 위치를 정확하게 잡는데 술자에게 도움을 준다. 악궁의 적합도는 3가지 면에서 중요하다.

1. 견치간 폭경은 중요하다. 만약 상악의 견치간 거리가 부족 하다면 하악을 계획된 교합과 전후방적인 위치로 전방이동시키기가 불가능하다. 조기 접촉은 하악을 외측으로 이동시키기 때문에 회전된 견치는 치아의 중앙선 교정을 불가능하게 만든다. 이러한 문제점을 해결하고자 수술 시에 acrylic splint의 사용은 생각할 수 없으며, 정확한 견치간의 거리는 결국에는 성취되어야 한다. 만약 술 전에 정확한 견치간의 거리가 이루어졌다면 수술은 좀더 정확한 수술이 될 것이며, 치아의 교합도 더욱 좋아질 것이다.

2. 하악 제이 구치는 제일 대구치와 함께 밴드와 수직적 조정이 되어 있어야 한다. 과도한 맹출, 회전, 밴드가 되어 있지 않은 제2 대구치는 수술 시에 종종 교합 간섭을 일

으킨다.

3. 유사한 상악, 하악궁의 형태는 가능성 있는 술 후의 반대 교합을 방지한다. 하악의 저성장의 경우 상악궁은 약간 협소하며, 하악이 전방이동후에 하악궁과 조화를 이루기 위하여 상악궁의 확장이 필요하다.

Orthodontic mechanics

총생증례들(Crowded cases) : Maxillary arch 상악궁에 총생이 있을 때 다음과 같은 접근이 추천된다.

1. 제2 소구치를 발거해야 한다.
2. Headgear의 사용은 class III elastics이 추천된다.

총생증례들(Crowded cases) : Mandibular arch 하악궁에 총생이 있을 경우 다음과 같은 방법이 사용된다.

1. 소구치의 발거는 필요할 수도 있다. 총생과 과도한 스피만곡과 하악 전치부의 후방 견인이 필요한 경우, 제일 소구치의 발거가 추천되며, 제2 소구치는 계획된 하악 전치부의 위치를 위한 전후방전인 공간이 덜 요구되었을 때 발치가 추천된다.
2. 하악 견치의 분절 악궁 후방 견인이 추천된다. 왜냐하면 고정원이 확실하기 때문이다.
3. Class III mechanics(class III elastics)이 필요하다. 이것은 하악의 견치의 위치, 하악 전치의 위치, 총생, 스피만곡의 심각성에 따라 좌우된다.

비총생증례들(Crowded cases) : 최소한의 총생 또는 치아사이의 공간이 존재할 때 비발치로의 접근이 추천된다.

1. 이러한 경우 수직적 조정(leveling)과정 동안 class III mechanics를 충분히 사용하여야 한다.
2. Class III mechanics를 이용하여 가능한 하악의 전치부의 보다 많은 후방 견인 또는 uprighting이 가능해진다(예를 들면 J hooks나 class III 고무줄과 상악헤드기어를 이용.

3. 이러한 경우, 상악과 하악궁의 적합성이 조화를 이루어야 한다. 수평피개가 너무 크지 않다면(4-5mm) 환자에게 하악을 전방이동하도록 요구해서 상하악궁의 조화를 확인하여야 한다. 적합성 확인의 가장 좋은 방법은 연구모형(study cast)을 이용하여 직접 손으로 하악을 전방이동시켜 보는 것이다. 교정적으로 예견 트레이싱을 가지고 수평피개를 확인해라.

수술적 치료 : 하악골의 전진

수술적 방법으로는 하악골상행지시상분할골절단술(BSSRO)를 통하여 치아의 최대 교합상태에서 원심 골절편(치아포함된)을 전방 이동시키는 것이다. 상악과 하악의 전치부 위치는 전방 이동되는 하악의 양을 조절한다. 그리고 수술 후에 안면고경 또한 조절한다. 수술하는 동안 관절위치를 정확히 잡는 것은 매우 중요하다(5장).

이부는 여전히 하악이 전방 이동 후에도 후퇴되어 보인다. 전진 이부 성형술(advancement genioplasty)이 마지막으로 심미성을 향상시키기 위하여 적응증이 될 수도 있다. 임상가는 PVTO(presurgical visual treatment objective)를 통하여 이것을 결정해야 한다.

Light (2.5-3.5 oz) class II elastics은 수술이 끝난 후에 걸어야 한다. 이러한 Elastic은 고유수용기(proprioception)를 넘어설 것이며, 새로운 교합을 유도하며 치아를 고정된 교합으로 유도해준다.

술 후 교정

술 후 교정의 목표는 치아를 최종 교합으로 맞추는 일이며 이 위치에 유지하는 것이다. 치료는 대개 남아있는 curve of Spee의 교정과 반대교합의 교정과 작은 발치공간의 폐쇄이다.

증례 A.B.

A.B. 16세 여자 환자이며 class II malocclusion으로 교정치료를 위하여 교정과에 의뢰되었다.

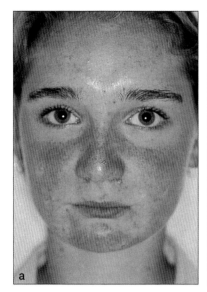
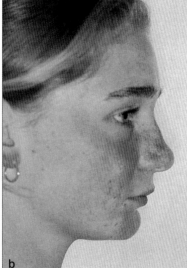
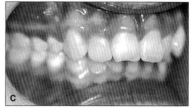
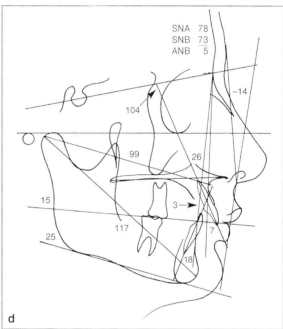

그림 4-4 증례 A.B. (a)술 전 정면 모습 , (b)측면 모습, (c)교합 사진. 골격적, 연조직, 치아 관계는 두부규격 측모사진에 의하여 분석되었다(d). 증가된 facial contour angle = -14 degrees; 감소된 SNB angle = 73 degree; 증가된 ANB angle = 5 degree

주소

환자는 주로 증가된 수평피개를 교정하기를 원했으며 이부가 너무 작다고 불평하였다.

의학력

그녀의 병력에는 문제는 없었다.

임상검사

1. 연조직

    a. 정면 (그림 4-4a)

      - 작고 부족한 이부

      - 외번된 하순

      - 짧은 하안면 고경(lower facial third)

    b. 측면(그림 4-4b)

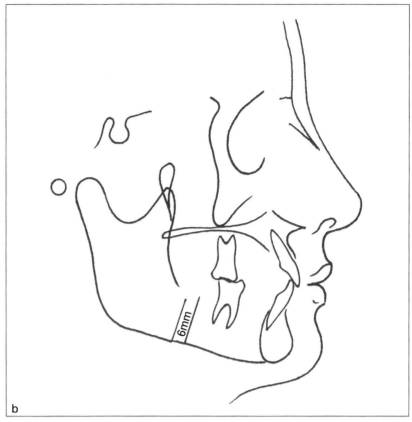

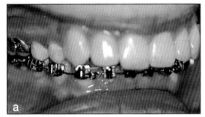

그림 4-5 증례 A.B. (a) 중간 술 전 교합모습. 환자는 상악은 설측 교정으로 치료를 받았고 협측 고리는 MMF와 술 후 고무줄 조절을 보조하기 위하여 술 전에 부착되었다. (b) SVTO(surgical visual treatment objective)에서 하악의 6mm 전방이동이 요구되었다. 예상되는 연조직의 변화 모습이다.

- 돌출된 측모

- 깊은 labiomental fold(이순구)

- 부족한 하악

2. 치아 (그림 4-4c)

   Class II, division 1 malocclusion

   약간의 증가된 스피만곡

   약간의 협소한 상악악궁

3. 골격성 (그림 4-4d)

   전후방적으로 부족한 하악

4. 방사선 (그림 4-4d)

   a. 파노라마

      - 4개의 매복된 제3 대구치

   b. 세팔로

- ClassII, division 1 dental relationship

- 약간의 상악 치열의 돌출

- 하악의 전후방적인 결핍

문제점(problem list)

1. Class II malocclusion

2. 하악의 전후방적 결핍(Mandibular anteroposterior deficiency)

3. 과개교합(deep bite)

4. 약간의 증가된 스피만곡

5. 협소한 상악궁

6. 상악전치부의 약간의 돌출

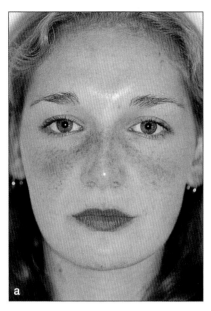
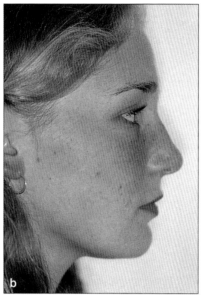
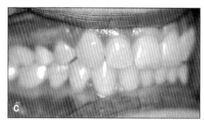

그림 4-6 증례 A.B. (a)술 후 정면, (b)측면, (c)교합 사진.

술 전 교정치료

술 전 교정에 앞서 상악 매복치의 발거를 시행하였다. 그리고 다음과 같은 것들이 고려되었다.

- 상악궁 : 설측 교정을 사용하였다.
  - 약간의 상악궁의 확장을 통하여 하악의 전방 이동 후에 하악궁과의 조화를 고려
  - 약간의 상악 전치부의 후방 견인
- 하악궁 : curve of Spee의 조절
  - 훌륭한 악궁 형태를 형성
  - 하악궁은 협측 교정을 이용

수술적 치료

이러한 경우 수술적인 치료는 하악의 전방 이동을 위한 하악골상행지시상분할골절단술(Bilateral sagital split ramus osteotomy)을 추천된다.

술 후 교정

수술은 술 전 교정 10개월 후에 시행되었다. 술 후 교정 치료는 4개월 시행하였다. 밴드(band)를 제거한 후에 환자는 유지장치를 장착하였다. 그림 4-6은 교정용 밴드를 제거한 후 8개월이 지난 사진이다.

일반적인 하악의 저성장 때문에 무턱 또는 이부의 저성장이 하악의 전후방적인 저성장과 혼재되어 발생한다. 이

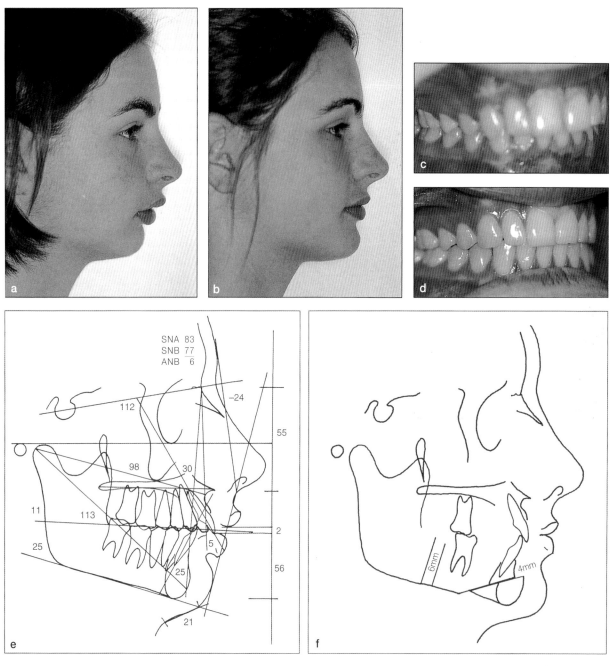

그림 4-7 증례 O.J (a)술 전 측면, (b)술 후 측면, (c)술 전 교합, (d)술 후 교합사진. (e)두부규격 방사선사진 분석과 (f)술 후 예상 사진은 4mm 이부의 전방 이동과 더불어 6mm 하악의 전방이동으로 심미성을 회복하는 것을 보여준다.

러한 경우 하악의 전방이동과 더불어 추가적인 이부의 전방이동이 요구된다. 이부 성형술은 하악수술을 대치하지는 않는다. 증례 O.J는 하악의 전방이동과 이부의 전방이동을 통하여 개선된 안모를 보여준다(그림 4-7).

Class II, division 2 malocclusion

임상적 특성

측면
- Chin button이 두드러진다.
- 깊은 labiomental fold(이순구)
- 하순이 전후방적으로 부족하며 말려 있다.
- 하안면 고경(lower facial height)이 짧고 하악이 사각형이다.
- 하악면각(Mandibular plane angle)이 작은 경향이 있다.

정면
- 얼굴은 짧은 수직적 길이 때문에 단안모를 나타낸다.
- 하순은 외반되고, 깊은 labiomental fold(이순구)
- 하악의 거상근들이 일반적으로 매우 발달되어 있다.

치성관계
- 상악 중 전치의 후방 경사
- 상악 측절치의 순측으로 뻐드러져 있다.
- 깊은 수직피개, 이것은 모두 골격적, 치아 원인이다.
- 과도한 curve of Spee
- 상악 전치부의 뒷부분의 치은 조직의 유해자극 때론 깊은 피개로 인해 하악 전치부의 순측에도 똑같은 유해 자극이 있다.
- 악관절의 전방이동시 걸림. 아마도 깊은 수직피개의 전방 과두 걸림 효과인듯 함.

치료

술 전 교정

기본적인 술 전 교정의 원리가 class II, division 2 malocclusion에 적용되었다. 아마도 상악 하악의 전치부의 적절한 위치가 요구되어진다. (수직적, 전후방적 평면) curve of Spee의 조절이 필요하고 치열궁의 조화 또한 필요하다. 좋은 악궁의 형태와 입술의 지지, 적절한 수평피개를 형성하기 위하여 상악 전치부의 순측 경사는 중요하다. 심한 과교합에는 하악의 curve of Spee를 조절하는데 어려움이 많다. 구치부에 glass ionomer bite plane을 부착시켜 개교합을 시킬 필요도 있다. 분할 수술을 통한 수술적 leveling은 분할 교정 배열이 요구될 때 고려할 수 있다(그림 4-8).

Class II deep bite occlusion을 가진 환자는 술 후 curve of Spee의 조절이 필요하다. 전체적인 curve를 leveling 하기 전에 하악의 전방이동은 안면고경을 증가시킬 수 있으며, 교합 평면이 회전하기 때문에 이부는 전치부만큼 이동하지는 않을 것이다(그림 4-9).

Orthodontic mechanics

Maxillary arch 상악의 전치부는 curved arch wire 또는 simple flexible arch wire와 추후에 inverse occlusal curve를 가진 steel round wire 통하여 수직적 위치조정이 될 수 있다. Stabilizing archwire는 가능하면 빨리 넣어야 한다. 상악 전치부의 위치 변화는 악궁의 길이와 입술의 지지도와 조화를 이루어야 한다.

Mandibular arch 하악궁에서 치아는 class III elastic과 soft flexible wire를 통하여 leveling 될 수 있다. 그러나 완벽한 스피만곡을 교정할 필요는 없다. 특히 만약 과교합과 증가된 하안면고경(lower facial height)이 요구되어질 때 이것은 술 후에 시행되어질 수 있다. Stabilizing wire는 스피만곡을 조절할 수 있다. 술 전에 과교합은 장점이 될 수 있다. 왜냐하면 하악의 전방부는 하방, 전방으로 이동하며, class I 전치부의 관계를 생성하면서 하안면고경(lower anterior facial height)이 증가하기 때문이다(그림 4-10).

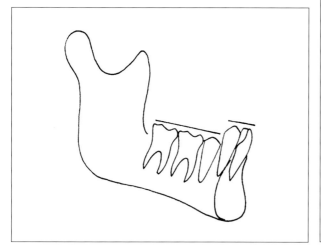

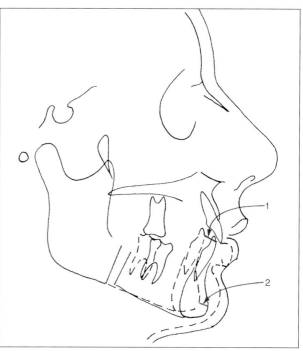

그림 4-8 하악에서 step이 존재할 때 악궁은 수술로 인해 부분적으로 레벨링된다. 수술적 레벨링은 두 가지 장점이 있다. 추가적인 전후방 악궁길이가 필요 없고, 교정처치기간이 짧아진다.

그림 4-9 전치의 전진(1)은 Pog의 전진(2) 보다 크다. 이는 하악의 전, 하방 회전에 기인한다.

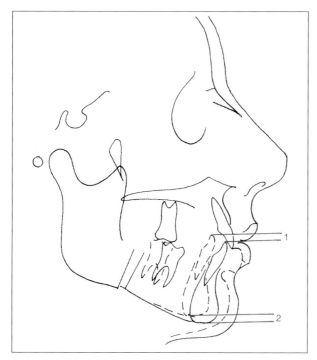

그림 4-10 심피개 교합의 조절 동안에 전치부의 하방 회전(1)은 하악의 전방부 고경을 증가시킬 것이다. Menton은 아래로 재위치될 것이다(2).

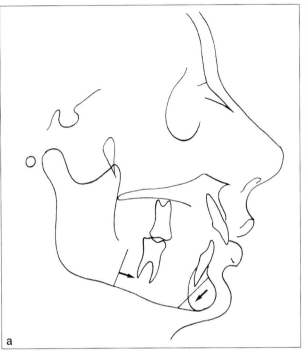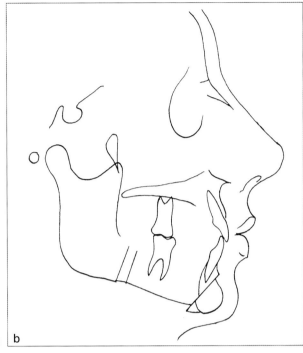

그림 4-11 하악골상행지시상분할골절단술과 후퇴이부성형술이 복합되었다. 골절단의 각도를 변화시켜(a) 하악의 안면 고경을 이부가 후 하방으로 위치되면서 증가하게 된다(b).

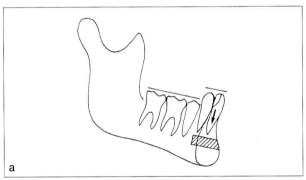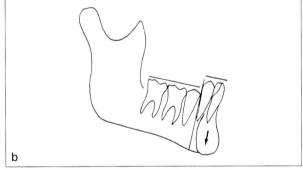

그림 4-12 스피만곡은 치근하골절단술(subapical osteotomy)을 통한 분절성 교정적 배열(a)이나 안면수직고경을 증가시키는 하방변연을 포함한 골절단(b) 후에 외과적으로 형성된다.

수술적 치료

교합과 심미성을 개선시키기 위한 몇 가지의 수술적 방법들이 있다.

1. 하악골상행지시상분할골절단술(BSSRO)을 통한 하악의 전방 이동.
2. 하악골상행지시상분할골절단술(BSSRO)을 통한 하악의

전방 이동과 더불어 이부성형술의 골절단(osteotomy) 각도에 의해 안면고경에서 수직적 증가가 이루어진다 (턱의 후하방 이동)(그림 4-11).

3. 하악을 전진시키는 하악골상행지시상분할골절단술 교합평면을 배열하는 전방분절 골절단술(osteotomy)과 함께 이루어진다. 치근단 하방이나 하악체를 포함한 분절 골절단술(segmental osteotomy)은 안면의 수직고경을

증가시킬 것이다(그림 4-12).

4. 모든 하악의 치근하골절단술(subapical osteotomy)은 하악의 치조치아분절을 전진시킨다. 이러한 경우에는 턱의 위치가 유지되는 반면에 치조치아분절의 전진 때문에 하순이 전방이동된다.

5. 상하악복합체의 회전은 하악평면각이 심각하게 낮은 경우에 가능한 해결책이다(상하악 복합체의 회전에 관한 단원을 보라).

다음은 수술 도중 하악의 위치에 관한 몇 가지 중요한 점을 나열한 것이다.

1. 견고 고정이 사용된다면, 중절치는 이상적인 관계에 위치해야 한다.

2. 약간의 치성 불일치일지라도 골격적인 정중선을 일치시켜야 한다. 교정의들은 경도의 치성 정중선 불일치는 수정할 수 있으나 골격성 정중선은 수정하지 못한다.

3. 종종 구치부 교차교합의 경향이 있는데 이런 경우 대칭적인 교차교합을 유지시켜야 한다. 편측성의 큰 교차교합보다는 양측성의 약간의 교차교합을 교정하는게 더 쉽다.

술 후 교정 치료

술 후에 환자는 종종 중절치와 제2대구치 상에서 접촉점에서 세점 접촉 교합을 가진다. 양측성 개교(스피만곡이 완전하지 않은 하악의 전방이동에 의해 생기는)가 하악치아의 교정적인 이동으로 수정될 수 있을 때, 상악의 안정된 치열궁이 형성된다. 하악을 안정화하는 호선은 제거되고, 다시 working wire가 위치된다. 그리고 나서 위아래 약한 힘이 작용하게 2급 고무줄을 장착하게 된다. 고무줄은 두 가지 목적을 갖고 있다 : (1) 치아를 견고한 교합으로 가져갈 수 있고, (2) 환자의 고유수용감각을 무시하고 하악을 최대교두감합위로 위치시킬 것이다.

술 후 교차교합은 bite elastic으로 수정할 수 있다. 그 다음부터 환자의 교정적 치료는 일반적으로 이루어질 것이다.

이러한 환자들의 유지단계는 일상적 교정치료의 경우와 같다. 3~4개월 후부터는 유지장치사용은 야간장착으로 줄일 수 있다. 치아가 안정적이라면, 유지장치는 2~3개월이 더 지난 후에는 안할 수도 있다.

증례 T.G.

T.G., 16세 여자 환자, 과개교합과 상악 중절치의 편평한 모습에 관해 교정의에 의뢰되었다.

주소

주목한 바와 같이, T.G.의 주소는 과개교합과 상악중절치의 편평한 모습이다.

의학력

이 환자는 페니실린에 알러지가 있었다.

임상검사

1. 연조직
   a. 정모
      - 수직적으로 짧은 턱
      - 돌출되고 우툴두툴한 턱
      - 넓은 하악골
   b. 측모(그림 4-13a)
      - 깊은 이순구
      - 돌출된 턱
      - 안면고경의 하방 1/3이 짧음
2. 치아(그림 4-13b)
      - 제 2급, 2류 부정교합
      - 과개교합
      - 설측으로 경사진 상악 중절치
3. 골격(그림 4-14a)
      - 하악의 전후방 결핍
      - 거대한 이부(macrogenia)
4. 방사선
   a. 파노라마
      - 제 3대구치 매복

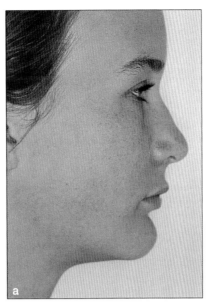
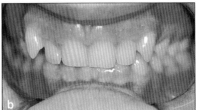

그림 4-13 T.G. 치료 전 측모(a)와 교합(b)

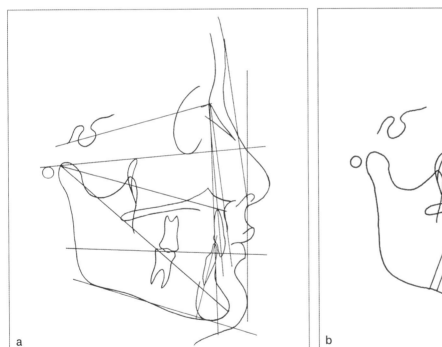
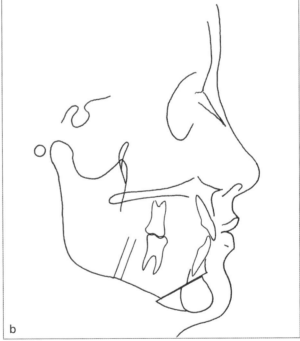

그림 4-14 T.G. 치료 전 측면 두부방사선 규격사진 분석(a)과 cephalometric prediction tracing(b)

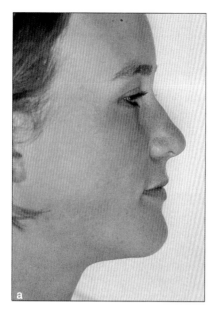

그림 4-15 T.G. 치료 후 (a)측모와 (b)교합

b. 두부방사선계측(그림 4-14a)

- 2급 2류 부정교합

- 과개교합

- 설측으로 경사진 상악 중절치

- 하악의 전후방 결핍

- 거대한 이부(macrogenia)

문제 목록

1. 제 2급 부정교합

2. 하악의 전후방 결핍

3. 과개교합

4. 설측으로 경사진 상악 중절치

5. 돌출된 이부

술 전 교정

● 상악궁

- 순측 tipping으로 상악전치 경사를 증가시킴

- 이상적인 형태의 악궁을 만들어준다.

● 하악궁

- 악궁을 수직적 위치조정을 하고 배열한다. 그리고 악궁간 조화를 향상시킨다.

외과적 치료

하악골상행지시상분할골절단술 술식을 통해서 하악을 전방으로 이동시킬 수 있고, 턱은 Slinding genioplasty를 이용해서 전후방적으로 감소시킬 수 있다.

술 후 교정 : 교합의 개선과 유지

외과적 수술은 술 전 교정을 18개월 한 후에 시행하고 교정 밴드는 외과적 수술 3개월 후에 제거한다. 술 후 결과는 그림 4-15에 나타나 있다.

하악의 전후방 과성장

1970년 초반에 Edward Angle은 성인에서 발생한 Class Ⅲ 부정교합은 수술과 교정을 병행해서만 치료할 수 있다고 했다. 1970년전에는 Class Ⅲ 부정교합의 원인이 대부분

하악이 전후방으로 과성장해서 나타났다고 여겨져서, 대부분 하악을 setback과정을 통해서 치료하려 했다. 그러나 최근의 연구는 하악의 전후방성장에 의한 Class III 부정교합은 20%에서 25%정도에 지나지 않는다는 것을 제시했다. 나머지는 상악의 전후방적인 성장결핍에 의한 Class III 부정교합이 75%에 달한다. 그러므로 Class III환자에 있어서 임상가는 우선적으로 상악의 성장결핍에 의한 것인지 아니면 하악의 과성장에 의한 것인지를 판별해야 한다.

3급 부정교합

임상적 특징

측면

● 명확한 하악 하연과 긴 chin-throat length
● 전돌된 턱으로 인한 돌출된 하안면부 ⅓
● 이순구(labiomental fold)의 감소
● 급격한 입술-턱-목 연결각도(lip-chin-throat angle)

정면

● 하안면 ⅓이 편평해진다.
● Chin button이 돌출되지 않는다.
● 얇은 상순은 vermillion의 노출을 감소시킨다.
● 이순구(labiomental fold)의 감소
● 하악이 강한 인상을 보인다.
● 턱이 종종 비대칭이다.

치성관계

● 종종 하악 전치부를 피개하는 부착치은이 적다.
● 하악 전치가 보상적으로 설측 경사를 이룬다. 그러나, 일부 환자에서는 개교와 함께 치간 공극과 이개된 전치가 나타난다. 이런 특징은 큰 혀에 기인한다.
● 전치부와 구치부 교차교합을 가진 3급 부정교합이다.
● 정중선 불일치가 종종 나타난다.

치료

3급 부정 교합을 가진 성인 환자의 치료시기는 중요하다. 심각한 3급 치성골격성 결함을 가진 많은 환자들은 가능한 빨리 확실한 치료를 받기를 원하고 초기 치료는 사회적, 정신적 관점에서 바람직하다. 그러나 만약 하악의 성장이 완료되기 전 수술이 시행된다면, 부정교합은 성장의 결과로 재발되기 쉽다. 상악골 성장은 14 또는 15세에 완료된다.

그러므로 상악골의 결함이 주요한 문제일 때 성장이 완료될 때까지 수술을 연기하는 것이 타당하다. 그러나 하악 성장이 20대 초까지 지속되기 때문에 심각한 하악골 과성장을 보이는 일부 환자들은 후에 이차적 술식이 필요하다는 사실을 알고도 연기하지 않고 조기 수술을 할 수 있다. 이 장의 뒤에서 논의될 증례. C.M.은 성장 완료 전 환자에게 수술을 시행한 예이다.

술 전 교정

술 전 교정적 처치는 5가지 기본 목표를 갖는다.

1. 교정적 시각적 치료 목표(visual treatment objective (VTO))를 기준으로 전치부와 구치부의 치성 보상작용의 제거 또는 감소
2. 대략적인 전치의 전후방과 수직적 위치의 결정. 부적절한 전치 위치는 최적의 심미적 수정을 방해한다.
3. 적절한 악궁형태와 견치간 폭경을 얻고 수술을 위한 적절한 치아 정중선 형성이 필수적이다.
4. 치아 크기 부조화 문제의 해결
5. 종종 하악전돌을 동반한 하악 비대칭을 수정한다. 만약 턱의 형태가 양호하다면 하악 치아의 정중선은 턱의 중앙에 위치해야 한다. 비대칭은 하악 후퇴 술식 중에 수정될 것이다. 만약 불량한 턱의 모양이나 수직적 또는전후방적 턱의 결함의 수정이 있다면 이부성형술에 의해 수정될 수 있다. 그러므로 반드시 턱의 중앙에 하악 치아의 정중선이 교정적으로 위치해야 할 필요는 없다.

Orthodontic mechanics

하악궁(mandibular arch)의 교정치료를 위해 다음과 같은 술식들이 추천된다. 술식에 따르면 하악궁의 교정적 치료가 추천된다.

1. 구치부 tie-back을 포함한 3급 mechanics은 레벨링에는 이용되지 않고 치아는 전방으로 수직적 위치 조정이 된다. 교정적 시각적 치료목표(visual treatment objective)는 요구되는 전치부 탈보상(deconpensation)의 양을 결정하기 위해서 결정되어야 한다.

2. 수직적 위치 조정을 완성하는 데에 있어 2급 고무줄이 하악 협측부분을 전방위치시키고 하악 전치를 더 경사지게 한다. 이런 작용은 측두부 방사선 규격사진 사진에서 관찰할 수 있다.

3. 악궁 길이의 부조화는 요구되는 하악전치의 위치와 같이 고려되어야 한다.

4. 하악전치를 탈보상할 경우, 임상가는 하악의 전후방적 과도한 위치 관계에 있는 환자가 매우 얇은 골성이부(symphysis)와 전치부 부착 치은의 양이 적다는 사실을 알아야 한다.

상악궁(Maxillary arch)의 교정처치를 위해 아래 사항들이 추천된다.

1. 상방견인 헤드기어는 밤에 착용하여 상악 전치부에 작용한다. 이것은 전방위치되어 있는 하악 치열이 있을 경우 class 2 메카닉을 사용하여 상악 전치부의 정출을 막기 위해 사용된다.

2. 헤드기어의 고정원은 상악 전치부의 회전에 사용되거나 거의 사용하지는 않지만 레베링 과정에서 상악 전치의 경사를 방지하기위해 사용된다.

수술적 치료

양측성하악골상행지시상분할골절단술(bilateral sagittal split osteotomy)은 선택적 술식이다. 그러나 많은 양의 수퇴 시술이 필요할 때 구내상행지수직골절단술(transoral vertical ramus osteotomy)을 사용한다.

과두의 위치를 바로 잡는 것이 매우 중요하다. 외과의사는 상행지의 내측면에서 내측익돌근과 경돌하악인대를 조심스럽게 분리해야 한다. 그렇지 않으면 근심골편(proximal segment))과 원심골편(distal segment)에 의해 후방위치되고 상행지(ramus)의 후방회전이 일어난다. 근육 기능이 다시 원래의 모습으로 되돌아 가려는 작용으로 하악위치가 다시 돌아갈 수 있다. bicortical screw가 견고고정(rigid fixation)에 사용되어 position self-tapping screw가 골편을 위치시키는데 선호되어 사용된다. 후퇴 과정에서 특별하게 동시에 비대칭(asymmetry)을 바로잡아야 할 때 작은 조각들이 결함을 발생하게 한다. 골편을 screw로 꽉 조이면 그 힘이 과두를 외측으로 힘을 받게 한다. 구내 상행지수직골절단술을 시행했을 때 신경감각 손상은 하악골상행지시상분할골절단술을 시행했을 때 보다 적다. 하지만 과두부분에 대해서는 위험을 증가시킨다. 이부 성형술은 턱을 조화로운 위치에 위치시킨다. 3급부정교합시 입술과 턱사이의 각이 둔각이 되지만, 이부성형술을 시행하여 조화로운 턱이 되게 한다.

술 후 교정

3급 부정교합의 술 후 교정은 모든 환자들에게 비슷하게 적용된다. 3급부정 개교합인 경우 술 전 교정에 대부분의 치아이동이 되어 있어서, 술 후에는 아주 조금의 치아이동 또는 전혀 치아이동이 필요치 않게 되기도 한다. 재발이 염려되는 과정에는 즉시 3급 고무줄을 장착시켜야 한다. 대구치의 정출을 막기 위해 사각형의 arch wire를 사용해야 한다. 술자는 원래의 부정교합과 가능한 재발 경향에 따라 유지 계획을 세워야 한다.

증례 D. G.

19세의 남자환자가 개교합을 주소로 의뢰되었다.

주소

씹기가 불편하고 중안면의 외모가 너무 만족스럽지 못하다.

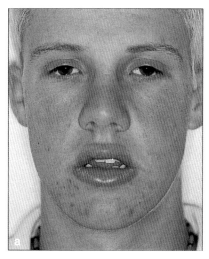
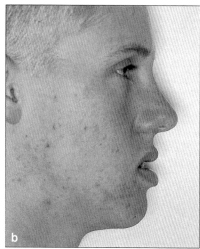
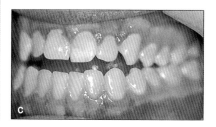

그림 4-16 증례 D.G 치료 전 (a)정면사진, (b)측모사진, (c)교합사진

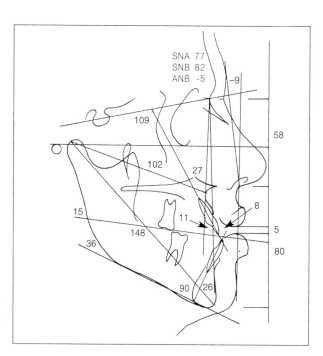

그림 4-17 증례 D.G 치료전 세팔로 분석. 상악골 열성장 : SNA=77도; 3급 골격관계 : ANB= -5도; 오목한 측모 : facial contour angle = -9도

의학력

환자는 천식이 있으며 15세 때 A형 간염에 노출된 적이 있으며 현재 회복되었다.

임상검사

1. 연조직

a. 정면(그림 4-16a)
  - 코 주변 부위의 결핍
  - 증가된 입술간 거리
  - 과도한 하순의 홍순(vermilion)노출

b. 측모(그림 4-16b)
  - 오목한 측모

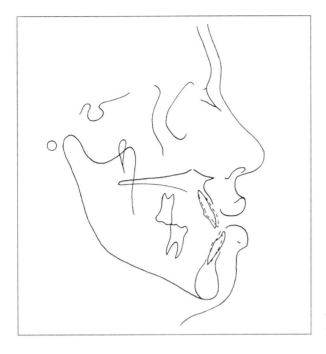

그림 4-18 증례 D.G. 교정적인 변화 : 전치의 비보상

- 중안모 결핍
- 하순의 외반
- 증가된 입술간 거리
- 턱의 결핍

2. 치성(그림 4-16c)

　3급 부정교합

　전치부 개방교합

　미약하게 보상된 하악전치

3. 골격(그림 4-17)

　상악의 전후방적 결핍

　하악의 전후방적 과성장

　상악구치부 수직적 과성장

　소하악증(microgenia)

문제목록

1. 3급 부정교합

2. 하악의 전후방적 과성장

3. 상악 구치부 수직적 과다

4. 전치의 보상

술 전 교정

● 상악궁 (그림 4-18, 19)

- 제3대구치 제거

- 악궁의 수직적 위치 조정과 배열

- 하악 악궁과 일치되는 악궁의 설립

- 전치의 정출이나 압하 혹은 구치부의 확장을 통한 개방교합을 폐쇄하려는 시술은 금기

● 하악궁 (그림 4-18, 19 참조)

- 제3대구치 제거

- 악궁의 수직적 위치 조정과 배열

- 전치의 가벼운 보상의 제거

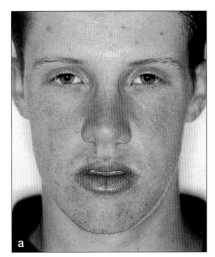
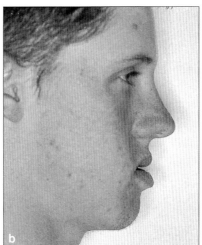
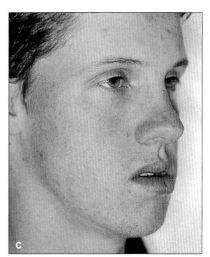
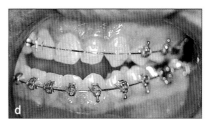

그림 4-19 증례 D.G. (a)술 전 정모, (b)측모, (c)three-quaters view, (d)교합사진

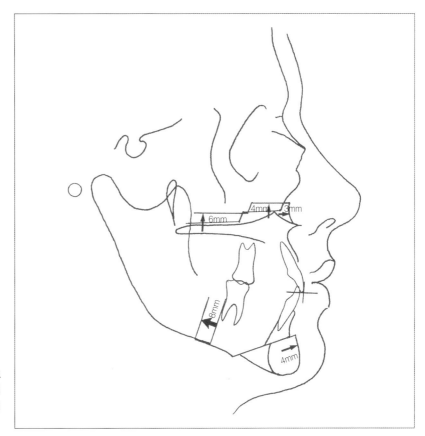

그림 4-20 증례 D.G. 수술 후 객관적인 모습은 상악이 재위치되었고 앞으로 나왔으며 하악은 후방이동(set back)되었다. 이부성형술로 턱끝이 나왔다.

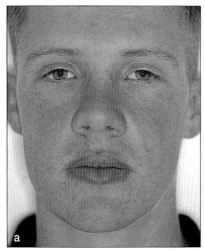
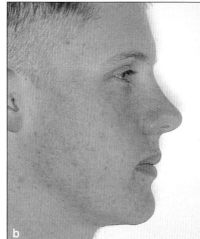
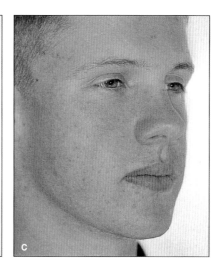
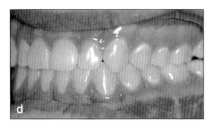

그림 4-21 증례 D.G. (a)술 전 정모, (b)측모, (c)three-quaters view, (d)교합사진

수술적 치료

상악 Le Fort I 골절단술(LeFort 1 osteotomy)은 상악을 3mm 전진시키고 동시에 전방에서 3mm 상방재위치(이상적인 치아 관계를 확립하기 위해) 그리고 후방에서 6mm 상방재위치(하악이 자동회전 되는 것을 허용하기 위해) 재위치되었다.

왜냐하면 하악의 자동회전은 3급관계를 악화시키며 하악골상행지시상분할골절단술 방법으로 하악을 8mm 후퇴(set back)시키기 때문이다.

최종적으로 4mm의 전진이부성형술을 시행하였다. 이부의 전진으로 인해 이부의 외형의 개선 뿐만 아니라 하악골 자체의 후퇴 후에 chin-throat length을 유지시켜 준다.

술 후에 지속적으로 성장하는 환자

3급 부정교합 환자의 수술적 교정 후 지속적으로 성장하는 환자는 술 후 안정이라는 요소로 보면 매우 중요한 요소다. 그러므로 임상의는 안면성장이 수술적 교정 전에 완료되었다는 것을 확인해야 한다.

연속적인 세팔로 방사선사진과 수완부 방사선사진은 성장 중인 환자가 growth spurt을 지났는지 아닌지를 평가하는데 도움이 된다.

외과의는 예외적인 증례에서 성장이 완료되기 전에 수술을 시행하기도 하는데 이는 생리학적 관심이 정신적인 관심과 항상 일치하지 않기 때문이다(Enlow, 1990)

12세에서 19세가 아마도 가장 잘 형성되는 시기이며 이 시기에 수술을 연기하는 것은 정신적 측면에서 바람직하지 않을 수 있고 이런 환자에게는 술 후 지속적인 성장으로 인한 재발을 충분히 이해시킨 후 수술을 시행해야만 한다.

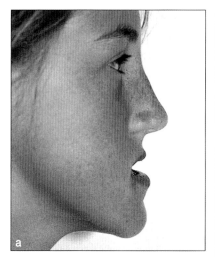

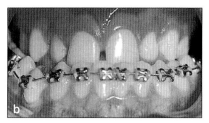

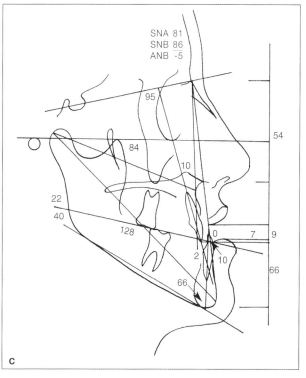

그림 4-22 증례 C.M. 치료 전 측모(a), 교합(b), 두계골 계측 분석(c) 하악궁 밴딩 후 1주일(나이 12 1/2). Class III 골격관계 : ANB = -5 degrees, Mn length : Mx length = 84 : 128 ; Mx vertical excess : inter labial gap = 7mm, 하순 위로의 상악 치아 노출 = 9mm ; 보상된 하악 전치부 : 하악 전치부에서 N-B = 0mm & 10 degrees, 하악 중절치에서 하악 평면까지의 각 = 66 degrees

성장이 완료된 후 다시 수술적 교정을 시행한다.

다음 증례는 상기 문제들에 대한 만족할 만한 결과를 보여준다.

증례 *C.M.*

주소

환자의 부모에 따르면, 그녀의 안모는 학교나 사회생활시, 그녀에게 큰 고민거리였다. 그녀는 그녀의 커다란 하악 때문에 행복하지 않았고, 또래들에게 놀림을 받았다. 그녀는 또한 좋지 않은 교합관계가 점차적으로 심각한 발음 장애를 야기한다는 사실을 걱정했다.

의학력

그녀의 의학적 병력은 없었다.

임상검사

1. 연조직

a. 정면

  - 증가된 입술간 거리

  - 편평해보이는 지지받지 못하는 하순

  - 돌출된 턱

  - 증가된 하안모 높이

b. 측면(그림 4-22a)

  - 하악 전후방 과도

  - 상악 전후방 결핍

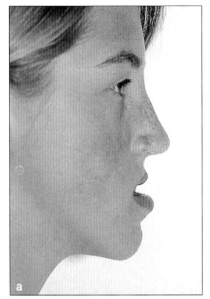

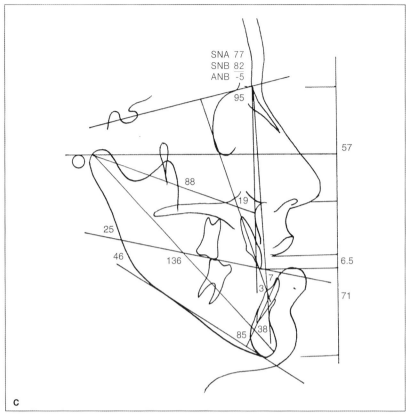

그림 4-23 증례 C.M. 수술 직전 (a)측모, (b)교합, (c) 두계골 계측 분석, (d)예견된 전후방적 수직적 성장을 주목하라.

- "Gummy Smile"

- 증가된 상악 절치 노출

- 증가된 하안모 높이

- 오목한 측모

2. 치아(그림 4-22b)

   - 제 3급 부정교합

   - 보상된 하악 절치

   - 구치부 반대교합

   - 견치의 부분적 맹출(canines partially blocked out)

3. 골격(그림 4-22c)

   - 상악 수직적 과도

   - 상악 전후방 결핍

   - 하악 전후방 과도

4. 방사선적(그림 4-22c 참조)

   a. 수완골(hand-wrist) 방사선

- 환자는 여전히 활동적 성장

b. 두계골 계측

- 임상검사와 일치

문제목록

1. 수직적 상악 과도

2. 상악 전후방 결핍

3. 하악 전후방 과도

4. 제 3급 부정교합

5. 돌출된 상악 견치

6. 보상된 하악 절치

7. 환자는 여전히 활동적으로 성장 중

술 전 교정

● 상악궁

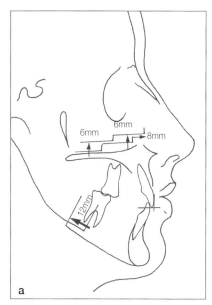 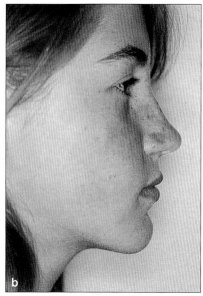 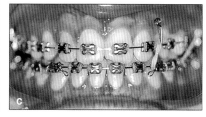

그림 4-24 증례 C.M. (a)수술 예측 분석. (b)수술 직후 측모. (c)수술 직후 교합.

- 상악 양측 제 1소구치 발치
- 악궁 정렬과 공간 폐쇄
- 악궁 내로 견치 이동
● 하악궁
- 절치의 보상제거
- 스피만곡의 배열
- 악궁간 조화 확립

치료 전(그림 4-22 참조)과 수술 직전(그림 4-23)의 자료를 비교해볼 때, 교정 치료동안 예견된 수직적 전후방적 성장이 명백하다.

수술적 치료

- 상악을 상방으로 재위치시키고(6mm 전후방적), 상하악복합체를 약간 시계방향으로 회전시킨 Le Fort I 골절단(그림 4-24a)(상하악복합체의 회전에 대한 부분을 보라, 201~213쪽)
- 상악 전방이동(8mm)(그림 4-24a 참조)
- 하악을 후방으로 위치시키는 양측 하악골상행지시상분할 골절단(12mm)(그림 4-24a 참조)

수술적 이동이 크다. 이것은, 수술이 성장 중인 사람에게 행해졌다는 사실과 함께 이 경우에서 재발 가능성을 보여준다.

술 후 교정

술 후 교정 치료는 교합과 유지의 마무리를 필요로 한다. 이 경우에, 술 후 골격 변화가 확실히 보여질 것이고, 치열은 어떤 재발이나 추가 성장에 대해서 보상되어지지 않을 것이다. 수술이 초기에 행해지고, 하악 추가 과성장이 관찰되어질 때, 치열은 교정적으로 이러한 성장을 보상할 수 없을 것이다. 왜냐하면 치열이 골격 성장을 숨기고, 치아는 마지막 외과적 교정 전에 다시 보상제거가 필요할 것이기 때문이다.

술 후 결과는 그림 4-24b와 그림 4-24c에서 보여진다. 술 후 성장이 그림 4-25(술 후 10달)와 그림 4-26(술 후 4년)에서 입증되었다. 초기 교정 후 5년 후에, 임상가는 마지막 교정을 행하기로 결정하였다. 약간의 하악 절치의 보상제거를 위하여 짧은 기간의 교정적 치료 후에, 하악은 양측 시상 분할 골절단에 의해서 후방위치되었다. 최종 결과는 그

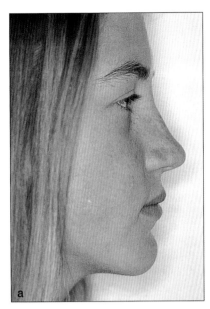
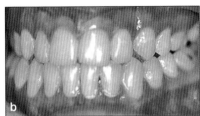
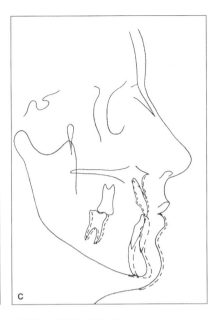

그림 4-25 증례 C.M. 술 후 10개월 후에 재발이 명백하다. (a)측모. (b)교합. (c)추가적 하악 성장을 예상하는 두계골 계측 분석.

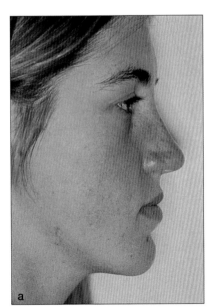
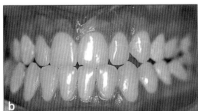
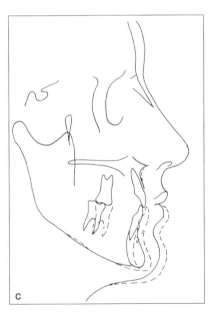

그림 4-26 증례 C.M. 초기 교정 후 4년, 제 3급 부정교합이 존재한다. 상악은 안정적으로 변함이 없다. 측모(a), 교합(b), 세팔로 계측 분석(c) 하악 추가 성장이 보인다.

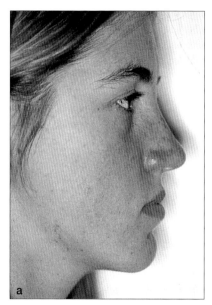
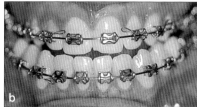
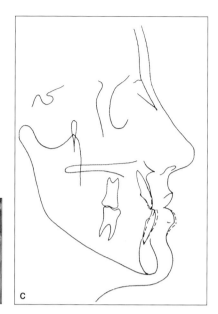

그림 4-27 증례 C.M. 두 번째 교정과정 전에 하악 절치의 보상제거가 완료되었다. (a)측모. (b)교합. (c)두계골 계측 분석.

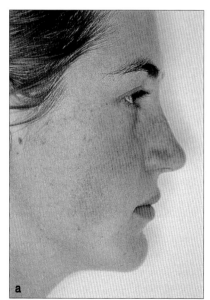

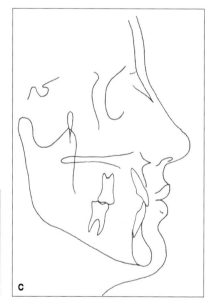

그림 4-28 증례 C.M. 치료 후 결과가 측모에서 보여지고 있다(a). 교합(b). 세팔로 계측 분석(c). 두 번째 외과적 수술 후 1년(d).

림 4-28(두 번째 수술 후 1년)에서 보여지고 있다. 이 환자는 초기 교정 후 5년 후에 두 번째 외과적 수술이 행해졌음에도 불구하고, 초기 수술에 의한 일정정도의 이점이 있었다. 양측 시상 분할 골절단을 행하기 위해서, 먼저 bicortical screws가 제거되었어야 한다는 사실은 두 번째 수술을 가능하게 하였다. 이 과정을 용이하게 하기 위하여, 첫 번째 수술에서 흡수성의 고정원의 사용이 예상되었다.

상악의 전후방적인 저성장

상악 전후방 결핍은 종종 그 외형의 유사성으로 인해 하악 전후방 과잉으로 오진되곤 한다. 따라서 임상의는 그 두 가지 기형을 면밀히 구분해야만 한다. 대부분의 Class III의 경우에 있어서, 그 기형은 위 두 가지의 복합으로 인한 것이다. Class III환자의 75% 정도가 어느 정도의 상악골 결핍을 지니고 있다. 만약 어느 턱을 수술해야하는지에 대한 의문이 있다면, 상악이 개선되어야 할 것이다.

Class III malocclusion

임상적 특성

측면
● 움푹한 볼
● 코와 균형을 이룬 턱과 하순
● 움푹하거나 또는 편평한 상순
● 상순의 길이가 감소되고 홍순이 얇다.
● 더욱 수평으로 향하는 코의 축을 가지는 예리한 비순각

정면
● 편평하고 비교적 짧은 상순
● 종종, 좁은 익상기저면
● 종종, 눈의 홍채하방에서 보이는 공막
● 움푹한 볼
● 상악의 치아-입술과의 관계가 정상이거나 결핍됨

● 상순이 보이는 적은 홍순
● 부비동의 편평함

각각의 턱의 두개골에 대한 관계는 하악과 상악을 순서대로 윤곽을 그려봄으로써 임상적으로 측정될 수 있다.

치성관계
● 제 3급 부정교합
● 종종, 상악궁에서의 총생
● 종종, 작거나 혹은 결핍된 상악 측절치
● 종종, 하악 전후방 과잉에서 보이는 설측경사에 비해 하악전치의 정상적인 경사
● 상악궁이 좁아지는 경향과 빈번한 하악궁과의 설측 반대교합

치료
술 전 교정
상악 전후방 결핍의 치료는 하악 전후방 과잉의 치료와 똑같은 목적을 지닌다.

1. 보상제거
2. 이상적인 절치의 위치확립(교정치료 목적에 의해서 예견되었던)
3. 악궁 적합의 확립
4. 악궁의 정렬과 배열

종종 상악 전후방 결핍을 수반하는 횡적 불일치가 상악 확장 수술로 고쳐질 수 있음을 유념해야만 한다. 만약 그대로 교정치료 한다면, 악궁은 적당히 정렬될것이며 치간 골절단부위 인접치의 치근은 변위될 수 있다.

심각한 Class III 경우에서는 두 턱을 모두 수술하는 것이 바람직할 수 있다. 여기서 교정의는 환자가 둘이라("two-patient" concept)는 의식을 가져야 하는데, 상악과 하악이 각각 개개의 환자에게 속해 있는 것이라 가정하고 상악과 하악궁을 별도로 치료해야 한다. 목적은 공간의 수직적 전

후방적 평면에서 상하악 절치를 정렬하는 것이므로, 외과 의사는 치아적인 방해의 한계없이 최적의 골격적 심미적 교정을 얻을 수 있다.

상악 결핍의 경우는 종종 상악의 총생을 포함하며, 전치의 크기 감소가 예상된다. 이는 다음의 원칙을 따르는 발치를 필요로 하게 될 것이다.

1. 만약 최대의 크기감소가 필요하거나 명백한 총생이 존재할 경우, 상악 제1소구치의 발치가 요구된다.
2. 만약 적은 크기감소가 필요하고 총생이 약한 경우, 제2소구치의 발치가 요구된다.
3. 상방 또는 설측으로 기울어진 위치로부터의 하악절치의 전방이동은 부착치은 결손이나 얇은 치조골과 골성 이부(symphysis)로 인해 제한된다. 하악 제2소구치 발치가 총생을 조절하기 위해 필요한 공간을 제공하기 위해서 필요할 수 있다.
4. Class III에서 가장 흔한 발치 순서는 상악 제1소구치의 발치이며, 두 악궁 모두에서 발치를 해야할 경우는 상악 제1소구치와 하악 제2소구치를 발치해야 한다(Class II와 반대로).

Orthodontic mechanics

총생은 흔히 상악 치열에서 존재하며 이는 치아 발거를 요한다. 보통 견치가 돌출되는데, 이것은 종종 치료 전에 환자의 주된 불평이 된다. 제1소구치와 제2소구치 중 어느 것을 발거해야할 것인가 하는 결정은 총생의 정도에 따라 영향을 받으며 절치의 보상작용의 상실을 요하게 된다. 수술 전 상악 절치는 골의 중앙부위에 좋은 경사로 위치해야한다. 최상의 심미적인 성공을 거두기 위해서, 그들의 전후방 위치가 치료목표에 기초해야 한다. 하악절치의 보상상실은 드물다고 예상된다. 하악궁은 상악치열궁의 형판("template")으로 쓰이기 위해 배열되고 정렬되어야한다.

수술적 치료

상악골은 Le Fort I 골절단을 통해 전방이동된다. 이 유용한 수술법은 외과의사가 수직, 수평 그리고 교합평면의 어긋남을 수정가능토록 해준다. 골이식이 광범위 수술과 구개골 팽창 두 가지 경우에 추천된다. 다양한 이식재료가 사용가능한데, 이것들로는 근접한 곳이나 다른 먼 곳에서 얻은 골이 있는데, 턱끝이나 장골능이 있다; 동종의 냉동건조된 골; 수산화인회석같은 인공골 대체물들.

원하지 않는 연조직 변화가 나타날 수 있는데, 익상 기저면의 폭경 증가, 코끝의 거상, 비순각의 증가가 있다. 환자는 이러한 나타날 수 있는 연조직의 변화를 숙지해야 한다. 그러나 이러한 변화는 조절 가능하다(수술 기술에 대해 더 알고 싶다면 5장의 Le Fort I 상악골절단술 참조).

술 후 교정

술 후 교정적 치료는 하악 후방이동의 경우와 매우 유사하다. multipiece Le Fort I 상악 골절단술이 시행된 경우에 한해서 splint가 사용된다. 상하악 모두 수술 시에는 적절한 상악의 위치지정을 위해서 항상 즉시 splint를 사용한다. 환자는 적절한 회복이 이루어지고 적극적인 교정술이 재개될 수 있을 때까지, 교합 splint를 사용하여 기능을 할 수 있도록 한다.

치아간 골절단을 위해서 조절되는 치아사이 결찰 와이어가 외과 의사에 의해서 장착될 수 있고, continuous archwire의 장착동안에 교정 의사에 의해서 제거될 수 있다.

외과적 확장이 행해질 때, 측방량이 구개바에 의해서 보강된 교합 splint에 의해서 유지될 수 있다. 구개바는 수술 동안과 후에 splint의 굽어짐을 방지한다. splint가 제거되면, 교정의사는 측방량을 더 조절하기 위해서 가능한한 교정용 구개바와 continuous archwire를 위치시켜야 한다.

증례 M.P.

17세 여자환자가 치아정렬을 위해서 교정의사에 의해서 소개되었다.

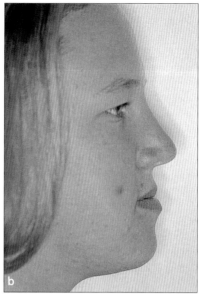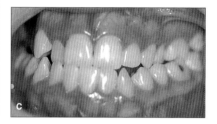

그림 4-29 증례 M.P. 치료 전 (a)정면, (b)측면, (c)교합

주소

환자는 그녀의 치아가 정렬되고, 부정교합이 교정되기를 원했다. 그녀는 또한 그녀의 하악이 너무 돌출되어 보인다고 느꼈다.

의학력

그녀의 의학적 병력은 없었다.

임상검사

1. 연조직

    a. 정면(그림 4-29a)

      - 편평한 코주변부

      - 상순지지 결핍

      - 연관된 상홍순 노출의 적은 양

    b. 측면(그림 4-29b)

      - 오목한 측모

      - 상순지지 결핍

      - 상순앞의 하순

      - 둔한 이순 주름

      - 예리한 비순각

2. 치아(그림 4-29c)

    제 3급 부정교합

    전치부와 구치부 반대교합(완전히)

    보상된 하악절치

    좁은 상악 악궁

    상악 치아 정중선 1.5mm 좌측 변위

    상악 좌측 제 1소구치 결손

    상하악궁 총생

3. 골격(그림 4-30)

    상악 전후방 결핍

    상악 좌우방 결핍

    하악 전방부 수직적 과잉

    턱의 전후방적 결핍 경향

4. 방사선적

    a. 파노라마

      - 상악 좌측 제 1소구치 결손

      - 4개의 매복된 제 3대구치

    b. 두계골 계측(그림 4-30 참조)

      - 임상검사와 일치

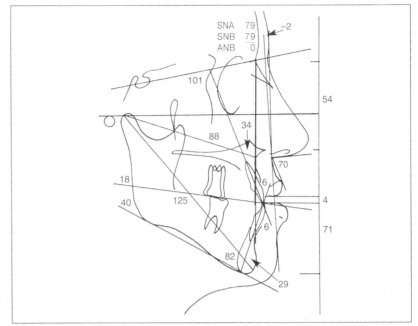

그림 4-30 증례 M.P. 측두방사선 규격사진 분석. Class III 치아관계; Class III 골격관계; 상악 전후방 결핍:SNA=79도, 상악대 하악 길이 비율=88:125mm; 증가된 하방 1/3 안모높이:중간 1/3대 하방 1/3 높이 비율=54 : 71mm;증가된 하악 전방부 높이:높이=46mm, 상순대 하순 비율=21:46;둔한 이순 주름;설측경사된 하악절치:하악평면에 대한 하악절치, 82도;예리한 비순각, 70도;오목한 측모:안면 외형각=-2도.

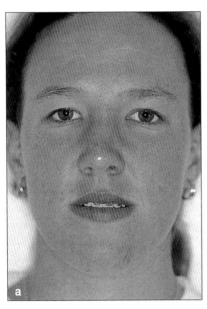

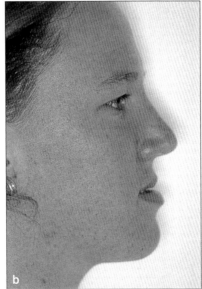

그림 4-31 증례 M.P. 수술 전 (a)정면, (b)측면, (c)교합. 치아 정중선의 교정적 조절과 하악절치의 보상제거를 주목하라.

문제 목록

1.제 3급 부정교합

2.상악 전후방 결핍

3. 상악 좌우방 결핍

4. 상악 치아 정중선 좌측변위

5. 설측 경사된 하악 절치

6. 하악 전방부 수직적 과잉

술 전 교정

● 상악궁(그림 4-31)

　- 상악 우측 제1 소구치 발치와 매복된 제3 대구치 제거

　- 치아 정중선 교정

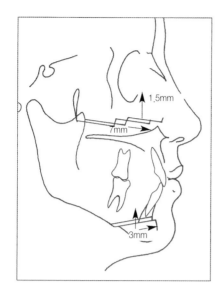

그림 4-32 증례 M.P. 수술 치료목표. (1)상악을 7mm전방, 1.5mm상방 위치시키는 Le Fort I 상악 골절단술과 (2) 3mm 수직적 감소와 3mm 전방이동을 위한 이부성형술로 구성되는 수술 계획.

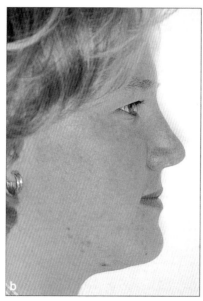

그림 4-33 증례 M.P. 술 후 결과가 (a)정면에서 보이고 있다. (b)측면, (c)교합

- 상악 우측 중절치에서 제2 대구치까지, 상악 좌측 중절 치에서 제2 대구치까지의 부위에서 좋은 악궁 형태 확립
- 기저골 범위 안에서 악궁의 확장
- 중절치 치근의 변위
● 하악궁(그림 4-31 참조)
- 하악 양측 제2 소구치 발치와 매복된 제3 대구치 제거
- 좋은 악궁 형태 확립
- 절치 보상제거

수술적 치료

- 상악이 two-piece Le Fort I 상악 골절단에 의해서 전방 이동, 확장되었다. 치아간 골절단이 상악 중절치 사이 에서 행해졌다. 상악이 치아-입술간 관계를 향상시키기 위해서 상방으로 재위치되어졌다(그림 4-32).
- 마지막으로, 턱의 수직적 높이를 감소시키고, 턱의 약 간의 전방이동을 위해서 이부성형술이 행해졌다.

술 후 교정

- 교정된 상악 절치 경사
- 술 후 가능한한 구개바(palatal bar)를 위치시킴으로써 조절된 수술적 확장
- 정렬된 교합
- 밴드제거 후 초기 교정적 유지

수술은 교정술의 술 전 기간인 17개월 후에 행해졌고, 교정적 밴드는 술 후 4개월에 제거되었다. 밴드 제거 후 6개월 후의 치료결과는 그림 4-33에서 보인다.

상악의 전후방 과성장

상악의 전후방적 과성장은 Angle 분류에 따라 Class II 부정교합을 분류했을 때 언급했던 만큼 그리 일반적이지 않다. McNamara(1981)에 따르면, Class I 부정교합 277명 중 10%만이 진성 상악 전후방 과성장을 가지고 있다고 하였다.

임상가는 상악의 전후방적 과성장과 하악의 전후방적 결핍을 주의깊게 구별해야 하는데, 그 이유는 하악의 전후방적 결핍이 있는 환자에게 있어 수술적 혹은 교정적인 방법으로 상악 전치의 후방견인을 시행한다면 비심미적 결과를 가져오기 때문이다. 물론, 상악의 전후방적 과성장은 하악의 결핍과 함께 발생한다(이 장의 증례 O.M을 보라).

서론(overview)

임상적 특징

측면
- 안면의 중앙 1/3의 전돌
- 종종 코가 커보이거나 Hump nose처럼 보임
- 풍융한 안와하연과 협부의 골부위
- 상순이 짧거나 돌출되어 보임
- 하순이 상악전치에 의해 구부러져 있기 때문에 이순구

(labio-mental sulcus)가 깊어 보임
- 다물어지지 않는 입술
- 예리한 비순각

정면
- 안면의 중앙 1/3부위의 눈에 띄는 돌출
- 종종, 긴 하안면고경(Lower facial height)
- 짧고, 구부러진 상순
- 상악 전치 하방에 있는 구부러진 하순

치성관계
- 개교합 쪽으로의 경향
- 좁고, 협착된 상악 치궁쪽으로의 경향
- 높은 구개

치료

성장하는 아이는 교정치료가 일반적으로 효과적이다. 교정치료에는 헤드기어(Headgear)의 사용과 Multibanded fixed appliance가 있다. 심각성과 치아총생에 따라, 4개의 소구치 발거 또한 시행할 수 있다.

성장이 완료된 환자에게 있어, 상악 전체 또는 상악의 전방분절의 후방이동은 치료를 촉진하고 헤드기어 치료의 필요성을 줄여준다. 전체 상악의 후방이동은 Le Fort I 수준에서 시행되고, 기술적으로 어렵다.

수술적 치료

Wassmud(1935), Cuper(1954), Wunderer(1963)가 세가지의 상악 전방부의 재위치를 위한 수술 기술을 발표하였다. 상악전방분절의 후방이동이 주된 목적일 경우, Wunderer가 발표한 기술이 가장 임상적으로 사용된다.

상악의 위치 교정에서 부가적으로 상악 전방부의 교정이 필요한 환자에게서 상악의 전방분절골절단술은 multisegmental Le Fort I 시술의 한 부분으로 종종 사용된다(예, 상방 재위치나 상악후방부의 확장). 저자는 상악 전방분절골골절단술 보다는 Miultipiece Le Fort I이 더 쉽다

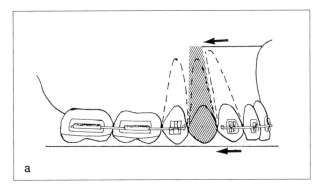

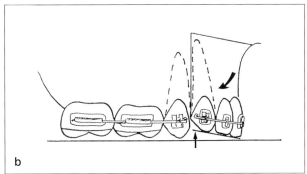

그림 4-34 부적절한 교정적 치근변위(a)는 술자가 교합에서 벗어나 견치를 상방으로 올리거나(b), 혹은 전치 절단을 하방으로 내리는(c) 방향으로 힘을 가해야 한다.

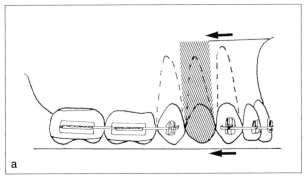

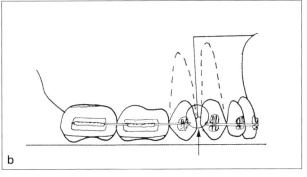

그림 4-35 (a)치간부 골절단에 인접한 치근의 적절한 교정적 변위는 술자가 치간사이공간을 폐쇄할 수 있도록 한다. (b)치주조직의 온전성을 얻기 위해, 잉여 공간을 완전히 폐쇄해서는 안되며, 치조골능에서 소량의 치조골을 건전한 상태로 놔둬야 한다.

고 생각한다.

    수술전 단계에서, 골절단부위의 치아 치근을 상당량 변위시켜야만 한다. 이 치아들의 치근이동이 부적절할 경우에는:

1. 제한된 외과적 후방이동

2. 수술시 치근 손상의 위험성의 증가

3. 분절의 이동시 수술자가 힘을 주어, 견치가 교합부위에서 벗어나 거상되도록 하거나, 전치가 하방으로 경사질 수 있다(그림 4-34).

    적절한 치근의 변위가 상악 전방분절골의 후방이동을 할 수 있게 한다. 서로 인접한 골의 좁은 공간이 유지되어야

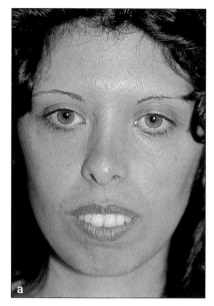
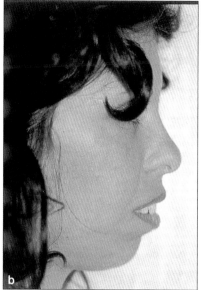
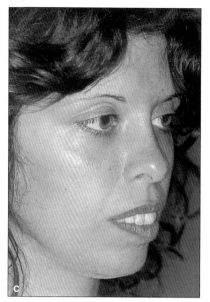

그림 4-36 증례 O.M. 술전 (a)정면, (b)측면, (c)45도 측면, (d)교합

하고, 치아의 치관이 서로에게 힘을 주게 되서는 안된다.

상악의 후방이동은 거의 적응증이 없다. 임상가는 최종 결정을 내리기 전에 이 수술에 관하여 신중하게 심미적 고려를 해야 할 것이다.

임상 증례

증례 *O.M.*

32세 여자 환자로 일반치과의가 돌출된 치아의 교정을 위해 교정과 의사에게 의뢰하였다.

주소

환자는 돌출된 전치와 힘을 주지 않고서는 입을 다물지 못함에 대하여 잘 인식하고 있었다.

의학력

특이 사항 없음

임상검사

1. 연조직(그림 4-36a ~ 4-36c)

    a. 정면

      - 증가된 입술사이의 거리

      - 증가된 상악 전치의 노출

      - 외반(everted)된 하순

      - 좁아 보이는 턱

    b. 측면

      - 볼록한 측모

      - 증가된 입술간의 거리

      - 돌출된 상순과 하순

      - 결핍된 턱

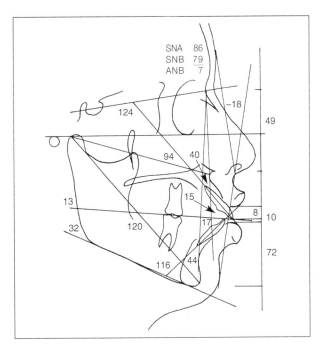

그림 4-37 증례 O.M. 술 전 두부계측 사진 분석. 볼록한 안모 : Facial contour angle = -18° 증가된 입술간의 거리 : 10mm; 증가된 lower-third facial height : 하안면에 대한 중안면의 비율= 49:72 mm; 상악의 전후방적 과성장:SNA = 86° 상악 전치부의 함입 : S-N에 대한 상악 전치 = 124°, N-A에 대한 상악 전치 = 40°; 하악 치아의 전돌 : mandibular plane에 대한 하악 전치 = 116°, N-B에 대한 하악 전치 = 17mm 와 44°

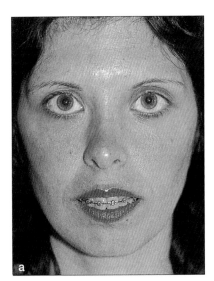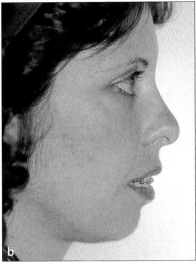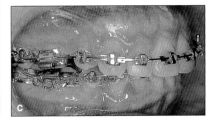

그림 4-38 증례 O.M. 교정 준비가 완전히 끝난 상태의 (a)정면, (b)측모, (c)오른쪽 교합

2. 치아(그림 4-36d)

　상, 하악 치아의 전돌

　Class II 부정교합

　증가된 수평피개(overjet)

　하악 전치부의 좁은 부착치은

　상악 제 2소구치의 치은퇴축

3. 골격(그림 4-37)

　상악의 수직적 과성장

　상악의 전후방적 과성장

　하악의 전후방적 결핍

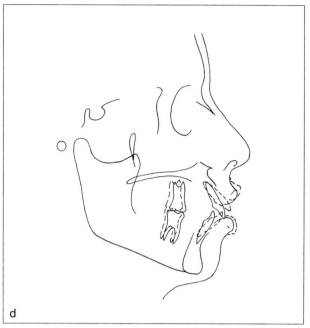

그림 4-38 계속. 술 전 교정 후 치아의 변화

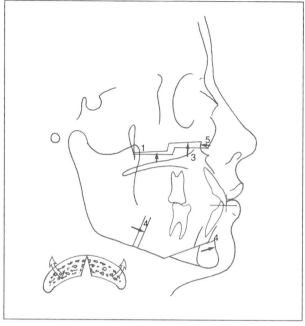

그림 4-39 증례 O.M. 수술은 Le Fort I osteotomy를 통한 상악의 상악 재위치, 상악의 후방이동, 하악골상행지시상분할골절단술을 통한 하악의 전방이동, 전방이동과 확장을 시행한 이부성형술

소하악증, 소이증(microgenia)

좁은 턱

4. 방사선

  a. 파노라마

    - 상악 좌측 제 1대구치의 치료된 치근

  b. 측면 두부계측사진(그림 4-37)

    - 임상적 고찰을 확정한다.

문제점

1. 상악치조돌출

2. 상악의 전후방적 과성장

3. 상악의 수직적 과성장

4. 하악의 전후방적 결핍

5. 소이증(microgenia)

6. 2급 부정교합

술 전 교정

- 상악 치궁(그림 4-38a ~ 4-38d)
  - 상악 양측 제 2소구치의 발거
  - 전치부 후방 견인
  - 적절한 치궁형태의 확립
- 하악 치궁(그림 4-38a ~ 4-38d)
  - 하악 양측 제 1소구치의 발거
  - 전치부 후방견인
  - 스피만곡의 수직적 위치 조정
  - 양악 치궁의 적절한 조화의 확립

수술

- Le Fort I osteotomy(그림 4-39)

  (상방압하와 후퇴술)

- 하악골상행지시상분할골절단술(전진)(그림4-39)

- 이부성형술(전진과 확장)(그림 4-39)

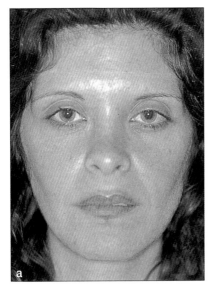
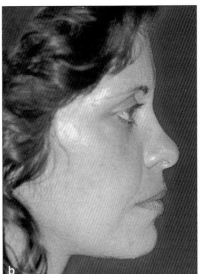

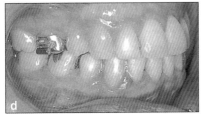

그림 4-40 40 증례 O.M. 술 후 치료의 결과 (a)정면, (b)측모, (c) 45˚, (d)교합

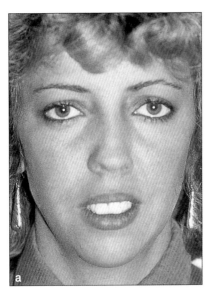
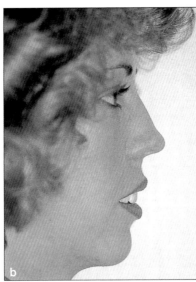
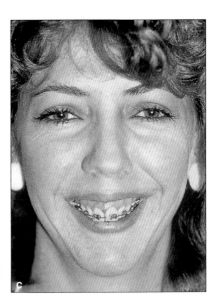
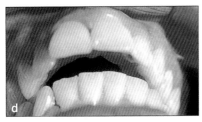

그림 4-41 증례 M.G. 술 전 (a)정면, (b)측모, (c)웃는 모습, (d)교합

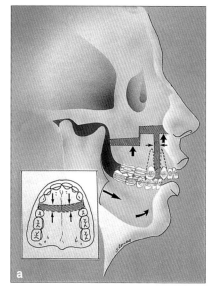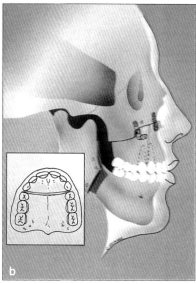

그림 4-42 증례 M.G. 상악 제 1소구치를 발거하였고 상악 악궁을 3개의 분절로 배열 하였다. 과도한 공간을 유지하였고(a) 수술로써 상악 전방부 분절골을 후방위치시켜 공간을 폐쇄시켰다.

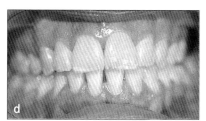

그림 4-43 증례 M.G. 술 후 (a)정면, (b)측면, (c)웃는 모습, (d)교합

술 후 교정

술 후 교정은 치아의 완전한 교합을 완성하는 것과 이를 유지하는 것이다. 수술은 술 전 교정 후 24개월에 시행하였고, 교정용 밴드는 수술 후 8개월에 제거하였다. 치료 결과는 그림 4-40에 있다.

증례 *M.G.*

이 증례는 segmental Le Fort I을 이용한 상악의 전후방적 그리고 수직적 축소술(reduction)을 시행하였다(그림 4-41 ~ 4-43).

상악의 수직적 결손

상악의 수직적 결손은 상악이 전방 그리고 하방으로의 성장이 안된 상악 전후방적 결핍과 종종 관련이 되어있다. 보통 구순구개열 환자와 관련이 있는데, 조기 수술이 상악의 정상적 성장을 방해한다. 상악의 수직적 결손이 있는 환자에게서 나타나는 하악의 과피개교합이 하악의 전후방적 과성장을 가진 환자에게서도 유사하게 나타나므로, 임상가는 이 두가지 기형에 대하여 감별 진단하여야 한다.

서론(overview)

임상적 특징

측면
- 안면의 하방 그리고 중앙 1/3부위가 입을 다물었을 때 높이에 비해 비율적으로 감소되어 있다.
- 예리한 비순각
- 과피개교합이 턱부위를 과도하게 보이게 한다.
- 하악 안정위에 위치할 때, 측모가 개선되어 보인다.
- 상순 하방에서 상악 전치를 볼 수 없다.

정면
- 안모가 강한 교근을 갖는 짧고, 사각형으로 보인다.

- 상악 전치는 입을 벌릴 때에도 볼 수 없으며, 이는 마치 무치악 환자의 안모와 비슷하고, 전치는 단지 환자가 미소지을 때만 볼 수 있다.
- 하악을 다물었을 때, 구각부가 아래로 쳐지며, 측방으로 피부의 주름이 진다.
- 코와 기저부가 넓어 보이며, 콧구멍이 커보인다.
- 하악이 과도해 보인다.

치성관계
- 과도한 근육계와 과피개교합은 환자가 이갈이가 있다는 것을 예시하며 치아교모를 일으킨다.
- 종종 freeway space가 증가한다.
- Class III 치성관계

치료

상악의 수직적 결핍을 가진 임상증례의 수술 목적은 상악은 전방 하방으로 제위치시키는 것이다. 하악은 시계방향으로 회전될 것이며, 안모의 수직적 고경이 증가할 것이다. 상악의 수직적 결핍을 가진 환자는 거의 freeway space가 증가되어 있으므로, 주의 깊게 평가하여야 한다. 상악의 하방이동으로 인한 수직적 고경의 증가가 '유용한' freeway space보다는 적어야 한다.

상악의 수직적 결핍의 정도는 단지 안정시 그리고 거의 닿을 때의 환자 입술로써 평가할 수 있다. 술 전 두부계측 방사선사진은 반드시 안정위나 입술이 거의 닿았을 때의 하악을 찍어야 한다. 이것은 wax splint를 사용함으로써 쉽게 얻을 수 있다. 두부계측 방사선의 VTO(visual treatment objective)는 또한 회전되어 벌려져 있는 상태의 하악 그리고 살짝 떨어져 있는 입술상태의 방사선사진도 찍어야 한다. 이 방사선사진은 (1) 이상적인 입술-치아 관계를 얻기 위한 상악의 하방이동의 양을 측정하기 위해 (2) 하악의 전후방적 위치에서 시계방향으로의 회전량을 측정하기 위한 좋은 기준점을 제공할 것이다.

술 전 교정

상악의 수직적 결핍이 있는 환자의 술전 교정의 목표는 (1) 치아의 배열과 수직적 위치 조정 (2) 양 악궁의 조화를 이루는 것이다. 가끔 의미있는 전후방적 보상이 있기는 하지만, 종종 전치는 원래의 전후방적 위치에 존재하기도 한다. 만약 심한 총생이 존재한다면, 상, 하악 제 1소구치를 발거하며, 중등도의 총생이 있다면, 상,하악 제 2소구치를 발거한다. 총생의 임상증례에서 상당량의 상악 전방이동이 필요하다면, 상악 제 1소구치와 하악 제 2소구치를 발거하여, 큰 반대교합을 만들어야 한다.

만약 상악의 횡적인 결핍이 존재한다면, 이를 교정하는 것에서는 수술이 최우선이다. 상악의 악궁을 하악 악궁 각각 양쪽 절반에 맞도록 조화시킬 수 있고 archwire를 중앙에서 자른다. 수술 후 가능한 조기에 구개궁이 안정되게 위치할 수 있으며, 이는 술 전에 이미 예견하여야 한다.

수술

상악을 Le Fort I down grafting 술식을 이용하여 하방으로 위치시킬 수 있다. 이 술식은 지난 과거에 불안정하였으며, 약 70%가량 수직적 높이가 상실된다고 보고되어 왔다. 하지만, 강성 고정(rigid fixation)이 이 술식에 안정성을 향상시켰다.

상악의 하방이동량에 대한 정확한 술전 계획이 매우 중요하다. 임상가는 교합간 안정위 공간(interocclusal rest space)과 상악 전치부와상순과의 관계의 둘 모두의 양을 결정해야만 한다.

상악을 Le Fort I 수준에서 움직인 후에, 악간고정을 시행한다. 과두는 하악 우각부에서 가볍게 후방 그리고 하방으로 힘을 가하여 관절와에 위치시키고, 상악은 이상적이고, 술 전에 계획한 악간거리를 얻을 때까지 가깝게 회전시킨다. 4개의 bone plate(zygomatic buttress에 2개, piriform rim에 2개)를 위치시킨다.

그 다음 골간극이식(interpositioning graft)을 시행한다.(혹은 bone plate를 위치시키기 전에) 골 이식은 골 결손부위에 모양에 맞게 위치시켜, 상악동 내로 변위되는 것을 방지해야 한다. 만약 상악의 횡적인 크기가 수술적 확장에 의해 증가했다면, acrylic occlusal splint를 위치시킨 다음, 구개골의 결손 부위에 이식을 시행한다. 치간사이의 골절단선 근처의 치아에 interdental wire를 넣는다.

수직 그리고 전후방적 결핍이 동반되 환자에게 있어 Le Fort I downsliding 골절단술이 고려된다. 이런 환자의 술전 계획에는 수직적 부조화의 교정과 함께 추가적으로 상악의 전방이동이 포함되어야 한다. 이런 증례에서, 골절단부위에 각을 주어 경사진 평면을 만들어서 수직적 증가와 상악이 전방으로 이동하도록 꾀한다. 측모의 두부계측방사선 사진에서 piriform rim과 관골부위의 측면까지의 수평 거리를 측정한다. 이 수치는 골절단선의 하방각도(downward angulation)와 수직적 단계(vertical step)의 위치를 계산하는데 이용된다.

술 후 교정

술 후 첫 방문 때, 교정과 의사는 교합을 평가하고, 적절한 고무견인의 사용을 교육해야 한다. 만약 상악 악궁의 수술적 확장을 시행하였다면, 교정과 의사는 아래와 같이 해야 한다.

1. Sectional wire를 제거하고 continuous archwire로 대치한다.
2. 양쪽 견치 후방까지 모든 치아의 설면에 palatal arch를 적용한다.

처음에는, 교정과 의사가 일반적인 archwire와 고무견인을 적용하고 매 1-2주에 한번씩 환자를 봐야 한다. 이것이 잘 진행되고 있다면, 환자는 4주 동안 이를 유지하며, 이로써 술 후 교정치료를 종결한다.

임상 증례

증례 B.E.

15세 여자 환자로 Class III 부정교합으로 의뢰되었다.

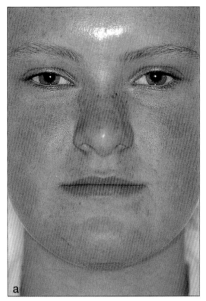
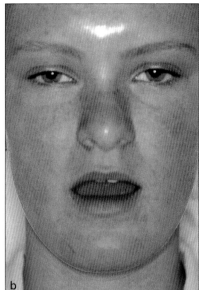
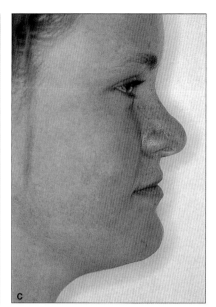
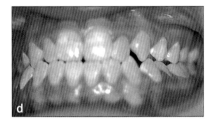

그림 4-44 증례 B. E. 술 전 정면(a), 입술을 떨어뜨린 모습(b), 측모(c), 교합(d)

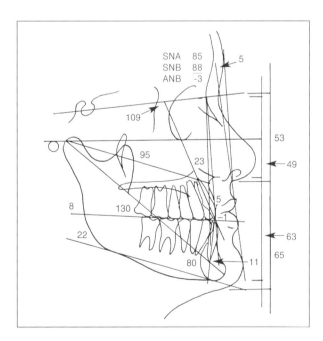

그림 4-45 증례 B.E. 술 전 측두 방사선 규격사진. class III malocclusion; 상악 전후방적 결핍; Class III skeletal relationship : ANB = -3°; 하악 전치의 보상 : mandibular plane에 대한 하악 전치 = 80°, N-B에 대한 하악 전치 = 11° 오목한 얼굴 : facial contour angle = 5°

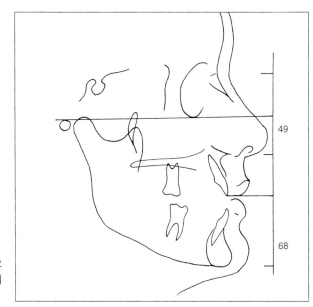

그림 4-46 증례 B.E. 입술이 살짝 떨어질 때까지 하악을 시계방향으로 회전하여 찍은 술 전 Cephalo 사진. 상악 전치와 입술과의 관계에 주목하라. 이 tracing으로부터 상악의 최종 수직적 위치를 결정한다.

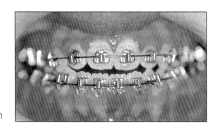

그림 4-47 증례 B.E. Immediate presurgical occlusion

주소

환자의 주소는 전치부 치아로 어떠한 것도 씹을 수 없다는 것과 안모가 너무 편평하다는 것이다.

의학력

특이사항 없음

임상적 검사

1. 연조직

   a. 정면(그림 4-44a, b)

     - 부비동의 편평함(paranasal flattening)

     - 상순 지지의 부족

     - 입술이 서로 떨어졌을 때, 상악 전치가 살짝 보임

     - 커보이는 하악

   b. 측모(그림 4-44c)

     - 오목한 측모

     - 편평해 보이는 상순

     - 강하고 과피개교합되어 보이는 하악

2. 치아(그림 4-44d)

   개교합 경향이 있는 Edge-to-Edge

   Class III 부정교합

   좁은 상악 악궁

   후방부 반대교합 경향

   보상된 하악 전치

3. 골격(그림 4-45, 46)

   상악의 전후방적 결핍

   상악의 수직적 결핍

4. 방사선사진(그림 4-45, 46)

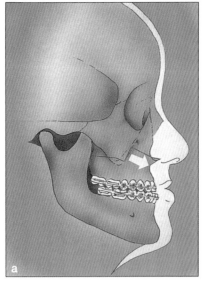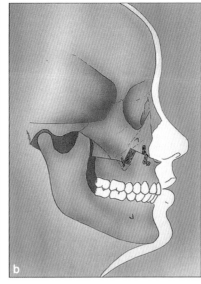

그림 **4-48** 증례 B.E. (a)angled Le Fort I osteotomy. (b)상악이 전방이동됨에 따라 아랫방향으로 이동하고, 수직적 고경도 증가한다.

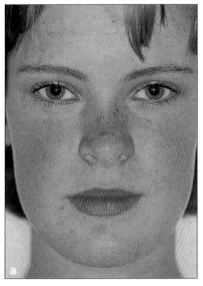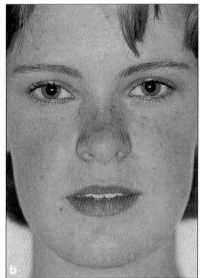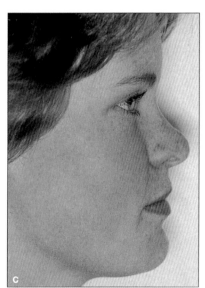

그림 **4-49** 증례 b.E. 수술 후 (a)정면, (b)입술을 벌린 모습, (c)측모, (d)교합

a. 측모 두부계측사진

  - 상악의 수직적 그리고 전후방적 결핍이 있는 Class III 부정교합의 임상검사를 확정지음.

문제점

1. 수직적상악결핍

2. 하악의 전후방결핍

3. 3급 부정교합

4. 전치부개방교합

5. 좁은 상악악궁

술 전 교정

- 상악 악궁(그림 4-47)
  - 악궁의 배열
  - 골격적 제한 안에서 후방치아의 확장
- 하악 악궁(그림 4-47)
  - 전치의 보상제거
  - 악궁간의 조화 확립

수술

Le Fort down sliding을 시행하였다. 골절단은 술 전 계획대로 하였으며, 결과적으로 양쪽의 골이 접촉하면서 전방 이동 및 수직적 고경의 증가가 이루어졌다(그림 4-48).

술 후 교정

술 후 교정은 교합이 이루어졌으며, 유지 단계이다. 수술받기 전 6개월 동안 술 전 교정을, 술 후 4개월에 band를 제거하였다. 그림 4-49는 술 후 7개월 후의 모습이다.

상악의 수직적 과성장

치료를 받고자 하는 환자 중 거의 30%가 안면 하방 1/3의 수직적 증가를 가지고 있다. 우리의 경험상, 상악의 수직적 과성장 환자의 주된 주소는 전치부 개교합과 긴 안모의 기형 특성으로 인한 gummy smile과 기능적 문제이다.

개요(overview)

임상적 특징

측모

- 하안면 고경의 증가로 인한 전체 안모 고경의 증가
- 하악의 하방 그리고 후방 회전

- 증가된 입술간의 거리(4mm 이상)
- 증가된 상악 전치의 노출(몇몇 개교합환자의 경우는 제외)
- 움푹 들어간 협부
- 종종, 잘 발달된, 과도한, 구부러진 하순

정면

- 좁은 alar base width
- 과도한 상악 전치의 노출(몇 몇 개교합 환자의 경우는 제외)
- 증가된 입술간의 거리
- 종종 증가된 하순 vermillion의 노출
- 안모의 하방 1/3부위 고경의 증가
- Gummy smile
- 편평한 협부 경향을 보이는 코주위 부위의 푹 꺼진 모습

치성관계

- 종종, anterior bite
- 치근첨과 코기저부 사이의 거리가 큰 높고 호를 이루는 구개
- V-모양의 상악과 종종 구개부 반대교합 치아
- 보다 직립되어 결과적으로 보다 총생되는 하악 전치

상악의 과도한 수직적 성장으로 인해, 하악은 하방 그리고 후방으로 회전하는 경향이 있다. 그러므로 이런 환자의 경우 종종 전후방적 평면에 문제점이 있다. 장안모의 환자들을 "skeletal Class I rotated to Class II" 혹은 "Class III rotated to Class I"으로 표현한다. 과도한 상악의 수직적 과성장은 하악의 전후방 결핍을 나빠 보이게 하고, 하악의 전후방 과성장이 차라리 나아 보이게 한다. 종종 개교합 환자의 증례에서, 하악 전치로 인해 curve of Spee가 더 강조되어 보인다.

이 환자들의 2/3가 전방부 개교합을 갖고 있는 경향이 있다. 임상가는 몇 몇 분석적 특성들이 이런 환자를 상악의 수직적 과성장과 과 피개교합을 가진 환자로 인식하게끔 한다는 것을 알아야 한다(그림 4-50). 첫째, 과 피개교합 때문에, 안면 하방 1/3부위는 증가하지 않는다. 둘째, 상악 전

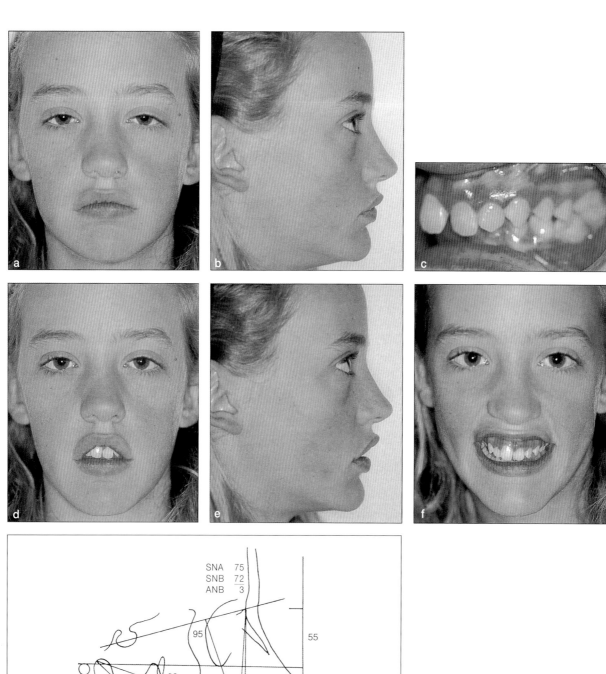

그림 4-50 심한 2급 심피개 교합(c)을 가진 환자의 정모(a)와 측모(b). 상악의 수직 고경은 과피개교합(overclosed bite) 때문에 평가할 수 없다. 수직적 과성장(상순 아래 과도한 치아 노출은 하악이 적절한 절치간 수직 피개로 회전되며 분명해진다(d와 e). Gummy smile에 주목하라. 수직적 과성장(과피개교합에 의해 잘 나타나지 않는)은 두부계측분석(g)에서 잘 볼 수 있다.

치가 상순 하방으로 과도하게 노출된다 ; 하지만, 이런 노출은 하순이 덮는다.

다음 3가지의 주된 특징을 상악의 수직적 과성장 환자의 분석에 고려해야 한다.

1. 증가된 mandibular plane angle
2. 증가된 total anterior facial height
3. 전체 안면고경에 대한 상방 안면고경의 비율이 감소

치료

상악의 수직적 과성장의 치료의 가장 중요한 두 가지는:

1. 절대 미소를 치료하는게 아니다.
2. 안정된 입술을 가지도록 항상 치료 계획을 수립한다.

상악의 수직적 과성장을 가진 성인환자의 치료는 오직 수술뿐이다. 전치부 치아의 교정적 정출이나 구치부 치아의 함입에 의해 개교합을 치료하고자 하는 것은 다음 두 가지 이유 때문에 문제점을 해결할 수 없다:

(1) 거의 항상 다시 개교합 상태로 재발한다. (2) 상악 전치의 정출은 심미적으로 좋지 않다.

술 전 교정

모든 악교정 환자에게 있어, 술 전에 치아를 배열시키고, 이로써 계획된 수술을 촉진하며, 그래서 술 후에 치아를 교합되도록 하는 것이다.

1. 술 전에 하악 악궁을 leveling하는 것이 선호된다(단안모 환자의 접근 방법과는 반대로).
2. 상악의 수직적 과성장과 심한 개교합을 가진 환자는 상악 악궁에 과도한 역 스피만곡을 가진 경우가 많다. 이런 증례에서, 분절 단위로 leveling하는 것과 치간부 골절단을 시행할 수 있도록 치근을 이개시키는 것이 많은 장점을 가진다. 그러므로, 분절 단위로 leveling을 하라. 개교합을 줄이려는 시도는 하지 말아라; 차라리 개교합

을 더 심하게 하라.
3. 유사한 원칙이 좁은 상악을 교정적으로 확장하고자 결정할 때 적용된다. 치아를 기저골을 넘어서까지 확장하면 안된다. 확장된 상악의 재발은 전방부의 개교합으로 나타날 수 있는 경향이 있다. 수술적 확장이 추천되며, 특히 심하게 협착된 상악과 나이든 환자에게서 더욱 추천된다.

교정적 역학

● 하악 악궁
 - 통상적 교정으로 leveling, alignment, 공간폐쇄 그리고 좋은 악궁 형태를 이룬다(치아의 수직적 수평적 치아배열).
 - 증례에 따라, 발치와 Class II 혹은 Class III mechanic이 적용된다.
● 상악 악궁
 - 골절단선으로 고안된 부위 근처의 치아(예, 상악 견치와 소구치사이 혹은 상악 측절치와 견치사이)는 bracket을 부착하여 수술부위로부터 이개되도록 하여서 수술 중 치근에 발생한 위험을 방지한다. 예를 들어, 상악 좌측 견치용 bracket을 우측 견치에 붙인다. 또한 치아총생을 해결하고자 한다면 발치가 고려된다. 수술 후에 이 bracket은 제거하며, 정상적인 치근 경사를 갖도록 수정용 bracket을 부착한다.
 - Sectional nickel-titanium alloy(Nitinol)나 유사한 wire로 leveling을 시행한다. 그런 다음, 각 분절의 악궁형태에 맞도록 sectional finishing archwire를 구부려 적용하여 안정화를 꾀한다.
 - 발치 공간은 수술적으로 각 분절을 근접시켜 폐쇄할 수 있다.
 - 만약 분절간의 수직적 부조화가 없다면, continuous archwire로 leveling을 시행하며, 상악 전치부가 앞쪽으로 leveling되지 않도록 주의해야 한다; 저녁에는 헤드기어(headgear) 사용이 필요할 수 있다. 연구 모델(study cast)로 상악과 하악 악궁 조화를 꾀할 수 있다.

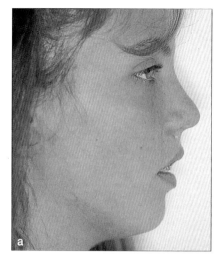

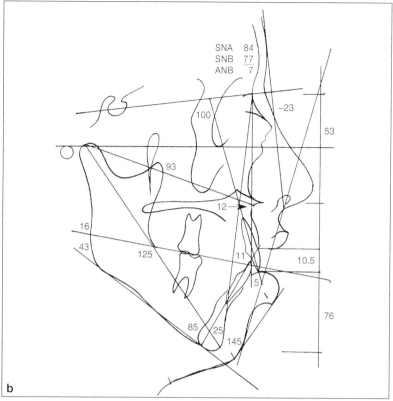

SNA 84
SNB 77
ANB 7

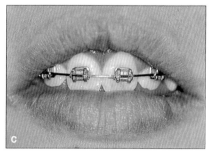

그림 4-51 (a)측모와 (b) 세팔로 tracing에서 입술간 거리가 10mm이다. 이것은 상악의 상방 재위치가 필요하다. 단지 이 사진들만 본다면, 최소한 6mm의 상방 재위치가 필요하다. (c)에서 강조된 규피드궁 때문에, 상순하방으로 상악 중절치의 전면이 보이는 반면, 측절치는 덜 보인다. 만약, 상악 중절치의 노출량으로만 상악의 상방 재위치의 양을 결정한다면, 과도하게 상악을 상방으로 위치시킨 것이며, 결과적으로 상순 하방에 상악 절치의 끝만 보이게 될 것이다.

- Palatal bar나 high-pull headgear와 같은 구치부 압하의 역학은 피해야만 한다.
- 하악 구치부는 직립시켜 개교합을 촉진시킨다. 이것은 수직적 문제점을 강조하고 재발 경향을 줄인다.

수술

수직적 부조화를 교정하기 위해서, 상악을 Le Fort I osteotomy를 통해 상방으로 재위치시켜야 한다. 2가지 중요한 요소가 최종 치료 계획에 고려되어야 한다.

1. 상악을 얼마나 상방 재위치시켜야 하나?
2. 상악의 수직적으로 재위치시킨 후에, 하악을 어느 곳에 위치시켜야 하나?

상방재위치의 양(superior repositoning) 상방 재위치의 양은 매우 중요한데, 이것은 상악이 너무 많이 상방으로 이동하면 수직적 과성장이 치료되지 않았을 때보다 더 비심미적인 안모가 될 것이다. 상악의 상방 재위치시에는 다음과 같이 고려해야 한다.

1. 짧은 상순을 가진 환자는 긴 상순을 가진 환자에 비해 치아가 많이 보인다.
2. 젊은 환자가 나이 든 환자에 비해 상악의 상방 이동에 대해 잘 견딘다(심미적으로나 심리적으로).
3. 상순 하방에 상악 전치의 임상적 치관의 30%-40%의 노출은 심미적으로 만족스럽다.
4. 상악을 상방 재위치시키면, 상순이 짧아진다.
5. 일반적으로, 술 후 4mm정도 치아가 노출되도록 계획하라.
6. 입술이 맞닿도록 상악을 거상해서는 안된다. 소량의 mm정도의 입술사이의 간격은 받아들여질 수 있고, 많은 증례에서 더 매력적이다.
7. 조절되지 않을 정도의 상당히 큰 이동은 코의 기저부의 확장과 코끝이 들어올려지는 결과를 가져온다. 이 두 효과를 조절하도록 수술 계획과 수술 기법이 고려되어야 한다.
8. 상악의 너무 많은 상방 이동은 좋지 않은 심미적 결과를 가져오며, 이와 동시에 상악의 후방 이동은 보다 더 나쁜 결과를 가져올 것이다.

하악의 전후방적 위치 하악은 과두를 기준으로 시계반대 방향으로 자동회전할 것이다. 결과적으로, 하악 전치는 전방으로 회전된다(작은 각의 증례보다는 큰 각의 증례에서 더욱더 그러하다). 상악의 상방 재위치의 양이 결정되었을 때, 하악 전치의 전후방적 위치를 고려해야만 한다. Class I 부정교합을 이루기 위해 상악을 약간 전방이동시킬 필요도 있다. 만약 하악이 전후방적으로 결핍되었다면, Class I 부정교합을 이루기 위해 상악의 후방이동이 필요할 수도 있다; 하지만 하악의 전방이동이 더 선호된다. 좋은 교합을 위한 양악수술의 필요성이 심미적인 면에서 one-jaw에 국한된 수술의 필요성보다 보다 더 잘 받아들여 진다. Class III 증례에서, 하악의 자동회전으로 인해 Class III dental relationship이 보다 더 악화될 수 있으며, 상악의 전방이동이나 하악의 후방이동이 필요할 수도 있다.

중요한 수술적 고려 상악의 상방 재위치의 양이 매우 중요하다. 수술동안에 상악이 술 전에 계획한 대로 이동하는지 등에 많은 주의를 기울여야 한다. 이때 Intermediate splint가 도움이 된다.

또한 과두의 위치가 매우 중요하다. 과두가 상악 후방부의 작은 골격적 방해에 의해 변위될 수 있다. 악간고정을 한 상태에서, 과두의 이러한 변위는 술 후, 또는 악간고정을 제거 후 6주 동안 발견되지 않을 수 있다. 견고한 내부 고정을 상태에서, 하악 과두의 잘못된 위치는 술 중에 악간고정을 제거하면 발견할 수 있다. 그러면 소강판(bone plate)을 제거하고 후방부위의 간섭을 제거해야 한다(5장의 Le Fort I 골절단술 시행 시술 중 condylar sag의 진단 부분을 보라).

종종 수술적으로 구개부의 parasagittal osteotomy를 통한 상악 후방부의 확장이 필요할 수도 있다. 이때의 골 결손부를 골이식이나 HA block를 이용해 이식할 수 있으며, palatal bar를 가진 splint로 각 분절을 안정화시킬 수 있다. 이식은 3mm 이상의 확장 시 사용되어야 한다.

Piriform rim은 코의 연조직에 맞추어 모양을 형성하여야 한다.

상악의 상방 재위치 동안에 비중격의 뒤틀림(warping)을 방지하기 위해 골성, 연골성 비중격을 비율적으로 짧게 해야 한다. 비중격을 중앙에 위치시키기 위해, nasal spine에 구멍을 뚫고 그 부위를 통해 nasal spine의 기저부에 중격의 연골을 붙이는 septum suture가 사용된다.

봉합은 꼼꼼해야 한다. Cinch suture로 코의 기저간 거리를 조절할 수 있고, V-Y closure를 통해 입술의 길이를 창출하거나 상순의 길이를 조절할 수 있다. 구순주위근육을 다시 봉합하고, 그런 다음 주의 깊게 점막을 봉합한다. 봉합하는 동안 연조직의 정중선을 유지해야 한다.

술 후 교정

술 중에 splint를 사용하였다면, 교정과 의사는 splint 제거 후 바로 환자를 봐야 한다. Stabilizing archwire를 제거하고, working archwire로 대치하며, 약간 수직적 혹은 Class II elastic을 건다.

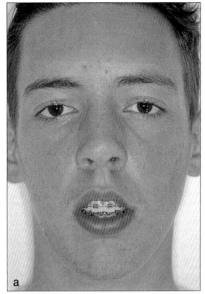
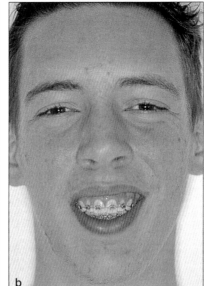
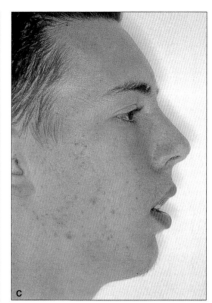

그림 4-52 증례 J.S. 술 전 (a)정면, (b)웃는 모습, (c)측면, (d)교합

수술적 확장 후, 가장 중요하고, 가장 모험적인 술 후 교정치료의 한 부분은 구개의 횡적 수치를 유지하는 것이다. 확장된 치아치조 분절은 교정이 끝나는 동안에도 확장된 그 위치에 유지되어야 한다. 이것은 working wire를 따라 headgear tube에 auxillary wire를 넣거나 transpalatal arch(이것이 더 임상적으로 선호된다)를 적용한다. 치아치조 분절은 술 후 4-6개월이 지나야 안정화된다. 일반적으로, 장안모 환자의 술 후 교정은 빠른데, 그 이유는 악궁이 술 전이나 술 중에 leveling이 되기 때문이다.

임상 증례

증례 J.S.

16세 환자의 어머니는 본 저자에게 10년 전 상악의 수직적 과성장과 하악의 결핍으로 이를 교정하기 위해 치료 받은 적이 있다. 환자는 이와 같은 이유로 악교정 수술을 위해 의뢰되었다.

주소

환자는 gummy smile과 힘을 주지 않고는 입술을 다물지 못하는 것이 싫었다.

의학력

특이 사항 없음

임상 검사

1. 연조직

   a. 정면(그림 4-52a, 4-52b)

    - Gummy smile

    - 증가된 입술간의 거리

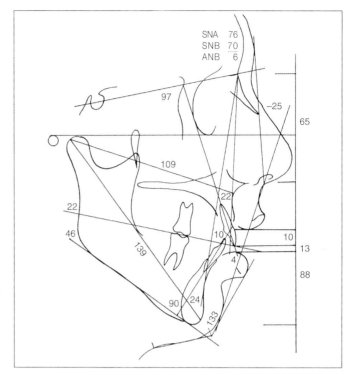

그림 4-53 증례 J.S. 술 전 Cephalo 분석. 상악의 수직적 과성장 : interlabial gap = 13mm, 상악 전치의 노출량 = 10mm, 하방 1/3 안모에 대한 중앙 1/3 의 비율 = 65:88;볼록한 측모 : facial contour angel = -25;정상 상악과 하악 길이의 관계 : 109:139mm.

- 상순 하방으로의 과도한 상악 전치의 노출
- 안면 하방 1/3의 증가된 고경
- 증가된 하순의 vermillion exposure
b. 측면(그림 4-52c)
- 볼록한 안모
- 결핍된 턱
- 돌출된 하순
- 증가된 안면의 하방 1/3의 고경
- 증가된 치아 노출
- 증가된 입술간의 거리
2. 치아(그림 4-52d)
　Class II malocclusion
　제 1소구치의 결손
3. 골격
　상악수직적 과성장
　시계방향으로 회전되고 상대적으로 결핍된 하악
　소이증, 소하악증
4. 방사선사진

a. 파노라마
　- 제 1소구치의 결손
b. 측모 두부규격방사선사진(그림 4-53)
　- 임상 검사의 확정

문제목록
1. 상악수직적 과성장
2. 소하악증
3. Class II malocclusion

술 전 교정
술 전 교정은 최종 의뢰할 당시 완료되었다.

수술
- Le Fort I osteotomy를 이용한 상악의 상방 재위치(그림 4-54)
- Class I dental relationship으로의 하악의 반시계방향으로의 자동회전(그림 4-54)
- 전진이부성형술(그림 4-54)

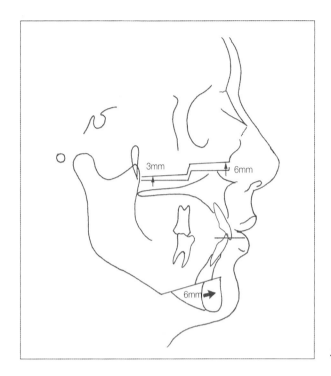

그림 4-54 증례 J.S. 수술의 Cephalo VTO

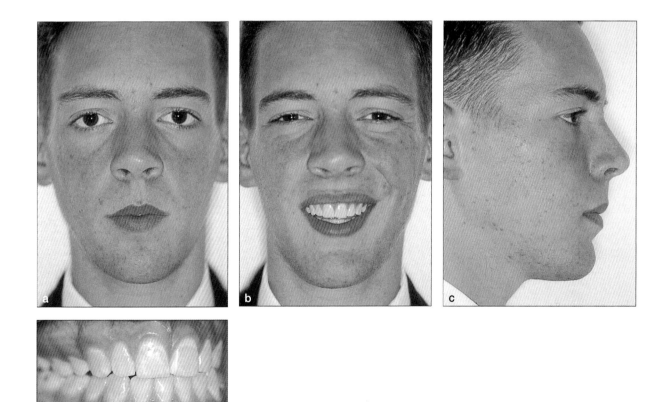

그림 4-55 증례 J. S. 술 후 정면(a), 웃는 모습(b), 측면(c), 그리고 교합(d)

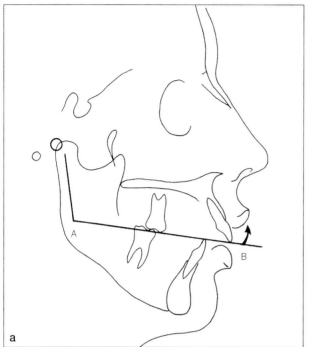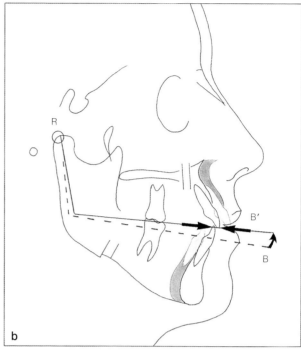

그림 4-56 (a)상악의 수직적 과성장, 전후방적 과성장, 하악의 전후방적 결손이 있는 환자의 측안모두부규격방사선사진. 술 전 교합평면은 A-B 이다. (b)상악이 상방으로 재위치되고, 하악은 R을 중심으로 자동회전되었다. 하악의 자동회전에 의해 교합평면이 A-B에서 A'-B'로 변하였다. 하악이 전방이동하고 상악의 전방분절이 이 평면을 따라 후방이동하였다.

술 후 교정

술 후 교정은 치아의 교합(interdigitation)과 유지를 포함한다. 좋은 술 후 결과가 4-55에 있다.

상-하악 복합체의 회전

대부분의 치성안면 기형은 일반적인 치료계획을 이용해서도 성공적으로 치료될 수 있다. 전통적인 치료계획에서는 교합평면의 변화는 종종 상악의 수직적인 위치의 조정과 하악의 자동회전의 결과를 가져온다(그림 4-56a). 이러한 하악의 교합평면의 변화는 과두부 또는 바로 후방주위에서 일어난다. 이러한 경우에서 교합접촉을 갖기 위해서는 상악은 새로운 교합평면에 맞게 배열되어야 하며, 이것은 하악의 자동회전의 양에 의해 결정된다. 따라서 이러한 위치들은

하악의 교합평면의 전후방적인 경사를 통해 예측할 수 있다. 상악과 하악의 어떠한 전후방적인 재위치도 이 새로운 교합평면을 따라 이루어져야 한다(그림 4-56b).

하악의 어떠한 시계방향의 회전이라도 과두를 벗어나 일어난다면 술 후 안정에 해를 줄 것이다(그림 4-57a, b). 상악의 후방을 상방 위치시킨 후 하악을 자동회전(autorotation) 한다면 더 좋은 안정을 얻을 수 있을 것이다(과두에서의 회전) (그림 4-57c).

낮은 하악평면과 심피개교합을 보이는 class II 환자에 있어서 좋은 심미결과를 얻는 것은 어려우며 교합평면은 조심스럽게 변해야 한다. 이러한 수술계획은 다른 치성안면 기형을 성공적으로 치료하는데 사용되어졌다. 임상가는 임의적으로 교합평면의 각도를 결정해서는 안된다; 이러한 결정은 전통적인 치료계획으로는 바라는 결과를 얻을 수 없을 경우에 이루어져야 한다.

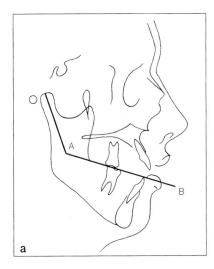 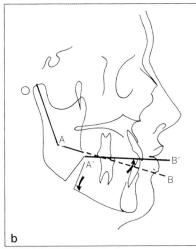 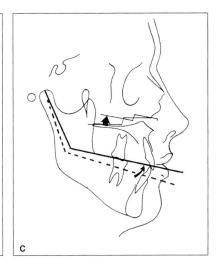

그림 4-57 (a)전방부 개교합이 있는 환자의 측안모 두부규격 방사선사진 분석. 상순에 대한 상악 절치의 관계는 적합하다. 상악과 하악의 교합평면(A-B)이 다르다. (b)하악의 수술을 통해 개교합을 해소하였다.(A '-B') 교합평면이 A-B에서 A'-B'로 시계방향으로 회전하였다.(수술부위를 중심으로) 안정성은 의심스럽다. (c)상악의 후방 부위를 상방으로 재위치시키고 하악을 자동회전시켜서 개교합을 해소하였다(과두를 중심으로 회전). 술 전 교합평면은 점선으로, 술 후 교합 평면은 실선으로 나와 있다.

이러한 교합평면 각의 변화는 심미와 기능적인 치료결과를 강화시켜주는 상하악 복합체의 회전이라 정의되는 것이 좋을 것이다. 이러한 회전들은 미리 정해둔 지점 주위에서 시계방향 또는 반시계방향으로 일어나야하며 교합평면을 변화시킬 것이다. 교합평면각을 정상범위로 맞추려는 노력은 무의미하다.

교합평면의 조작 : 기하학과 계획

악골을 수술을 통해 재위치시키는 것은 기하학적으로 복잡한 구조물의 3차원적인 이동을 포함한다. 술 전의 임상검사와 연구모형, 방사선사진에서 얻어진 진단정보는 적합한 수술계획을 세우기 위해 주의 깊게 통합되어야 한다.

교합평면의 변화는 통상적인 치료계획으로는 만족할만한 결과를 얻을 수 없을 경우에만 고려되어야 한다. 상하악 복합체가 회전하거나 또는 교합평면이 변화되는 지점을 고르지 않고 단순히 새로운 교합평면을 고르거나 또는 위치시키는 것은 매우 어려운 일이다. 상하악 복합체를 미리 지정한 지점에서 회전을 시키는 것이 수술 계획 시나 수술 시에 더 정확하고 쉽다.

상하악 복합체의 회전의 기하학은 후비극(posterior nasal spine (PNS)), 전비극(anterior nasal spine(ANS)), pogonion(Pog)를 잇는 삼각형에서 가장 잘 표현될 수 있다 (그림 4-58). 삼각형의 후방부위 또는 ANS의 하방부위 어느 곳에서나 회전점을 잡을 수 있다. 회전점이나 방향은 개개 환자의 심미적 요구에 따라 다를 수 있다. 상하악 복합체의 시계방향 도는 반시계방향의 회전을 통해 상반되는 심미적 결과를 얻을 수 있다. 추가적으로 그 효과는 ANS와 PNS사이에서 전후방으로 이동하거나 ANS와 Pog 사이에서 상하방으로 이동함으로써 강조될 수 있다. 이상적인 상악 전치의 위치, 코 주변의 해부학적 구조, 턱의 돌출 정도가 회전점을 잡는데 도움을 줄 수 있다.

상악회전의 정확한 지점은 일차적으로 환자의 심미적 요구에 따라 잡을 수 있다. 환자가 좀 더 상순과 코주변의 지지를 원한다면(그리고 턱의 후방이동을 원하지 않는다면), 상악 중절치의 끝부분이 회전 중심이 될 것이다. 상악의 전방이동이 바람직하지 않고 턱부위의 후방이동이 계획되어진다면, ANS의 상방부위에 회전점이 위치할 것이다. 각각

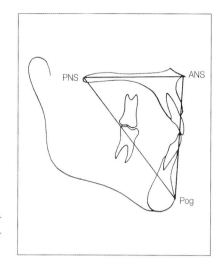

그림 4-58 PNS와 ANS, Pog를 포함하는 삼각형은 상하악 복합체의 회전을 계획하는 데 사용된다.

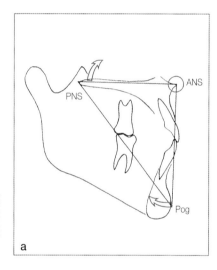

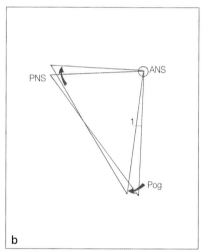

그림 4-59 (a)ANS중심으로 시계방향으로의 회전, (b)상악의 후방부는 상방위치되면서 전방부의 수직적 길이는 유지된다. 상악 절치(1)와 pogonion은 후방으로 회전된다.

의 다른 회전점과 회전 방향에 따른 안모의 변화는 다음 장에서 서술될 것이다.

전비극(anterior nasal spine. ANS) 전방에서의 회전점
시계방향의 회전

후비극(PNS)의 상방 이동은 전비극(ANS)에서의 시계방향의 회전을 가져오고 다음과 같은 변화를 가져올 것이다 (그림 4-59).

1. 교합평면 각의 증가
2. 상악 중절치 끝부분의 후방 이동
3. 상악 전치 각도의 감소
4. 이부 돌출의 감소
5. 하악 평면각의 증가
6. 하악 중절치각의 증가

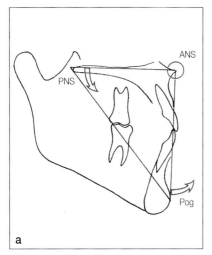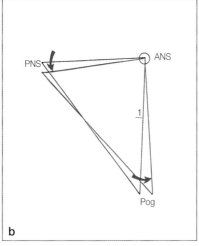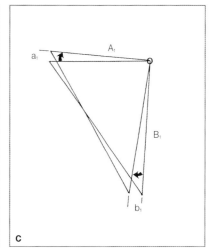

그림 4-60 (a)ANS 중심으로 삼각형이 반시계방향 회전을 한다. (b)상악의 후방부는 하방으로 재위치된다. pogonion과 상악 절치는 (1) 전방과 약간 상방으로 회전된다.

그림 4-61 ANS에 회전중심이 위치한다. a=상악후방부 상방이동; b=후방회전(pogonion의 위치변화); A=상악길이 B=하안면부 길이

반시계방향 회전

후비극(PNS)에서의 하방이동은 전비극(ANS)에서의 반시계방향의 회전을 가져오고, 다음과 같은 변화를 가져올 것이다(그림 4-60).

1. 교합평면각의 감소
2. 하악평면각의 감소
3. 하악 전치부각의 감소
4. 턱부위의 돌출 증가
5. 상악 전치부각의 감소
6. 상악 전치의 경미한 전방 이동

Pog의 전후방적인 이동은 상악의 후방부위의 상하 이동보다 크다. 이는 하안면부의 고경이 (ANS에서 Pog) 상악의 전후방적인 길이보다 크기 때문이다(ANS에서 PNS)(그림 4-61). 이동의 비율은 다음과 같이 표현될 수 있다.

$$\frac{a_1}{b_1} = \frac{A_1}{B_1}$$

전비극(anterior nasal spine. ANS) 후방에서의 회전점

시계방향 회전

시계방향회전에 의한 다음과 같은 효과들은 회전점을 더 후방에 둠으로써 더 커질 수 있다(그림 4-62).

1. 교합평면각의 증가
2. 하악평면각의 증가
3. 하악 절치각의 증가
4. 하안모 고경의 증가
5. 하악절치각의 증가
6. 상악절치각의 감소
7. 턱부위의 돌출의 감소

반시계방향 회전

반시계방향 회전에 따른 다음과 같은 효과들은 회전점을 더 후방에 둠으로써 더 커질 수 있다(그림 4-63).

1. 교합평면각의 감소
2. 하악평면각의 감소

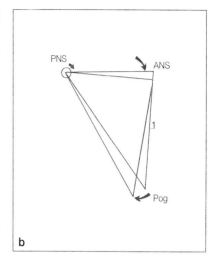

그림 4-62 (a)PNS중심으로 삼각형이 회전한다 (b)상악전방부는 하방이동, 절치부(1)는 후방으로 이동하고 수직적으로 약간 증가하며, pog는 후하방으로 회전

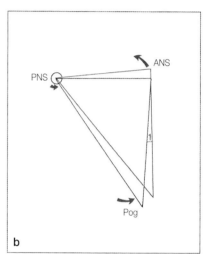

그림 4-63 (a)삼각형이 PNS를 중심으로 반시계방향 회전을 한다. (b)상악전치부는 상방이동하는 반면 Pog와 상악절치(1)는 전방이동한다.

3. 상악절치부 노출의 감소

4. 전하안모 고경의 감소

5. 하악절치부각의 감소

6. 턱부위 돌출의 증가

7. 상악 절치부각의 증가

전비극(Anterior nasal spine. ANS) 하방부위에서의 회전점

시계방향 회전

상악 후방부위의 상방이동은 ANS하방부위에서의 회전

을 일으키고, 다음과 같은 결과를 가져온다(그림 4-64).

1. 교합평면각의 증가

2. ANS에서 상악의 전방이동

3. 상악 절치각의 감소(ANS가 회전점일 때보다는 덜 감소한다.)

4. Pog의 후방 이동(ANS가 회전점일 때보다 덜하다).

이동의 비율은 다음과 같다(그림 4-65).

$$\frac{b_2}{c_2} = \frac{B_2}{C_2}$$

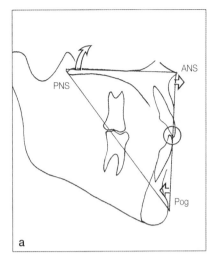 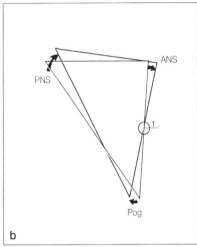 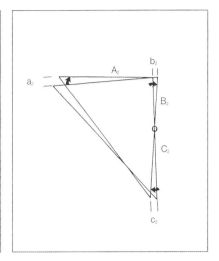

그림 4-64 (a)상악절치부 끝을 중심으로 상하악 복합체의 회전 ANS 하방을 중심으로 반시계방향의 회전은 적응이 되지 않는다. (b)상악절 치끝(1)을 중심으로 시계방향의 회전은 다음과 같은 효과를 갖는다 : ANS 전진, Pog 후방이동, PNS 상방이동. 절치는 약간 직립된다.

그림 4-65 ANS(b)전방이동과 Pog(c)의 후방이동의 비율은 ANS에서 상악절치끝까지의 거리와(B) 절치끝에서 Pog(C)까지와의 거리의 비와 같다. A는 상악의 길이를, a는 상악후방부의 상방이동량을 나타낸다.

B는 ANS에서 상악 절치 끝부분까지의 거리이고, C는 상악 절치 끝부분에서 Pog까지의 거리이다.

반시계방향 회전

반시계방향의 회전은 상악의 후방이동을 일으키며 거의 적응증이 되지 않고, 기술적으로 어려우며, 추천되지 않는다.

상하악 복합체 회전의 적응증

그림 4-66a의 3급부정교합 환자의 두부규격사진 분석상에서 상하악 복합체의 회전의 적응을 보이고 있다. 문제는 상악의 수직적 과성장과 하악의 전후방적 과성장으로 특징지어질 수 있다.

첫 번째로, 예상분석은 통상적인 방법에 의한 심미적 효과를 평가하기 위해 시행되었으며, 상악을 상방위치시키고 하악은 이에 따라 자동회전되며 부수적으로 하악은 후방이동된다. 따라서 교합평면의 경사는 자동회전 후의 하악치열궁의 경사에 의해 조절된다. 예상분석은 이상적인 심미의 결과를 얻을 수 있는지 검사되어진다. 하안모가 여전히 너무 돌출되어 있다(facial contour angle 이 -5도를 나타낸다)(그림 4-66b). 그러나 상악의 후방부를 상방 위치시킴으로써 하안모 전체(상항악 복합체)를 전비극(anterior nasal spine)을 중심으로 시계방향으로 회전시킬 수 있다(그림 4-66c). 이 변형된 수술평면을 통해 술자는 보다 더 이상적인 심미를 얻을 수 있고 두 번째 예상분석에 나와 있다(그림 4-66b와 4-66c를 비교해 보시오). -11도의 facial contour angle을 얻을 수 있다.

심미적 목적에 부가적으로 해부학적 고려 또한 회전점과 교합 경사의 변화를 고르는데 영향을 준다. 전비극(nasal spine) 후방에서의 과도한 상방이동은(5-6mm 이상) 비기도(nasal airway)에 악영향을 줄 수 있다. 따라서 적응증이

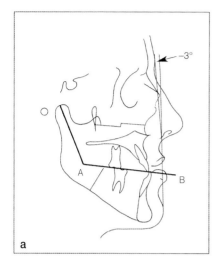
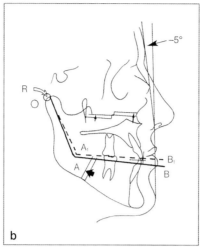
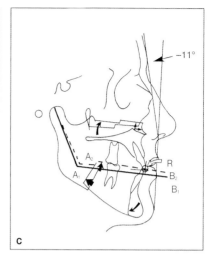

그림 4-66 (a)상악의 수직적 과성장과 하악의 전후방 과잉이 있는 환자의 측방두부규격사진 분석. 교합평면(A-B) facial contour angle은 -3도이다. (b)환자의 예상 분석. 상악이 상방이동되고 하악의 과두(R)를 중심으로한 회전에 의해 새로운 교합평면이(A1-B1) 형성된다. 하악이 이평면에 따라 후방이동된다. Facial contour angle이 -5도임에 주목하라. 턱의 돌출이 여전히 심하다. (c)환자의 수술예상 분석. 하악의 자동회전(A1-B1) 후에, 교합평면은 상악구치부에서 좀더 상방으로 위치한다. 회전중심은(R) 전비극(ANS)에 위치한다. 턱부위의 후방이동으로 인해 좀더 심미적인 facial contour angle(-11도)를 얻을 수 있다.

된다면 상악의 치아치조 부위를 경구개에서 분리하기 위해 말발굽 형태의 Le-fort I 골절단술을 시행할 필요가 있으며 이를 통해 비중격에 붙어있을 수 있게 한다. 따라서 비기도의 수직 고경은 유지되며, 치아지조골편은 자유스럽게 재위치시킬 수 있다.

과도한 교합평면각의 변화는 하악의 전방이동시의 과두유도와 교두각간의 균형에 영향을 줄 수 있다. 그러나 상호관계와 변화에 의한 발생 가능한 효과에 대해서는 좀 더 연구가 필요하다.

하악의 원심골편의 시계방향 회전은 하악지의 내측의 수평 골절단시 방해를 일으킬 수 있다. 이 단계에서 골편의 자유스러운 이동을 위해 모양형성이 필요하다(그림 4-67a). 골편의 전방 모서리 또한 골형성이 필요하다(그림 4-67b). 상하악 복합체 회전의 두부규격사진 분석법은 3장에 서술되어 있다.

Nasal spine 후방부에서의 상하악복합체의 시계방향 회전은 전안모 고경의 증가를 가져온다. 그림 4-68과 4-69의 증례 E.H의 경우 상하악 복합체가 협골지지대(zygomatic butress)를 중심으로 시계방향으로 회전되었다. 그림 4-68b에서는 통상적인 방법에 의해 예상된 연조직의 결과가 나타나 있다-편평한 이순곡선(labiomental curve)을 보인다. 상하악 복합체의 회전 후에 예상되는 연조직의 변화는 4-68c에 나타나 있다.

증례 B.T에서는 상악 절치의 끝부위를 중심으로 상하악 복합체를 회전하였으며, 그림 4-70에서 4-73까지 나타나 있다. 환자가 소아시기에 상악 제일 소구치를 발치함으로써 치료가 복잡해졌다.

증례 G.M에서는 전비극(anterior nasal spine)을 중심으로 상하악 복합체를 회전시켰다(그림 4-74에서 4-78).

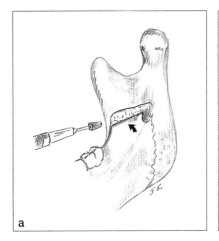

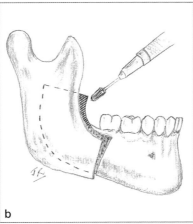

그림 4-67 (a)원심골편의 후방면이 후방으로 회전되기 전에, 근심골편의 하악지 골절단선의 수평선의 상방부위는 반드시 제거되어져야 한다. 만약 이곳에서 골의 간섭이 존재한다면, 견고고정 시에 골편들이 같이 힘을 받게 되고 과두는 측방으로 이동될 것이다. (b) 시계방향 회전 후에 원심골편의 수직부분은 돌출되고 다듬어져야 한다.

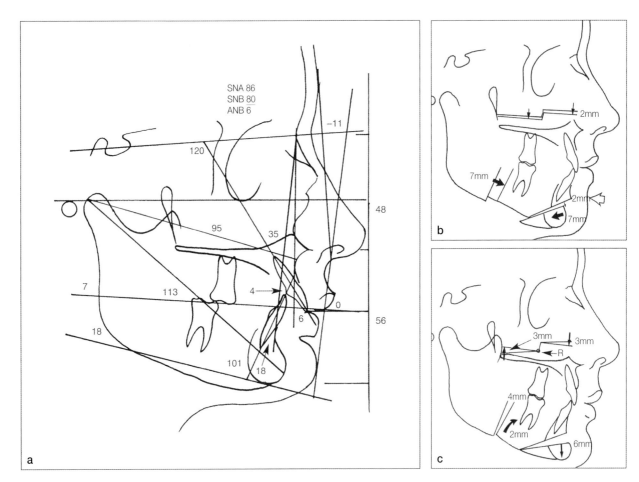

그림 4-68 증례 E.H (a)술 전 두부규격 방사선사진 분석 (b)외과적 계획 (c)상하악 복합체가 zygomatic butress(R)를 중심으로 시계방향으로 회전한다. (b)와 (c)의 측안모가 다른 것에 주목하라.

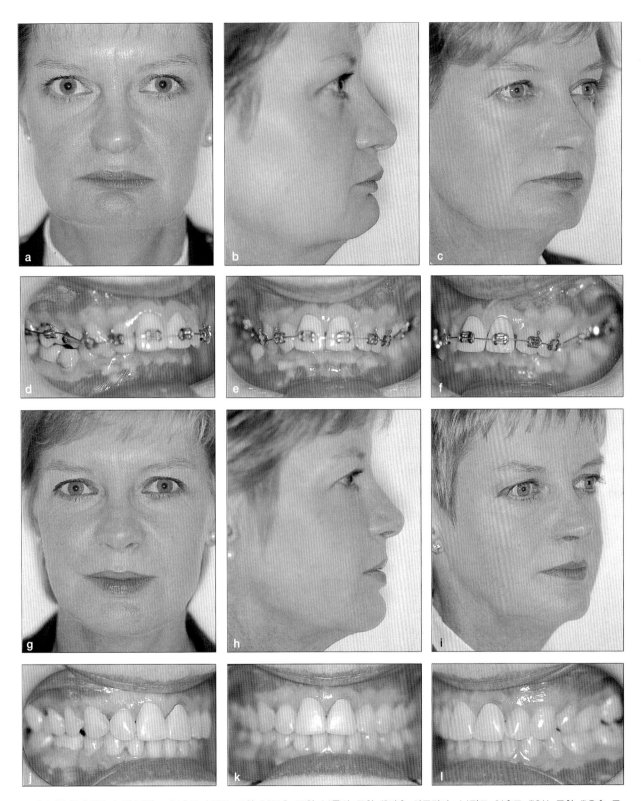

그림 4-69 증례 E.H 술 전 (a)정모; (b)측모; (c)3/4; 교합, (d)우측; 교합, (e)중심; 교합, (f)좌측. 치료결과 : (g)정모; (h)측모; (i)3/4; 교합, (j)우측; 교합, (k)중심; 교합, (l)좌측

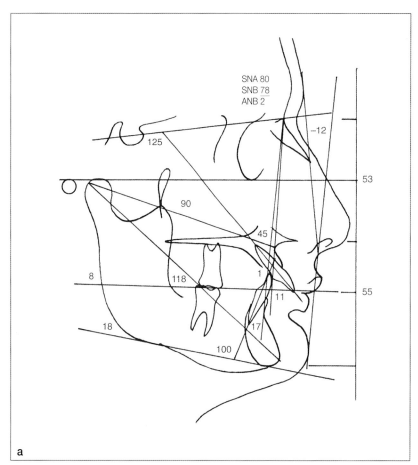

SNA 80
SNB 78
ANB 2

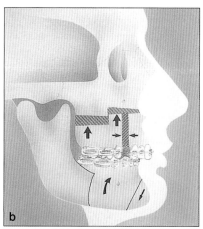

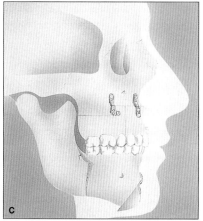

그림 4-70 증례 B.T 술 전 (a)두부규격방사선사진 분석, (b,c)수술계획. 발치와가 수술에 의해 폐쇄됨에 주목하라.

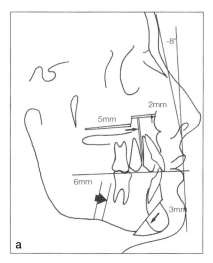

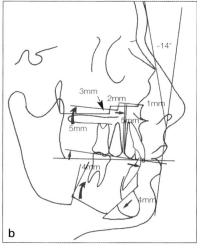

그림 4-71 증례 B.T (a)통상적인 치료계획에 따른 수술 예상. 턱의 돌출이 현저함에 주목하라(facial contour angle -8도) 턱을 좀더 삭제함으로써 labiomental curve를 줄일 수 있다. (b)절치 끝을 중심으로 상하악 복합체가 시계방향으로 회전하고, 좀더 볼록한 측모를 갖는다.

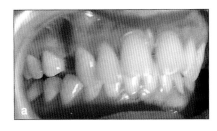 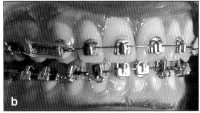 

그림 4-72 증례 B.T (a)치료 전 교합, (b)술 전 교합, (c)치료 후 교합

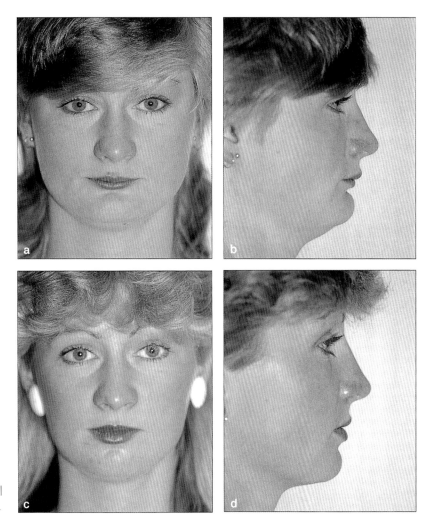

그림 4-73 증례 B.T (a)치료 전 정모, (b)치료 전 측모, (c)치료 후 정모, (d)치료 후 측모

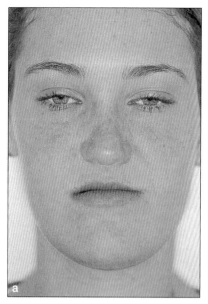
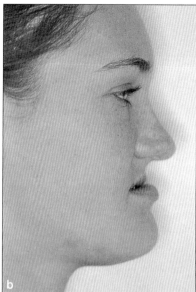
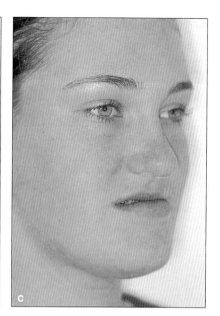
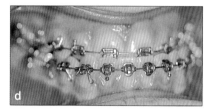

그림 4-74 증례 G.M 술 전 (a)정모, (b)측모, (c)3/4, (d)교합

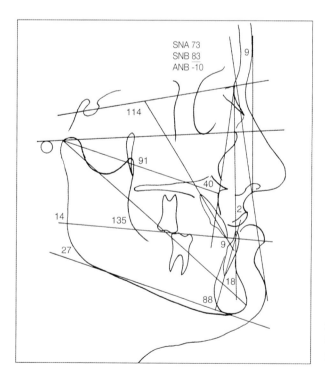

그림 4-75 증례 G.M 수술 전 두부규격방사선사진 분석. 상악 전후방 결손 : SNA=73도; 하악 전후방 과잉 : SNB=83도; Class Ⅲ 골격관계 : ANB=-10도; 오목한 측모 : facial contour angle=9도

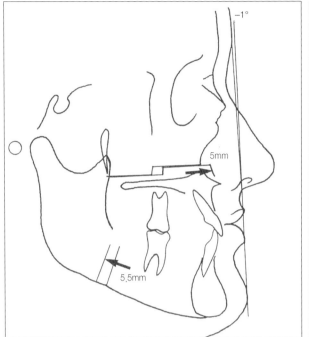

그림 4-76 증례 G.M 수술 전 VTO 통상적인 치료계획으로는 심미적인 측모를 얻을 수 없다. Facial contour 여전히 오목하다(facial contour angle = -1도)

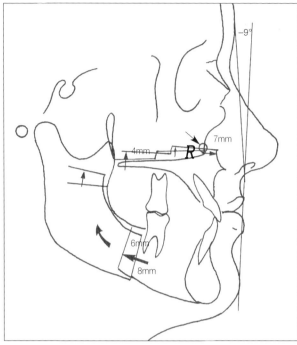

그림 4-77 증례 G.M R을 중심으로 상하악 복합체가 시계방향으로 회전하면 좀더 많은 하악의 후퇴를 얻을 수 있고, 좀 더 좋은 -9도의 facial contour angle을 얻을 수 있다.

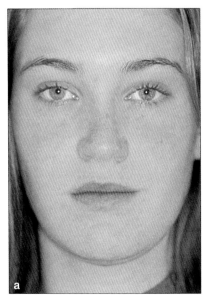
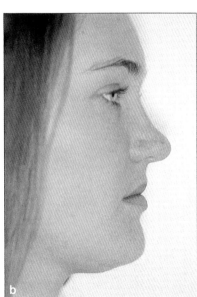
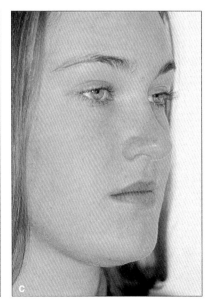

그림 4-78 증례 G.M 치료 후 (a)정모, (b)측모, (c)3/4, (d)교합

개교합증

자료상에서 치성안모기형이 있어 치료를 받은 환자 중 삼분의 일은 상악의 수직적 과성장을 갖는다. 그들의 주소는 종종 gummy smile과 전방부 개교합이며 특징적으로 장안모를 보인다. 상악의 과성장을 갖는 환자들의 60%정도는 개교합을 보이거나 또는 개교합의 경향을 갖고 있다. 수직적 문제의 주된 요소는 상악골 후방부의 과성장에 따른 하악의 후방, 하방으로의 회전이다. 따라서 우리는 종종 전후방적인 문제 없이 수직적인 안모고경이 증가한 환자를 종종 볼 수 있다. 장안모를 보이는 환자는 골격적으로는 class II로 회전된 골격적 class I 또는 class I으로 회전된 골격적 class III로 서술될 수 있다. 상악의 수직적 과성장에 의해 하악이 전후방으로 과성장된 것이 저성장된 것보다 낫다.

장안모를 보이며 개교합을 갖는 환자들은 혀내밀기로 특징지어지며, 이는 연하 시에 혀끝을 전방부에 위치시키기 때문이다. 그러나 대부분의 사람들은 연하 시에 치아가 떨어지면서 혀를 전방부에 위치시킨다. 이러한 혀의 위치는 종종 개교합에 따른 생리적인 적응 현상이며 개교합의 원인은 아니다. 혀의 크기가 아마도 개교합을 일으키는 더 큰 원인일 것이다.

장안모와 개교합을 갖는 환자들은 다음과 같은 임상적 특징을 갖는다.

1. 특히 하방 ⅓ 에서 전안모 고경의 증가
2. Interlabgial gap 의 증가(〉4mm)
3. Gummy smile. 상악의 수직적 과성장에 대한 평가를 미소에 기초를 두어서는 안된다.
4. 개교합. 상악의 과성장을 보이는 환자의 ⅔ 는 개교합을 보인다. 나머지는 정상 또는 과피개 교합을 보인다.
5. Class II 부정교합 양상을 보인다. 하악의 후방, 하방 회전은 하악의 전후방적인 위치에 영향을 준다.
6. 상악 전치부 보다 하악 전치부에서 치아총생을 보이는 경향이 있다.
7. 상악궁의 협착을 보인다.

두부규격방사선사진 상에서는 다음과 같은 특징을 보인다.

1. 구개평면의 회전. 상악 후방부의 수직고경이 대개 증가되어 있다.
2. 상악 후방부위의 치아치조 고경의 과도
3. 하악의 후하방 회전과 하악평면각의 증가
4. 하악의 회전을 보상하기 위한 상하악 치아치조 부위의 고경 증가

Class I open bite

임상적 특징

1. 상악의 수직적 고경의 증가-후방보다 전방이 더 심하다.
2. 하악의 시계방향으로의 회전
3. 입술사이 간격의 증가
4. 때로는 상순하방으로 상악전치부의 노출이 증가한다.
5. 종종 상악의 횡적 결손을 보인다.
6. 아마도 class I으로 회전된 골격적 class III를 보인다.

교정준비(orthodontic preparation)

교정 준비 과정에서 두 가지가 결정 지어질 수 있다. 첫째로는 continuous archwire와 segmental arch mechanic 사이에서 결정을 지어야 한다. 두 가지의 교합평면을 갖는 경우 전치부의 정출을 피하기 위해 segmental arch orthodontics가 적응증이 될 것이다(그림 4-80). 반대로, 한 개의 교합평면을 갖는다면 continuous archwire가 적응증이 될 것이다(그림 4-80).

두 번째로는 발치와 비발치 사이에서의 결정이다. 발치를 결정할 경우 다음의 두 가지에 영향을 받는다 : (1) 치아 총생 (2) 하악 전치부의 전후방적 위치. 만약 하악을 수술하지 않을 것이 고려되어진다면(교정과와 외과적 예상에 의해), 상악의 최종적인 전후방적인 위치는 하악의 자동회전 후에 하악 전치부의 전후방적인 위치에 의해 예상되어질 것이다.

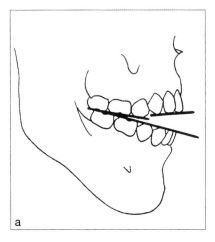  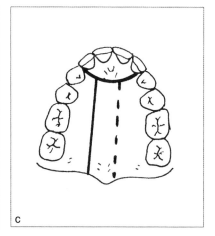

그림 4-79 (a)상악에 두개의 교합평면. 상악궁이 세분절로 배열되고, 하악궁 형태에 따라 배열되었다. (b)수직적 문제를 해결하기 위해 골절단선은 견치와 제일 소구치 사이에 두었다. 상악의 횡적인 문제를 해결하기 위해 구개측 골절단선은(편측 또는 양측) 비중격 측방과 견치간폭경을 대구개관신경혈관다발의 내측에 두었다. 교정의는 하악궁을 수용하기 위한 견치간폭경을 유지해야 한다. (c)수술의가 견치간 폭경을 조절하기 위해 골절단술을 측절치와 견치사이에 두었다. 구개측 골절단선에 의해 횡적 부조화의 조정이 촉진된다.

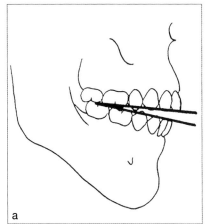 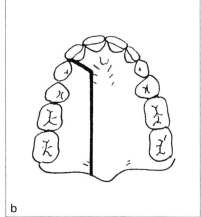 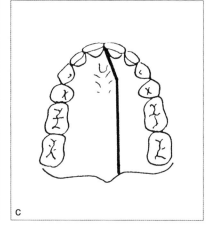

그림 4-80 (a)상악에 하나의 교합평면. 하나의 평면에서 상악의 교합을 배열하기 위해 continuous arch. 상악의 횡적인 부조화는 segmental surgery, orthodontic arch, 다양한 골절단선에 의해 조정된다. (b)측절치와 견치사이

외과적 해결

1급 개방교합의 외과적 해결방법에는 다음과 같은 것이 있다(그림 4-81).

1. 상악의 상방 이동(segmental 이나 one-piece mechanic

을 통해). 두개의 교합평면이 존재한다면 segmental을 이용한 교정치료 후, segmental surgery를 시행한다.

2. 외과적인 방법을 통해 상악의 협측 분절을 확장시킨다 (segmental surgery). 두개의 교합평면을 갖고 상악의 횡적인 협착이 있다면 측절치와 견치 사이에 골절단선을

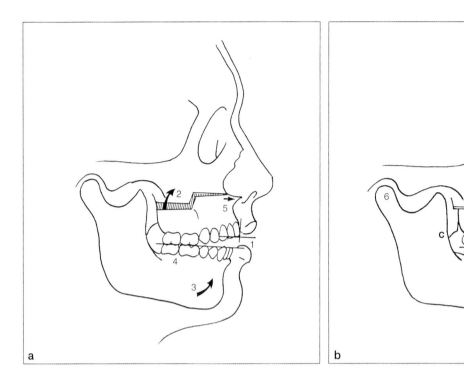

그림 4-81 (a) (1)상악절치와 상순과의 관계의 유지 (2)상악 후방부의 상방 위치 (3)하악의 자동회전 (4)최종 교합평면으로 결정된 하악의 교합평면 (5) 전비극의 전방 회전. (b) (1)이상적인 상순 절치 관계유지 (2)상악후방의 상방위치 (3)하악의 시계반대방향 회전(과두를 중심으로 회전) (4)1급 부정교합 (5) 전비극 전방이동 (6)과두-과두와 관계 유지

두는 3-piece Le-Fort I osteotomy 가 통상적으로 사용된다. 하나의 상악교합평면을 갖는다면 two segment에 의한 교정치료 후에 골절단술을 상악 중절치 사이에 두거나 편측의 측절치와 견치사이에 두는 two-piece Le-Fort I osteotomy가 이용될 것이다.

3. 하악을 전상방으로 자동회전시킨다(high angle의 경우가 low angle의 경우보다 더 큰 전방부 벡터를 갖는다).

　　상악의 전후방적인 결손에 의한 환자 안모의 경우(큰 코, 코 배부의 돌출, 부비동영역의 결핍, supratip break의 상실, 미약한 입술지지) 상악의 전방이동을 통해 심미성을 개선시킬 수 있다. 정상적인 중안모를 보이는 환자의 경우에 단순히 상악을 전상방으로 위치시킨다면 비심미적인 변화를 가져올 수 있다. 이런 경우에는 하악의 후방이동도 필요하다. 최종적으로 안모의 심미적인 측면에서 소수만이 상악의 전방이동이 필요하다. 이런 경우들에서 임상가는 하악의 전방이동과 함께 상악의 추가적인 전방이동을 고려해봐야 할 것이다.

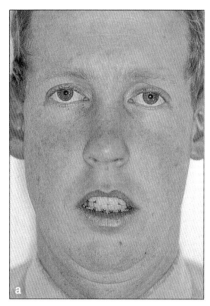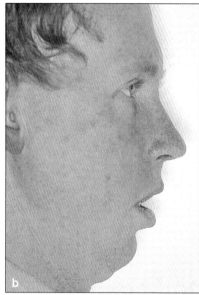

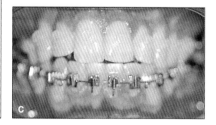

그림 4-82 증례 K.S 술 전 (a)정모; (b)측모; (c)교합. 술 전에 상악치아 협측에 위치된 lingual button에 주목하라.

턱의 전후방적인 위치는 위에서 언급된 경우들에서 일차적인 결정요소가 되지 않는다. 이런 환자들의 대부분에서 턱부위의 과잉성장이나 결손은 이부성형술을 통해 교정이 가능하나 턱의 형태나 이순구(labiomental fold)의 깊이는 고려되어져야 한다.

외과적 해결방법을 요약하면 다음과 같다.

1. 이부성형술을 동반하거나, 하지 않은 상악의 상방 이동

2. 이부성형술을 동반하거나, 하지 않은 하악의 후방이동과 상악의 상방 이동

3. 이부성형술을 동반하거나, 하지 않은 하악의 전방이동과 상악의 상방 이동

4. 상악의 상방 이동은 one-piece(하악은 자동회전 후의 교합평면에 따라 후방이 전방보다 더 상방 이동한다) 또는 전방 분절과 후방분절을 각각 상방 이동시키고 협측분절을 확장시키는(하악의 교합평면과 하악의 악궁형태에 따라) 분절의 방법에 의해 가능하다.

Class I 전방부 개교합을 치료하는 것은 그림 4-82에서 4-86까지 증례 K.S에 나와 있다.

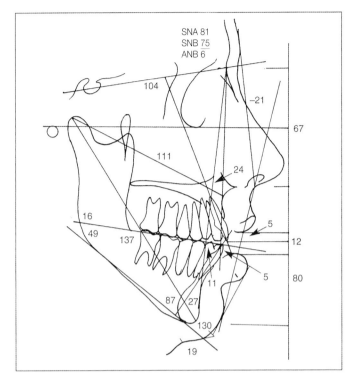

그림 4-83 증례 K.S 술 전 두부규격방사선사진 분석. 상악 후방부 수직적 과잉 : 입술사이 간격=12mm, 증가된 하안모 : middle to lower third=67:80 mm ; 상악 전방부의 약간의 수직적 과잉; 상악절치 노출=5mm; 볼록한 측모 : facial contour angle=-21도; 상악의 수직적 과성장에 의한 하악의 시계방향 회전 : 하악 평면=49도; 왜소턱 : lip-throat angle=130도, chin throat length=19mm

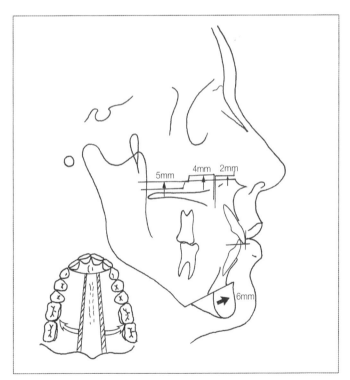

그림 4-84 증례 K.S 외과적 두부규격사진 VTO(visual treatment objective)-Le-Fort I maxillary osteotomy : 상악 후방분절 상방 위치(후방에서 5mm 전방에서 4mm), 상악 전방분절의 상방이동(2mm), 후방분절의 확장(inset), 하악의 시계방향 자동회전, 전진이부성형술 (6mm)

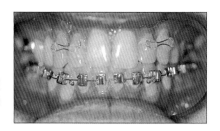

그림 4-85 증례 K.S 수술 직후 교합. 골절단선 옆에 있는 치아에 술 전에 위치된 bracket에 위치한 interdental wire에 주목하라. Bracket들은 술 후 IMF 와 elastic을 걸기 위해 술 전에 모든 치아에 위치되었다.

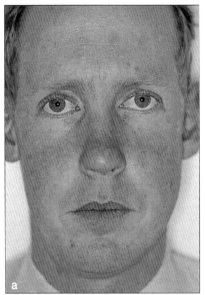
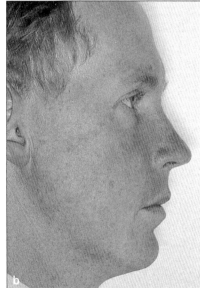
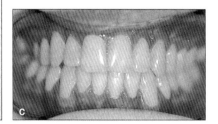

그림 4-86 증례 K.S 치료 후 (a)정모, (b)측모, (c)교합

Class II open bite

임상적 특징

1. 하안모 길이 증가

2. 턱부위의 후퇴

3. 상악의 수직적 과성장

4. 종종 상악절치의 과노출을 보인다.

5. 입술사이 간격의 증가

6. 골격적 class II 관계를 갖는다.

7. 상악의 횡적 결손(구치부 반대 교합)

8. 하악평면각의 증가

9. Class II로 회전된 골격적 class I

교정적 준비

1. One-piece Le Fort I osteotomy

   - 상악궁을 수직적 위치 조정, 배열, 조화롭게 하고 하악궁을 배열한다.

   - 협측 분절을 확장하여 개교합을 해결하려 해서는 안되고, 전치부를 정출시키거나 구치부를 압하시킨다.

   - 치아가 기저골에 대해 구개측으로 경사되어 있는 경우에만 협측 분절을 확장시킨다.

2. Segment Le Fort I osteotomy

   - Segment를 통해 상악궁을 수직적 위치 조정을 하고 배열한다.

   - 하악궁에 맞추어 분절들을 배열한다.

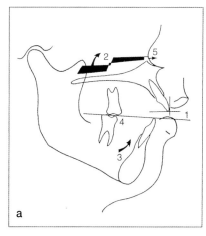
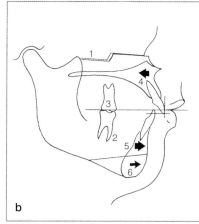

그림 4-87 (a) ① 상악절치와 상순과의 관계 유지 ② 상악 후방부 상방 위치 ③ 하악 자동 회전 ④ 하악 교합평면의 최종 교합평면을 결정한다. ⑤ 전비극이 전방으로 회전한다. (b) ① 상악 후방부가 상방으로 위치한다. ② 하악이 자동회전된다. ③ 여전히 수평피개가 증가된 2급 부정교합을 보인다. 상악의 후방이동이 선택된다. ④ 하악의 전방이동 ⑤ 전진 이부성형술

- 치근을 골절단선에서 벗어나게 한다.
- 교정적으로 확장하거나 교합을 닫으려 하지 않는다.
- 하악궁을 수직적 위치 조정을 하고 배열한다.

외과적 해결

Class II open bite의 경우 다음과 같은 외과적 해결 방법이 있다(그림 4-87).

1. 상악을 상방이동시킨다(total 또는 segment). 개교합은 상악의 후방부위를 전방부위보다 더 상방으로 이동시켜서 해결할 수 있다.
2. Segmental surgery를 통해 협측골편을 확장시킨다.
3. 하악을 자동회전시킨다.
4. 하악을 전방이동시킨다.
5. 이부를 전방이동시킨다.

상악을 상방이동시키게 되면, 하악이 과두부의 후방부위를 중심으로 전상방으로 반시계방향 회전을 한다. 전방부위로의 벡터는 상악의 전후방적인 변화없이 오직 상방으로만 위치시키기에 충분하다. 하악평면각이 큰 경우 하악 전치부가 더욱 전방으로 회전하게 된다.

하악의 전방이동이 필요하지 않은 경우 상악의 약간의 후방이동이 필요하다; 그러나 이러한 이동이 안모의 심미에 악영향을 줄 수 있다. 정상적인 중안모의 심미를 갖고 있고 특히 코가 크고, 코주변부의 결손으로 오목한 형태를 갖고 있으며 비순각이 큰 경우 상악의 후방이동을 해서는 안된다. 이런 환자의 경우 상악의 상방 이동과 함께 하악의 전방이동이 필요하다. 위의 원칙들은 그림 4-88에 나와 있다.

K.P. 증례

이 32세 환자는 그녀의 개교합으로 인하여 결국에 그녀의 치아가 상실하게 될 수 있다는 주치의의 권고 후에 치료 방법을 찾고자 했다.

주소

환자의 주소는 그녀의 입을 다물수 없고 씹기가 어렵고 가끔 사회적으로 압박감을 가지고 있다.

의학력

이 환자는 천식을 가지며, 육체적 운동 전에 약을 복용한다.

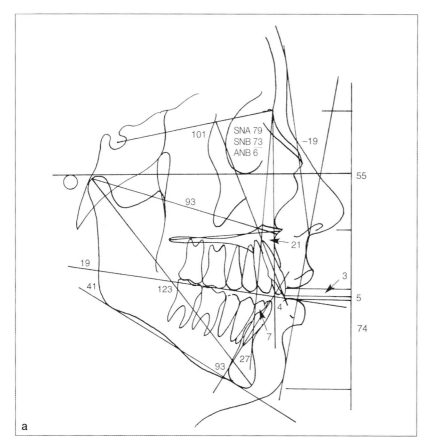

SNA 79
SNB 73
ANB 6

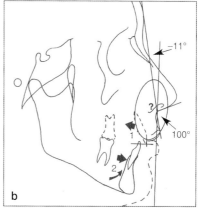

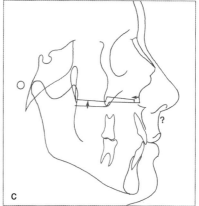

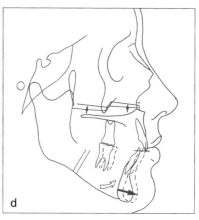

그림 4-88 (a)외과적 수술을 필요로 하는 class II 전치부 개교합을 가진 환자의 측모 방사선 규격사진. (b)외과적 수술작도상에서 상악이 상방으로 위치되고 하악이 과두를 중심으로 자동회전된다. 이 교합은 계속적으로 증가된 overjet를 가진 class II 교합이다. 외과의사는 이제 두가지 선택을 할 수 있다;상악을 뒤로 옮기거나① 하악을 전방이동시키는 것이다②. (c)상악 후퇴술 후의 예상되는 경조직과 연조직 변화를 보여주는 예상도면. 중안모는 편편해지고 상순 지지는 감소되었으며 비순각은 증가되었다. (d)상악은 상방으로 재 위치되고 하악이 자동회전되며, 전방으로 이동된 모습을 보인다. 더욱 좋아진 심미적 결과가 이 치료 방법을 통하여 얻어졌다.

임상검사

1. 연조직

 a. 정면(그림 4-89a)

   - 입술간 거리 증가

   - 하안면 1/3 증가

   - 코의 비대칭

 b. 측면(그림 4-89b)

- 볼록 측모

- 하안면 1/3 높이 증가

- 입술간 거리 증가

- 하악의 전후방적 감퇴

- 상순의 전돌

- 급격한 입술-턱-인후 각도(lip-chin-throat angle)

2. 치아(그림 4-89c)

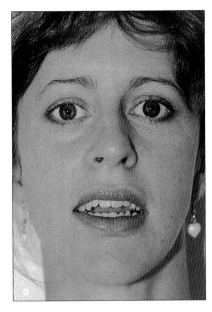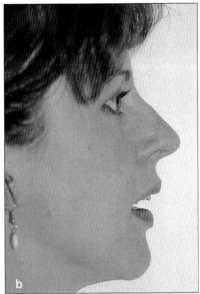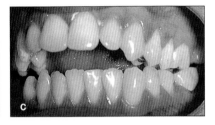

그림 4-89 K.P 증례 술 전 정면사진(a), 측모사진(b), 그리고 교합사진(c)

- 전방 개방교합
- 하악 좌측 제1 대구치 치근이 치료되었지만 불량한 예후로 파절되어 있다.
- 좁은 상악궁
- II급 부정교합
- 구치부 교차교합 경향
- 상악 치성 전돌

3. 골격
   - 하악의 전후방적 감퇴
   - 후방 상악의 수직적 과잉
   - 횡적 상악 감퇴

4. 방사선사진상(그림 4-90)
   a. 파노라마 방사선사진
   - 좌측 하악 제1대구치의 파절된 치관(치아는 근관 치료를 받고 있다.)
   - 몇 몇 수복된 치아
   b. 측두방사선
   - II급 부정교합
   - 하악이 시계방향으로 회전됨

- 후방 상악의 수직적 과잉
- 증가된 하안면의 높이
- 큰 입술간 틈
- 이상적인 상순-상악 절치 관계(3mm의 절치 노출)

문제 목록

1. 전방 개방교합
2. 증가된 입술간 거리
3. 하악의 전후방적 감퇴
4. 상악의 횡적 감퇴
5. 후방 상악의 수직적 과잉
6. 파절된 좌측 하악 제1 대구치
7. 상악 치성 전돌

술 전 교정

- 상악궁(그림 4-91)
   - 상악궁을 세 부분으로 정렬; 우측 제2소구치에서 우측 제2대구치까지, 우측 견치에서 좌측 견치까지, 그리고 좌측 제2소구치에서 좌측 제2대구치까지

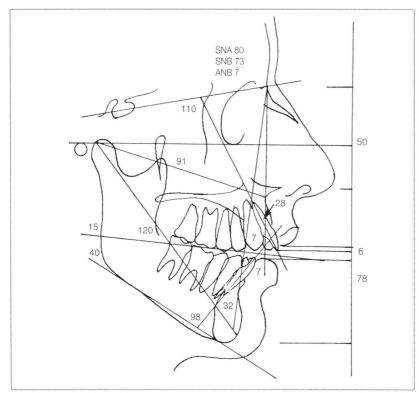

그림 4-90 치료 전 측면 두부 사진 분석
2급 부정 교합, 전방 개교합, 입술간 거리 증가-6mm, 하안면 고경 1/3의 증가 중안면:하안면=50:78 mm, 하악의 전후방적 결핍; SNB=73도, 증가된 하악 평면각=40도, 상악 전치부의 돌출, 상악 전치와 상순간의 상관 관계는 우수함(치아 노출도 1,5mm); 치료 기간동안 이 관계를 유지하는 것은 중요함.

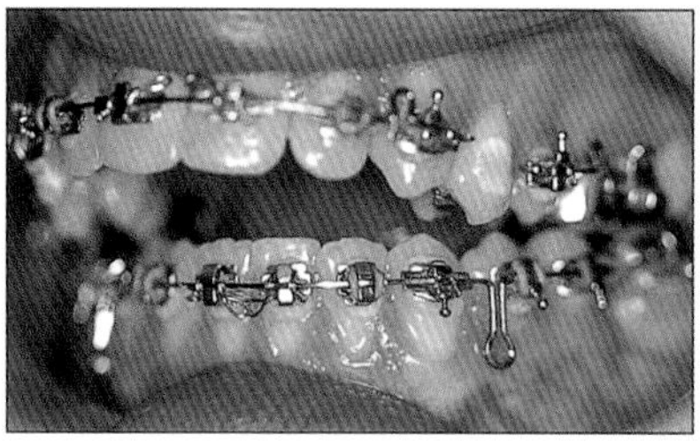

그림 4-91 술 전 교합 상악궁의 alignment에 주목. 제 1소구치는 수술시 발치하기 위해 밴드를 장착하지 않았다.

- 전방 상악 분절의 이상적인 수술적 위치를 허용하기 위해 수술시에 양측 제1소구치들의 발치
- 양측 제1 소구치들의 발치 공간 폐쇄를 허용하기 위해 양 견치와 양 제2 소구치의 치근의 편향
• 하악궁
- 좌측 하악 제1 대구치의 발치
- 좌측 제1 대구치 발치공간의 폐쇄
- 치궁의 정렬과 leveling

수술적 치료
- 양측 상악 제1소구치의 발치(그림 4-92)
- 상악 제1소구치의 발치공간을 통한 치간 골절단을 동반

한 3분절 Le Fort I 골절단술 시행. 발치공간의 골 제거는 공간의 수술적 폐쇄를 허용했고 구개 골절단은 후방 분절의 확장을 허용했다(그림 4-92).
- 전방 상악 분절의 재위치. 이것은 두 가지 측면에서 중요하다.
  1. 수직적인 상순-상악절치 관계는 유지되었다.
  2. 입술지지를 손상시키고 입술-턱끝 각도의 증가 때문에 분절은 과도하게 견인될 수 없었다.
- 하악이 자동적으로 회전하도록 후방 분절의 상부로 재위치(그림 4-92)
- 양측성 분리 골절단의 방법으로 하악의 전진(그림 4-92)

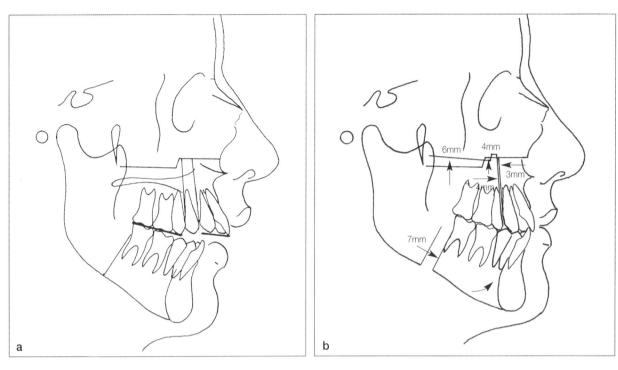

그림 4-92 a) 술 후 즉시 : 상악 제 1 소구치 발거, 후방 상악 분절의 상방 재위치 및 악궁 확장, 약간의 전방 상악 분절의 견인, 하악의 전방 이동, b)예측된 수술 후 결과

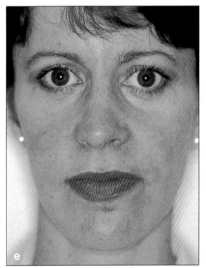
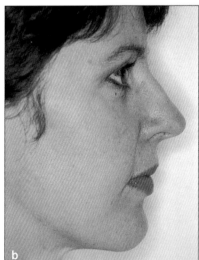
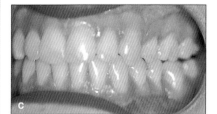

그림 4-93 술 후 전두상(a). 측면상(b). 교합(c)

그림 4-94 (a) ①상악 전치-상순의 관계는 이상적이고, 전후방적으로 그리고 수직적으로 유지되어야 한다. ②하악의 자동회전 ③전비극의 전방 회전 ④후방 상악의 상방 재위치 ⑤최종 교합면은 하악 교합 평면의 회전에 의해 결정됨. (b) ①이상적인 상악 전치와 상순의 관계 ②하악은 자동 회전되었다. ③교합은 전방부 반대교합은 더욱 더 3급의 양상을 띠었다. 상악의 전진④, 하악의 후퇴⑤, 이부 성형술⑥은 부가적 선택 사항이다.

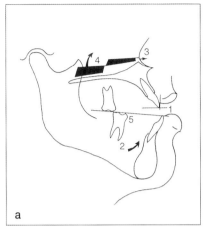 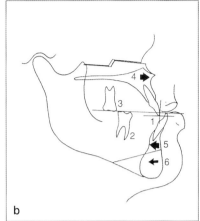

술 후 교정

- 발치공간들의 최종 폐쇄

- 교합의 마무리

- 유지

하악 좌측 제1 대구치의 발치공간의 폐쇄는 교정적 준비를 연장시켰고, 수술은 교정 치료의 개시 후 25개월 이후에 수행되었다. 교정 밴드는 수술 후 9개월 후에 제거되었다. 수술 2년 후의 결과가 그림 4-93에 나타난다.

III급 개방교합

임상적 특징

1. 하악의 전후방적 과잉성장(하악의 후방 회전에 의해 감춰진 전후방적 불일치의 크기)

2. 상악의 수직적 과잉(전방보다 후방이 더함)

3. 수평적 상악의 결핍

4. 후방 교차교합

5. III급 부정교합

6. 종종 역 스피만곡

7. 증가된 하악 평면각

8. 하악의 시계방향 회전은 보다 더 III급 관계로 만든다. ; 수직적 수정은 III급 관계를 나쁘게 만들 것이다.

교정 준비

· 모든 존재하는 치성 보상의 제거

· 분절 수술이 예상되는 곳에 분절의 상악궁을 정렬하고 치간 골절단 부위에서 치근들을 편향시킨다.

· 하악궁을 정렬하고 leveling 한다.

수술적 해결

다음은 III급 개방교합을 위한 수술적 해결들이다(그림 4-94).

· 이상적인 상악절치-상순 관계를 위한 상악의 상방 재위치(전방보다 후방이 더)를 동반한 단일 Le Fort I 골절단술

· 차별적인 상악의 상방 재위치를 동반하는 분절 수술(전방 분절보다 후방분절이 더 상방으로 위치하도록 한다)

· 협측 분절의 확장

· 하악의 후퇴

· 이부성형술

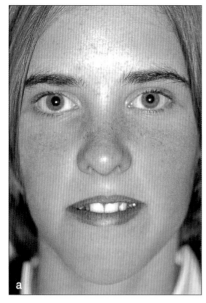
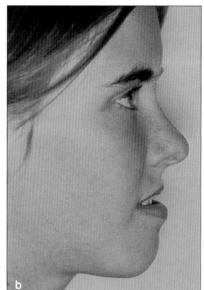

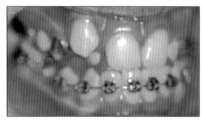

그림 4-95 증례K. F. 술 전 정모(a), 측모(b), 웃는 모습(c), 그리고 교합(d)

II급 개방교합에 대한 해설

전방 상악의 하방 재위치와 후방 상악의 상방 재위치가 종종 지적된다. 전방 상악은 종종 III급 개방교합에서 수직적으로 감퇴되고 상악 치아-입술 관계는 상악의 최종 수직 위치를 계획하는데 중요한 고려사항이다.

하악은 자동으로 회전할 것이고 III급 교합관계는 나빠질 것이다.

전후방적 불일치는 상악의 전진, 하악의 후퇴, 상악의 전진과 하악의 후퇴 모두, 그리고/또한 이부성형술에 의해 수정될 것이다. 치료의 선택은 증례의 심미적 요구에 따라 결정된다.

치료 계획 전에 개방교합의 결과가 결정되어야 한다. 개방교합은 발전할 수 있다. 왜냐하면:

1. 상악 절치들의 불완전한 맹출(전방)
2. 하악 절치들의 불완전한 맹출(전방)
3. 상악과/또는 하악의 대구치들의 불완전한 맹출(후방)
4. 후방 상악의 과도한 수직적 발달

분석의 중요한 요소는 이완된 상순에 대한 상악 절치의 수직적 관계의 평가이다.(입술의 길이를 고려해서) 역 스피 만곡을 가진 하악 절치들의 불완전 맹출은 종종 혀의 비정상적 크기와 이완 위치에 기인한다.

후방개방교합은 세 가지 방식으로 발달할 수 있다

1. 흔히 안면비대칭과 관련된 편측의 과도한 수직고경 과도(예를들면, 편측 과두의 과잉성장)

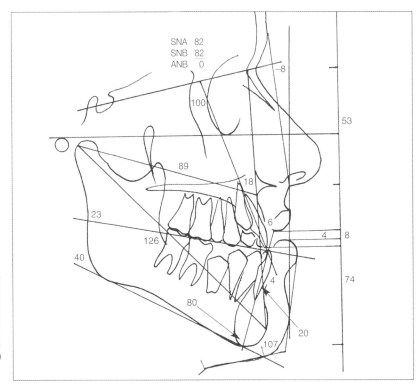

그림 4-96 증례K. F. 술 전 세팔로 분석 하 안면고경 ⅓의 증가 중안면 : 하안면 253 : 74. 상악-하악길이간 차이 : Mx대 Mn=89 : 126mm. 하악의 전후방과성 장 : SNB=82도, ANB=0도, 하악전치의 보상. 하악전치대 mandibular plane=80 도, 하악전치대 N-B=20도

2. 정상 대칭에 편측인 경우 치아맹출 부족
3. 정상 대칭인 경우 양측성 구치부 치아의 맹출부족

그림 4-95에서 4-99는 15세 여성 3급 전치부 개방 교합 환 자의 교정을 나타낸다. 하악의 자동 회전과 3급 부정 교합 관계를 악화시키는 개방교합의 교정을 촉진하는 상악의 상 방 재위치는 하악의 후퇴에 필요하다.

상악의 확장

상악의 횡적공간(transverse dimension)을 증가시키는 네

가지 방법 (1)치성적으로 치축 기울기(dental tipping)를 통 해서 (2)급속구개확장을 통해서(성장 중인 환자에서) (3)외 과적 술식을 동반한 구개확장(성장이 끝난 환자에서) (4)외 과적 확장

치축 기울기(dental tipping)

Dental tipping은 골격적 기저 폭경이 적당하고 필요한 횡적공간(transvers dimention)이 치성적인 힘에 의해 치아 를 협측으로 이동시켜 얻을 수 있는 경우에 적응증이다.

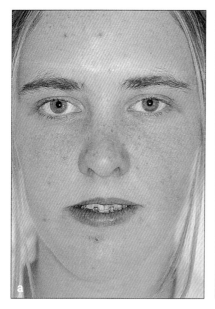
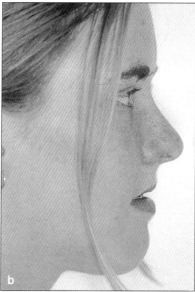
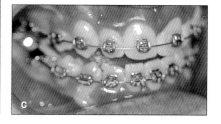

그림 4-97 증례K. F. 수술 직 후 정모(a), 측모(b), 그리고 교합(c)

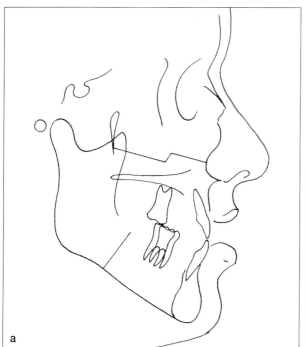
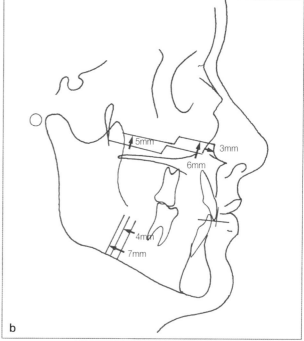

그림 4-98 증례K. F. 술 전 측면 두부 사진 분석(a)과 surgical visual treatment obfective (b), 상악은 전방부에서 6mm 상방, 후방부에서 5mm 상방으로 거상시킴, 동시에 전방으로 3mm 전진시킴. 하악은 좌측은 7mm, 우측은 4mm 후퇴되었다.

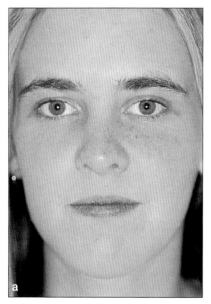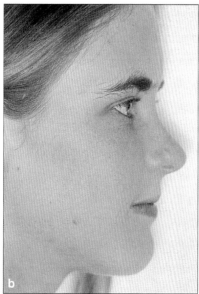

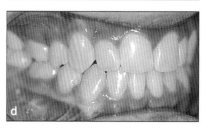

그림 4-99 증례K. F. 치료 전 정모(a), 측모(b), 웃는 모습(c), 그리고 교합(d)

급속 구개 확장술

정중구개봉선을 열어서 얻을 수 있는 급속 구개 확장은 좁은 구개천장을 지닌 젊고 성장 중인 환자에 적당하다. 이러한 형태의 확장에 적당한 환자는 구개봉선을 벌리기 위해 고안된 force system에 의해서 치아가 이동되기 때문에 치성과 골격성 폭경 부족을 나타낸다. 확장력은 나이에 따른 역치가 있으며 아동이 성숙됨에 따라 분리에 대한 저항은 증가한다. 구개봉선의 확장과 치아의 이동의 비율은 대략 50:50이다. 치아와 골의 관계에 따라서 치아 이동에서 얻어진 거리의 40-60%를 잃게 될 수도 있다.

외과적 술식을 동반한 급속 구개 확장술

Surgically assisted palatal expansion은 분산된 골형성의 형태이다. 이러한 형태의 확장은 악정형 수술이 필요치 않은 25세 이하의 젊은 환자에 추천된다. 외과적 기법은 측방에서 상악 buttress나 구개에서 골전단을 시행하여 치아교정적 확장에 저항하는 골격적 요소를 감소시켜준다. 외과적 술식을 동반한 급속 구개 확장술은 봉선의 결합이 증가된 30세 이상의 환자에서는 추천되지 않는다. 확장장치는 확장이 멈춘 2개월 후까지 착용해야만 하고 고정식 유지 장치가 확장장치 제거 후 6주에서 12주 동안 장착되어 있어야 한다.

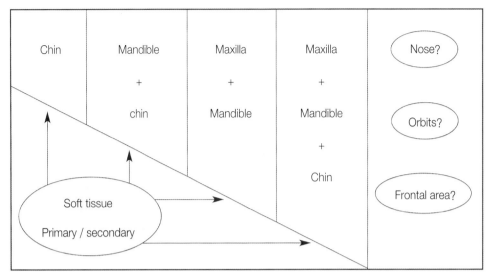

그림 4-100 가능한 안면비대칭 유형의 분류. 도형은 안면의 비대칭에 영향을 미치는 특별한 부위와 그것들의 조합들간을 간별하는데 도움이 된다.

외과적 확장

외과적 확장은 구치부 분절 골절단술이나 Le Fort I 골절단술에 의해 얻어질 수 있다. 많은 양의 확장이 요구되는 곳에서 양측성 구개골절단술이 시행된다. 골절단은 구개골이 얇고 점막이 두꺼운 비중격의 측방 직후부터 이루어져야 한다. 연조직 완화는 큰 확장에 도움이 되고 골절단선상에서는 행하지 않는다. 이식과 적절한 견고고정이 3mm이상의 구개확장에서 이용된다. 수술 후 확장된 분절의 교정적 조절이 최적의 술후 안정성에 가장 중요하다.

악안면비대칭

완전한 대칭을 가진 안면은 매우 적다. 악궁이나 기타 안면구조에서 미약한 비대칭은 흔한 것이며 임상적으로나 기능적으로 중요하지 않다. 약간의 비대칭은 환자에게 종종 중요하지 않지만 어떤 환자들에서 안면 비대칭은 매우 민감한 것으로 여겨진다. 그리하여 임상가들은 환자들에게

완전히 대칭적인 얼굴은 없으며 치료를 통해서도 완벽히 대칭된 안면을 얻을 수 없음을 알려줘야 한다. 안면비대칭의 원인들은 선천적으로, 후천적으로, 외상 후에, 병리학적 결과 등으로 나타날 수 있다. 안면 이상에 영향을 주거나 비대칭을 나타나게 하는 보다 흔한 원인들은 편측성과두비대(unilateral condylar hyperplasia), 반안면왜소악증(hemifacial microsomia), 악관절강직(temporomandibular joint ankylosis), 외상에 의한 기형 등이다.

모든 악정형환자와 마찬가지로 안면비대칭이 있는 환자는 2장에서 언급된 체계적이고 포괄적인 검사, 진단, 치료계획이 요구된다. 조사하는 동안 임상가는 비대칭의 위치, 관련된 조직들, 비대칭의 크기같은 세 가지 중요한 요소에 주의해야한다.

안면 비대칭은 턱, 하악, 상악, 코, 안과, 관골, 전두골이나 혹은 이것들의 조합으로 나타날 수 있다. 그림 4-100은 안면 대칭양상의 분류 방법을 나타낸다. 그 그림은 아이들을 특정 영역과 비대칭 영역들의 조합간으로 분류하는 데 도움이 된다. 관계된 다른 안면 구조들이 고려되어야 하고 일차적으로나 이차적으로 골격성 비대칭에 관련된 연조직들

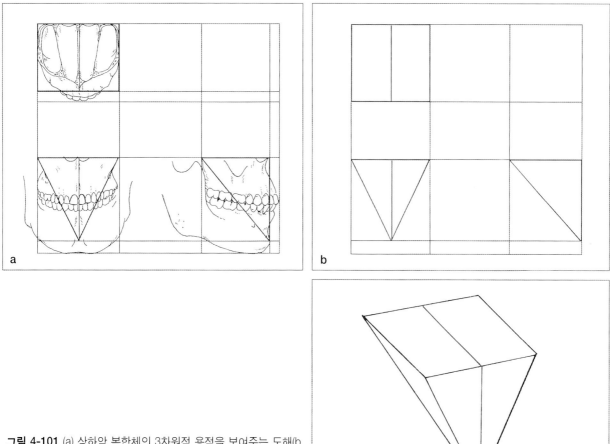

그림 4-101 (a) 상하악 복합체의 3차원적 용적을 보여주는 도해(b 그리고 c). 안면비대칭의 교정동안 중안면부나 하안면부의 3차원적 변화를 시각화하는데 도움을 주는 상하악복합체를 표현하는 각기둥(prism)의 구성.

도 평가되어야 한다. 임상가는 어떤 조직이 비대칭에 원인이 되었는지 결정하고 관계된 것이 일차적인지 이차적인지를 결정해야만 한다. 이러한 정보는 치료계획에 영향을 줄 수 있다. 예를 들어서 하악의 비대칭에 의해 야기된 연조직의 비대칭은 골격적 교정으로 교정될 수 있는 반면에 반안면왜소악증에서 보여진 연조직 비대칭은 종종 세심한 주의가 요구된다.

비대칭에 관계된 크기도 결정되어야 한다. 상하악 복합체는 그림 4-101a에 설명된 것처럼 3차원적 구조이다. 치아 안면비대칭 교정에 요구되는 골격적, 치성적, 연조직의

3차원적 결정요소를 단순화하기 위해서 상하악 복합체를 나타내는 각기둥이 만들어질 수 있다. 각기둥은 다양한 삼차원적 외과적 이동을 임상가가 시각화하고 평가하는데 도움이 된다. 그림 4-102는 편측성과두비대의 결과를 프리즘의 공간적 위치 상에서 보여준다. 반대의 결과는 그림 4-103에서 보인다. 삼차원적 안면비대칭이 있는 위와 같은 케이스들에서, 교합평면의 가로경사면은 전방부와 후방부에서 분명히 다르다. 삼차원적 기형은 측방, 기저부, 전후방 두개계측사진, 임상적 관찰 등으로부터 얻은 자료들의 조합으로 평가되어야 한다. 다른 치아안면 기형의 교정에서

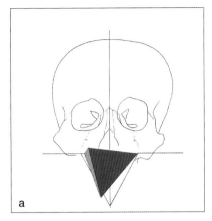
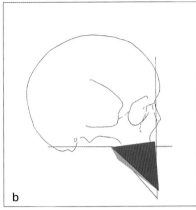

그림 4-102 최측하악지의 편측성 길이 증가 (예를 들어 과두비대)는 좌측 상악후방부의 성장이 동반되게 된다. 각 기둥의 기저면의 경사(전방부 보다는 후방부에서)가 발생하고 각 기둥의 청부는 우측전방을 향해서 회전하게 된다. (a)정모, (b)측모

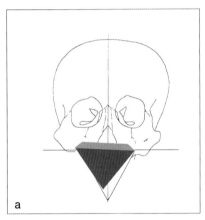
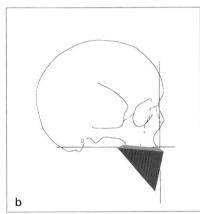

그림 4-103 우측하악의 수직적 성장의 결손은 상악 우측 구치부의 수직적 성자을 저해하게 된다. 각 기둥의 기저면은(전방보다는 후방부에서)의 경사가 발생하고 각 기둥의 첨부는 오른쪽을 향해서 후방으로 기울어지게 된다. (a)정모, (b)측모

처럼 상악 전치의 전후방 수직 수평적 위치는 최종 치료 계획 수립에 매우 중요하다.

술 전 치아교정이나 술 후 치아교정은 다른 치아안면 기형의 치료와 크게 다르지 않다. 그러나 임상가는 안면비대칭 증례에서 다음의 기준을 고려해야만 한다.

* 이전에 치아 안면 기형에서 언급된 것처럼 치열이 골격성 부조화를 교정적으로 보상해서는 안된다.
* 존재하는 교합평면의 경사면은 교정되어서는 안된다. 그러나 악궁은 배열될 수 있고 교정의사는 치근단기저부 중심선과 전치의 중심선이 그 경사면을 따르도록 보

장해야만 한다.

* 골격적 부조화가 존재할 때 치성 중심성은 일치하지 않고 상하악 각각의 중심선에 위치한다.
* 편악 수술로 안면비대칭이 교정될 때 수술 받지 않은 턱의 치아 중심선은 안면 중심선과 일치해야 한다.
* 하악지의 높이를 증가시킨 후에 발생하는 편측의 개방교합이 있는 반안면왜소악증과 악관절강직의 증례에서 그 높이는 상악의 수직적 치조골 성장을 허용하는 동안 유지되어야 한다.

청소년기의 비대칭

아동기의 심각한 안면비대칭의 두 가지 큰 원인은 반안면왜소악증과 하악 과두의 조기외상이다. 두 가지 상황 모두 일차적으로 하악에 영향을 주고 영향 받은 쪽에서 열성장을 일으킨다. 상악은 영향 받은 쪽에서 치조돌기의 수직 성장이 억제됨에 의해 이차적으로 영향받는다. 두 가지 상태의 기본적인 차이는 반안면왜소악증에서는 성장 잠재력에 영향을 줄 수 있는 연조직과 경조직이 소실되고, 반면에 강직에서는 모든 구조물이 존재하나 기능의 부족으로 발달되지 않는다. 이런 상태 치료의 기본 원칙은 성장발현을 회복하고 극대화하여 경조직과 연조직 구조물이 가능한 정상처럼 발달하게 하는 것이다.

반안면왜소악증(hemifacial microsomia)

이 기형의 심각한 정도는 매우 다양하다. 삼차원적으로 악궁과 연조직이 발달되지 않거나 결여될 수 있다. 외과적 치료는 세단계로 구분될 수 있다.

수술의 1차 단계(5~7세)

과두가 있으나 발달되지 않은 경우에서 형태학에 관계없이 관절을 수용하는 것이 더 낫다. 하악의 인접부가 소실된 경우에 소실된 부분은 이 단계에서 재건되어야 한다. 골신장술(distraction osteogenesis)은 이러한 환자에서 고려될 수 있다. 수직적 전후방적 고경을 교정하기 위해서 과두는 늑골연골이식에 의해 재건될 수 있다. 이것은 편측의 개방교합을 만들어 낼 수 있다. 수술 후 기능적 치료는 이런 환자에서 악기능과 연조직의 발달을 자극하고 상악의 경사를 최소화하기 위해서 꼭 필요하다.

수술의 2차 단계(14~16세)

악교정 수술은 교합과 골격 비대칭의 최종교정으로 수행된다.

수술의 3차 단계(십대 후반)

최종의 연조직 처리는 연조직의 대칭을 이뤄낸다

악관절 강직(temporomandibular joint ankylosis)

하악을 앞으로 그리고 이환된 측으로 이동시킬 수 있는가 하는 능력은 치료가 얼마나 성공적일 것인지 그리고 수술이 얼마나 일찍 수행되어야만 하는지를 나타낸다. 만약 환자가 치아 정중선이 일치하는 위치로 하악을 이동시킬 수 없다면 기능적 치료만으로 성장 조절의 결과를 가져 올 수 없다. 능동적인 기능 치료가 수반되는 조기의 유착 완화 수술은 이런 환자에 적당하다. 외과적 완화는 모든 연조직과 경조직의 제거뿐만 아니라 하악의 완화도 포함한다. 이것은 기술적으로 어렵다. 이와 같은 과정을 수술을 통해 개구를 유지하기 위해서 물리치료 없이 수행하는 것은 무의미하다. 관절은 재강직되거나 연조직 반흔으로 개구제한될 수 있다. 유착 환자의 외과적 수술은 두 단계로 수행될 수 있다.

수술의 1차적 단계(5~7세)

일단계의 악관절 강직의 외과적 완화는 장기간의 물리치료가 뒤따른다. 늑골연골이식은 측두하악관절의 재건과 이환된 부위의 하악의 수직적, 전후방적 고경을 교정하는데 적당하다. 이것은 개방교합을 만들고 이는 교정적 통제 하에서 상악의 수직적 성장을 허용한다.

수술의 이차적 단계 (14~16세)

이차적 단계는 안모 비대칭과 교합의 경사를 악교정 수술에 의해서 교정해 주는것을 말한다.

증례 R.C

증례 R.C는 측두하악관절이 3세에 외상 후에 강직이 일어난 환자이다. 그녀가 6세당시 최대개교량이 1㎜정도일 때, 교정의에게 진료를 받았다. 그녀의 부모님이 환자가 외상을 3세일 때 받은 적이 있다고 이야기 하였고, 환자는 때

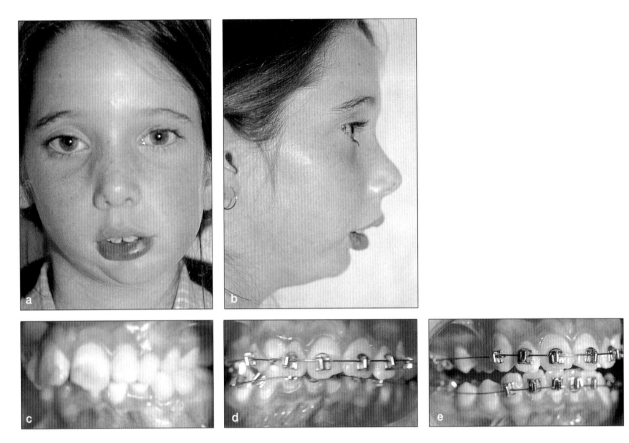

그림 4-104 술 전 정모(a), 측모(b), 우측교합(c), 술 전 교합(d)과 최대개구량(e)

때로 통증을 느꼈지만 다시 괜찮아지곤 했다.

주소

개교량이 제한되어있고 저작이 어렵고, 푹 들어간 얼굴이 주소이다.

의학력

특별한 증상은 없음

임상검사

1. 연조직

　　a. 정모(그림 4-104a)

- 하악이 왼쪽으로 심하게 휘어짐
- 돌출된 아랫입술
- 오른쪽 턱과 하악이 편평한 모양
- 하악의 왼쪽편이 과도하게 둥근모양

b. 측모(그림 4-104b)
- 하악의 전후방적 결핍
- 돌출된 아랫입술
- 과도한 입술간 간격

2. 치아(그림 4-104c , 그림 4-104d)
- Class II 부정교합 , 특히 왼쪽이 더욱 심함
- 과도한 수평교합
- 상,하악궁의 총생
- 정중선이 왼쪽으로 편향
- 최대개교량이 1mm(그림 4-104e)

3. 골격
- 하악의 전후방적 결핍
- 소악증
- 하악의 왼쪽으로 비대칭
- 측두하악관절의 강직

4. 방사선
a. 파노라마(그림 4-105a)
- 왼쪽 측두하악관절에 거대한 골조직
- 신장된 오훼돌기
b. 측두방사선사진(그림 4-105b)
- 심한 하악의 전후방적결핍
c. 전후방 두부 촬영(그림 4-105c)
- 하악이 왼쪽으로 심한편향
- 교합평면의 수평경사

문제 목록

1. 측두하악관절의 강직
2. 하악의 좌측결핍
3. 최대개교 1mm
4. 좌측상악의 성장결핍으로 상악 교합평면이 약간의 경사

5. Class II 부정교합

치료계획

1. 골성강직 제거와 관절와 형성(그림 4-106a 그리고 4-106b)
2. 정상개구를 방해하는 흉터조직 외과적 제거
3. 좌측오훼돌기 절제술 (그림 4-106a 그리고 4-106b)
4. 8번째 늑골에서 늑골연골 채취
5. 측두하악관절 늑골연골로 형성(그림 4-106c 그리고 4-106d)
6. 연조직 및 경조직 성장을 돕기 위하여 물리치료
7. 정상교합을 위한 교정치료

수술 전 교정

환자가 개교가 불가능하므로 제한적으로 교정치료시행

외과적 치료

- 왼쪽 측두하악관절을 늑골연골에서 채취한 조직으로 왼쪽 측두하악관절을 형성시켜 개구량을 35mm로 만든다.
- 상악과 하악치아의 공간은 Splint로 유지한다.(그림 4-107a 그리고 4-107b)
- 왼쪽오훼돌기 절제술을 시행
- 수술과 동시에 환자는 개교를 수월하게 하기 위해서 물리치료를 시행한다. 1년 후에 개교량이 33mm 정도 되게 한다.

술 후 교정

술 후 6개월 또는 완벽하게는 15개월 후에 교정을 시행한다. 그림 4-108는 술 후 연조직과 경조직의 변화와 개교의 변화를 나타내고 있다. 술 후 측두하악관절의 골성강직의 재발을 막는 방법은 물리치료를 강조하고 있다.

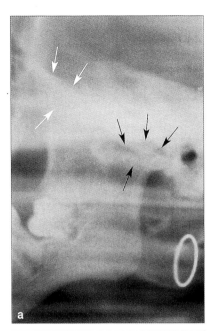

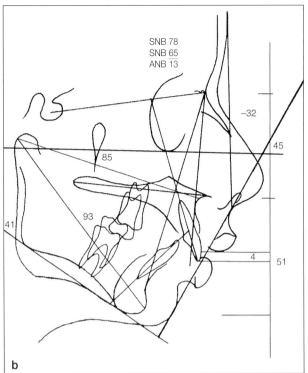

SNB 78
SNB 65
ANB 13

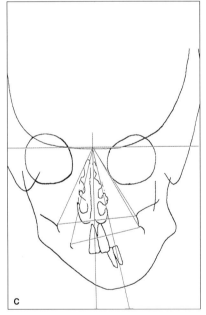

그림 4-105 증례 R.C (a)좌측 파노라마 방사선사진, 측두 하악관절에 골성강직(검정색 화살표)을 보이고 있고 오훼돌기성장(흰색 화살표)을 볼 수 있다.
(b)수술 전 측면두부방사선사진의 투사도에서 전후방적 결핍을 보이고 있다.SNB=65도,ANB=13도 안모만곡각도=-32도,하악의 왼쪽과 오른쪽 하연의 차이를 보이고 있다.
(c)술 전 전후방 두계방사선사진의 투사도에서는 하악의 심한 비대칭을 보이고 있다.상악의 교합 수평경사는 하악의 기능적 적응에 의해서 영향을 받은 것으로 보인다.

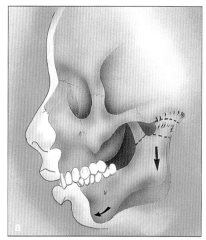
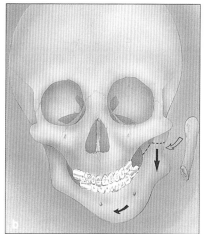
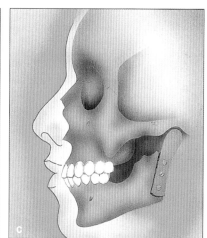

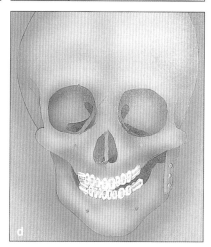

그림 4-106 증례 R.C 관절수술과 오훼돌기 절단술범위를(a) 정면과 측면에서 하악좌측의 수술범위를 정하고 있다.(b)술 후 하악의 위치와 오훼돌기위치 예견도 (c)측면 (d)정면

그림 4-107 증례 R.C (a) 좌측측방 개교교합이 늑골이식술에 의한 좌측 하악지의 신장에 의해서 발생된 모습
(b)좌측 하악지높이를 합성수지 splint에 의해 유지하는 모습

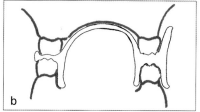

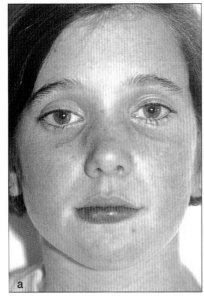
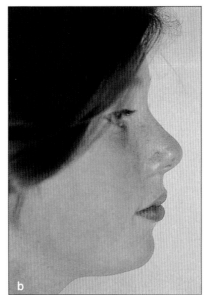
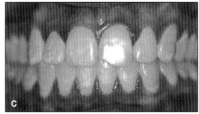
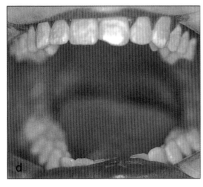

그림 4-108 증례R. C. 술 후 정모(a)와 측모(b)를 보면 정상적인 악기능에 반응하는 연, 경조직을 알 수 있다. 술 후 2년이 경과한 상태에서의 교합(c)과 35mm의 개구량(d)을 보여준다.

성인의 비대칭

성인환자에서 안모의 비대칭을 위치에 따라서 논할 예정이다.

턱의 비대칭

턱의 비대칭의 교정과 평가는 삼차원적으로 이루어져야 한다.

턱의 수평적 비대칭은 좌,우측으로 턱을 이동시키는 활주 이부성형술(sliding genioplasty)에 의해 이루어진다.

턱의 하악하연의 경사

턱의 하악하연의 경사는 골절단술에 의한 수직적 변화에 의해 교정된다. 수직적 높이는 좌우측을 다르게 감소시키거나 한쪽에만 골 삭제술을 시행하는 것이다(그림 4-109b). 대체술로는 회전식 골삭제술(propeller osteotomy)이 있다.

전후방적 비대칭

전후방적 비대칭은 전후방적으로 턱을 다르게 재위치시켜 교정을 한다.

증례 O.A 경우는 수평적,수직적으로 턱의 비대칭을 교정하는 케이스이다.

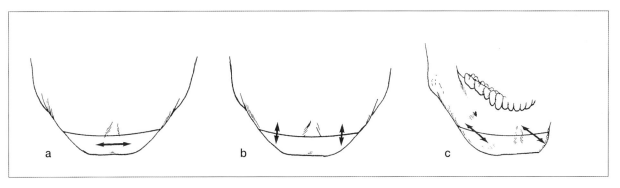

그림 4-109 (a) 턱의 수평적인 비대칭을 수정하기 위한 좌측 또는 우측의 이동 이부성형술, (b) 하악 하연의 비대칭적인 경사의 교정을 위한 턱의 수직적 감소나 하부이식술. (c) 전후방적인 비대칭의 교정을 위한 차등적인 전방 또는 후방으로의 재위치.

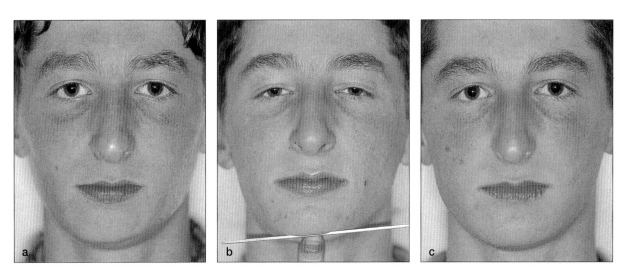

그림 4-110 증례 O. A. 우측방향의 수평적인 턱의 비대칭(a). 그리고 하악 하연의 경사(b)는 분명하다. (c) 좌측으로의 이동과 좌측으로의 하부이식술을 시행한 이부성형술에 의해서 확인된다.

하악의 비대칭

하악의 전후방적인 과도함을 가진 대부분의 환자들은 안모 비대칭의 몇가지 형태를 가지고 있다. 하악의 비대칭에 의해 발생된 안모비대칭은 하악의 외과적 재위치에 의해서 교정될 수 있다. 교정의사는 하악 전치가 치열 정중선이 교정되어졌을때 턱의 중앙에 위치하도록하며, 턱의 중앙선이 안면 중앙선이 될 수 있도록 하는것이 중요하다. 하악 우각부의 구내상행지 수직 골절단술은 큰 비대칭의 수술에 주로 이용되며, 하악골상행지시상분할골절단술은 적은 범위의 수술을 위한 과정이다. 하악골상행지시상분할골절단술이 종종 심각한 비대칭을 교정할 때 사용될 때 근심골편은

벌어지는 경향이 있고, 불량한 골접촉, 후방적 하악비대칭을 야기하고, 구내 견고고정 후 주변 과두의 휨 현상을 크게 만드는 원인이 된다.

증례 P. H.는 하악비대칭의 교정을 설명한다. 하악은 우측으로 비대칭적이고 하악에 전후방적인 과다성장이 있다(그림 4-111). 술 전 교정 동안에 치열 정중선을 맞추려는 어떠한 시도도 없었다. 상악 치열 정중선이 안모의 정중선에 있는 반면에, 하악의 치열 정중선은 턱의 중앙에 있었다(그림 4-112). 안모와 치열의 비대칭은 하악골상행지시상분할골절단술에 의해 설명된다. 2년 후 이 치료의 결과는 그림 4-113에서 보여지는 바와 같다.

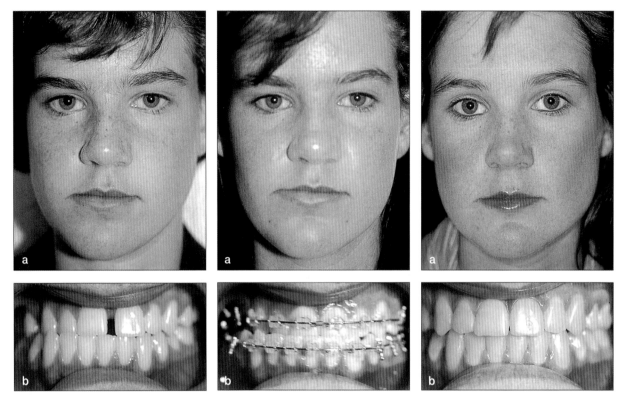

그림 4-111 증례 P. H. 안모 비대칭(a)과 비대칭적 3급 부정교합(b)

그림 4-112 증례 P. H. 약간 더 나빠진 안모 비대칭(a)과 술 전 교정 치료 후의 치열 비대칭

그림 4-113 증례 P. H. 2년 후 치료 후 결과는 정모 사진(a)과 교합에서 증명된다.

하악과 턱의 비대칭

하악 비대칭은 종종 턱의 비대칭과 결합해서 일어난다. 두 가지 비대칭이 모두 존재할 때, 치열 정중선은 턱의 정중선과 일치하지 않는다. 치열 정중선의 교정을 동반한 하악 비대칭의 외과적 교정 후에 턱의 정중선의 추가적인 교정이 필요할 것이다. 안모 정중선과 관계된 치열과 턱의 정중선에 대한 정확한 술 전 평가가 필수적이다. 하악 수술에 의해 안모 비대칭이 교정될 때, 교정의는 술 전에 상악치열의 정중선이 교정적으로 정확한지 확인해야만 한다. 하악과 턱이 결합된 비대칭의 교정은 증례 P. C.에서 증명된다. 환자의 하악은 우측으로 비대칭적이고 전후방적으로 성장이 결핍된 2급 부정교합이다. (좌측보다 우측에서) 하악의 치열 정중선은 상악 절치 정중선보다 우측으로 4mm에 있다(안모정중선); 그러나 턱의 정중선은 안모정중선보다 11mm 우측에 있다. 상악 교합평면에 약간의 수평적 경사가 있지만, 그것은 임상적으로 중요하지 않다(그림 4-114). 하악의 정중선은 하악을 돌출시키고, 치열 정중선에 맞추기 위하여 좌측으로 회전시킨 하악골상행지시상분할골절단술에 의해 교정되어졌다. 마지막으로 안모의 대칭은 턱을 좌측으로 이동, 우측 하방의 골이식, 좌측 턱 높이의 감소 등에 의해 수술되어 진다. 치료의 결과는 그림 4-115에서 설명된다.

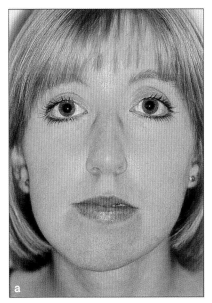
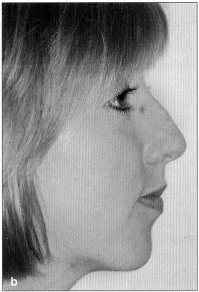
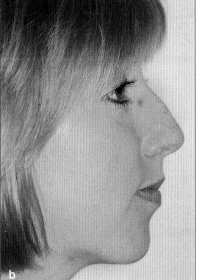
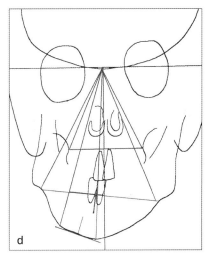

그림 4-114 증례 P.C (a)정면 하악과 턱의 비대칭을 보이고 있다. (b)하악의 전후방적 결핍과 소악증을 보이고 있다. (c)술 전 교합모습 (d)전후방적 두계촬영 투사도에서 상악 치아의 정중선과 안모정중선에 불일치를 보여주고 있다. 반면 하악의 정중선은 우측으로 편향되어 있고 이부는 더욱 우측으로 편향되어 있다.

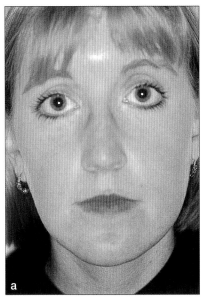

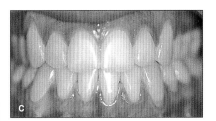
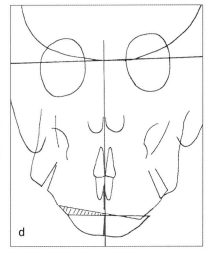

그림 4-115 증례 P.C 술 후 정면 모습
(a) 정면 모습, (b)교합 (c)외과적 교정 후 전후방 두부방사선 촬영 투사도 모습

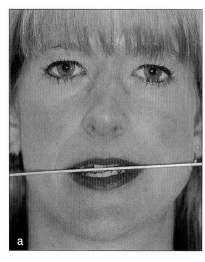

그림 4-116 (a)상악전방부 교합평면의 횡적 경사(canting) (b) 이부하방면(lower border)의 경사(canting)
(c) 하악 후방부의 하방면 이상의 것들은 설압자에 의해서 측정된다.

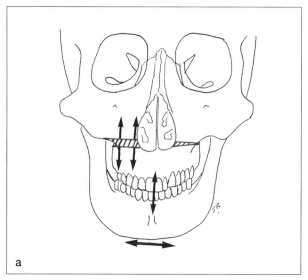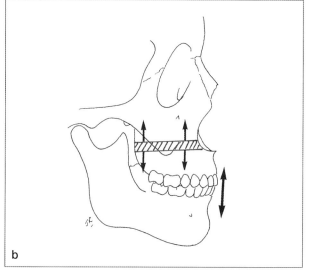

그림 4-117 전후방 경사(canting)가 모두 존재하는 경우, 교합평면의 수정은 수직적, 수평적 두방향의 교정을 포함한다. 전면, 측면에서 화살표
로 표시되어 있다.

상악과 하악의 비대칭

상하악 모두를 포함한 안면 비대칭은 종종 교합평면의 경사(canting)가 존재하게 된다. 경사(canting)는 Fox plate나 설압자를 이용하여 평가되어질 수 있다. 하악의 하방골면(lower border)뿐만 아니라, 교합평면의 전후방부의 canting은 항상 평가되어져야 하고 주지를 해야 한다(그림 4-116). 상

악의 교합평면 경사(canting)는 face-bow를 통해서 교합기에 인기함으로서 쉽고 정확히 평가되어질 수 있다.

전후방부의 경사(canting)가 똑같이 존재하는 경우에서, 교정은 횡적, 수직적 두 방향으로 시행하게 된다(그림 4-117). 상악 전치부 관계는 상악의 교합평면 경사(canting)를 교정하는데 있어서 매우 중요하다(3장 참조).

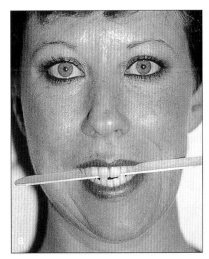 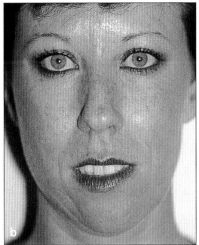 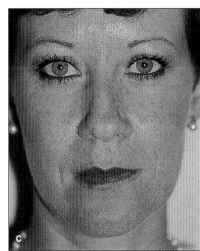

그림 4-118 (a) 교합평면의 경사는 설압자에 의해서 측정된다. (b) 상하악 모두에서 보이는 안면비대칭
(c) LeFort I osteotomy과 BSSRO를 통해 교합평면을 수정한 후의 술 후 결과

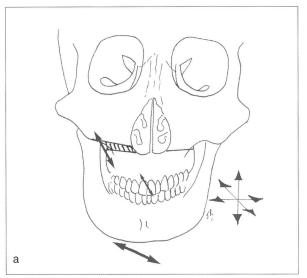 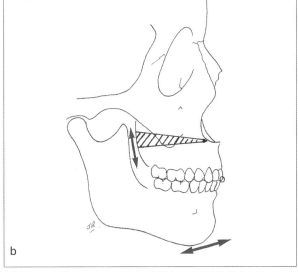

그림 4-119 상악의 전후방에서 다른 경사(canting) 조정을 위한 화살표가 3차원적인 변화를 나타내고 있다. 전면(a)과 측면(b)의 모습

수술이 양악 모두 포함될 것이라면, 교정 의사는 수술로 교정되어질 수 있는 치아정중선을 교정하기위해서 치료시간을 낭비하지 말아야 한다. 그러나, 치아정중선을 교정하는 동안, 악궁형태는 회전이동을 조절하기 위해서 유지되어져야 한다.

상하악을 포함하는 있는 안면비대칭의 예가 그림 4-118에 있다. 교합평면의 횡적 경사(canting)가 존재하고 있으며, 하악은 좌측으로 돌아가 있는 비대칭이 존재하고 있다. 환자는 1급부정교합상태이고, 치아정중선은 일치되어 있는 상태이다. 하악의 치아정중선은 이부의 중앙에 존재하고 있다. 교합평면의 교정(동시에 상악전치부와 상순의 관계 교정 시행)에 의해서, 안면 비대칭이 교정되었다(그림 4-119).

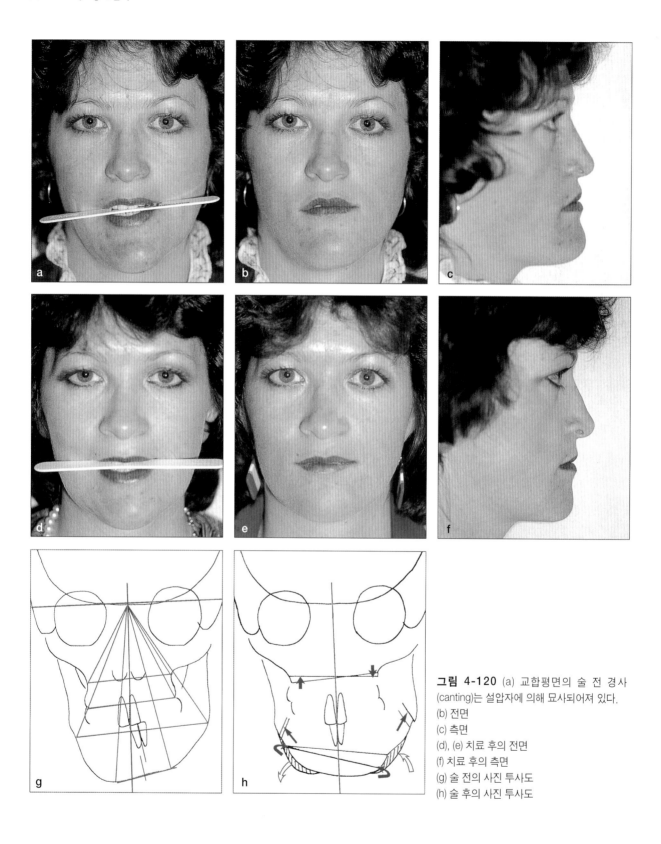

그림 4-120 (a) 교합평면의 술 전 경사 (canting)는 설압자에 의해 묘사되어져 있다.
(b) 전면
(c) 측면
(d), (e) 치료 후의 전면
(f) 치료 후의 측면
(g) 술 전의 사진 투사도
(h) 술 후의 사진 투사도

전방과 후방부위의 교합평면 경사(canting)의 차이점

교합평면의 이중경사(dual canting)는 거의 대부분 하악지의 편측성 과성장 및 성장부족에 의한 결과이다. 예를 들어, 편측성 과두 과성장 또는 편측성 저성장(hemifacial microsomia 또는 temporomandibular ankylosis)같은 것들이다. 하악 상행지의 편측성 증가, 또는 수직성장의 부족은 상악의 수직성장에 이차적으로 영향을 미칠 수 있으며, 교합평면의 경사(canting)를 유발시킨다. 경사(canting)는 상악전방부에서 보다 후방부에서 더욱 심하며, 삼차원적인 수정이 필요하다.

상악, 하악, 이부의 비대칭

상악, 하악, 이부 모두에서 안면 비대칭이 존재할 때, 삼차원적인 교정이 보통 필요하게 된다. 상악 교합평면의 횡적 경사(canting)의 교정은 전후방적으로 경사(canting)가 존재하지 않는 경우에서보다 해결하기 어려울 것이다. 전방부에서 뿐만 아니라, 후방부의 수직적 변화양은 좌,우측이 다르게 될 것이다.

이러한 교정은 전후방, 수직적, 횡적으로 이부에 많은 영향을 미칠 것이다(그림 4-119). 그러므로, 이러한 경우에 있어서, 이부를 수직적, 횡적, 전후방적으로 술자가 조절할 수 있는 회전이부성형술(propeller genioplasty)에 의해서 해결할 수 있다(5장 참고).

그림 4-120에 보여지는 환자는 우측의 편측성 과두 과성장 환자이다. 안면비대칭은 상악, 하악, 이부를 포함하고 있다. LeFort I 골절단술을 통해서 경사(canting)를 수술적으로 교정하였다. 하악에서는 BSSRO를 이용하여 경사(canting)를 교정하였다. 하악의 하방면의 더 좋은 대칭성을 얻기 위해서 하악 우측 하방 골면을 절단하였다(하치조신경의 재위치술을 시행한 후에). 그리고 좌측 하악골체부위의 외측면에는 골절단한 골을 이용하여 골이식을 시행하였다.

관골, 코, 전두면의 비대칭

관골, 코, 전부면은 안면대칭에 있어서 중요한 역할을 한다. 그리고 임상 검사를 시행하는 동안 주의 깊게 평가해야 한다. 이러한 부위의 비대칭은 안면비대칭의 치료에 있어서 중요한 부분이다. 그러나 이러한 부위의 치료는 이 책의 범위 밖이다.

Recommended Reading

Acebal-Bianco F, Vuylsteke PLPJ, Mommaerts MY, De Clercq CAS. Perioperative complications in corrective facial orthopedic surgery: A 5-year retrospective study. J Oral Maxillofac Surg 2000;58:754–760.

Bütow KW, van der Walt PJ. The "Stellenbosch"—Triangle analysis of posteroanterior and basilar cephalograms. J Dent Assoc S Afr 1981;36:461–467.

Bütow KW, van der Walt PJ. The use of the triangle analysis for cephalometric analysis in three dimensions. J Maxillofac Surg 1984;12:62–70.

Cupar I. Die chirurgische behandlung der Form und Stellungs veranderungen des Oberkiefers. Osterr Z Stomatol 1954;51:565.

Ellis E 3rd, McNamara JA Jr. Components of adult Class III openbite malocclusion. Am J Orthod 1984;86:277–290.

Ellis E 3rd, McNamara JA Jr, Lawrence TM. Components of adult Class II open-bite malocclusion. J Oral Maxillofac Surg 1985; 43:92–103.

Enlow DH. Facial Growth, ed 3. Philadelphia: Saunders, 1990.

Ferrario VF, Sforza C, Ciusa V, Dellavia C, Tartaglia GM. The effect of sex and age on facial asymmetry in healthy subjects: A cross-section study from adolescence to mid-adulthood. J Oral Maxillofac Surg 2001;59:382–388.

Grenlich WW, Pyler SI. Radiographic Atlas of Skeletal Development of the Hand and Wrist, ed 2. Stanford, CA: Stanford UP, 1959.

Hugo A, Reyneke JP, Weber Z. Lingual orthodontics and orthognathic surgery. Int J Orthodon Orthognath Surg 2000;15: 153–162.

Letzer GM, Kronman GH. A postero-anterior cephalometric evaluation of craniofacial asymmetry. Angle Orthod 1967;37:205.

McNamara JA Jr. Components of class II malocclusion in children 8-10 years of age. Angle Orthod 1981;51(3):177–202.

Mommaerts MY, Lipperns F, Abeloos JVS, Neyt LF. Nasal profile changes after maxillary impaction and advancement surgery. J Oral Maxillofac Surg 2000;58:470–474.

O'Ryan F, Schendel S. Nasal anatomy and maxillary surgery. I. Esthetic and anatomic principles. Int J Adult Orthodon Orthognath Surg 1989;4:27–37.

Proffit WR, White RP. Surgical-Orthodontic Treatment. St Louis: Mosby, 1992:333–660.

Reyneke JP, Masureik CJ. Treatment of maxillary deficiency by a Le Fort I downsliding technique. J Oral Maxillofac Surg 1985;43:914–916.

Wagner S, Reyneke JP. The Le Fort I downsliding osteotomy: A study of long-term hard tissue stability. Int J Adult Orthodon Orthognath Surg 2000;15:37–49.

Wassmund M. Lehrbuch der probleschen Chirurgie des Mundes und der Kiefer, vol 1. Leipzig: Meuser, 1935.

Wunderer S. Erfahrungen mit der operativen behändlung nochgradiger Prognathien. Dtsch Zahn Mund Kieferheilkd 1963;39:451.

제 5 장

수술기법

지난 20년 동안 진단기술과 치료계획은 더욱 정교해지고, 악교정수술에 대한 우리의 모든 지식과 많은 고려사항들이 발전되어 왔다. 우리는 확신을 가지고 복잡한 악골기형을 치료하는 수술 기법을 발전시켜 왔다. 이 장에서는 세 가지의 과정을 통해서 간결하고 단계적 체계를 가지고 치아안면기형을 해결하기 위한 수술기법들을 소개하고 있다.

악교정수술은 경조직, 연조직에 관한 요소들을 포함하는 세련되고 정확한 수술기법이다. 만약, 부정확한 수술이나, 엉성한 수술기법, 불만족스러운 결과를 유발할 수 있는 연조직에 대한 무시 등이 있다면, 교정의사에 의한 정확한 치아이동을 포함한 치료계획의 좋은결과는 있을 수 없다.

1. 치료계획

술 전에 두부계측 방사선사진, 모형수술 등을 포함한 정확하고, 포괄적인 수술치료계획이 이루어져야 한다.

2. 수술순서

술자는 각각의 과정을 예견할 수 있도록 가능한 많은 수술팀을 구성하고 보조자들이 해야 하는 일들을 정형화시킬 수 있는 순서를 만들어야 한다. 그럼으로써, 수술 효과를 극대화시키고, 수술시간을 절약할 수 있다. 술자는 각각의 수술과정을 명확히 이해하고 있어야하며, 각각의 단계에서 발생할 만한 합병증을 인지하고 있어야 한다. 수술도(blade)의 선택에서부터 봉합사의 종류의 선택까지 전과정의 기본적인 순서를 설정해 놓는 것은 필수적이다. 계획된 단계적 수술기법은 술 중의 불확실성과, 술 후 합병증을 예방할 수 있다. 술자는 자신감을 가지고 수술을 하기 위해서, 수술목표를 정하고 이상적인 결과를 얻어내기 위해서, 각 단계마다 명확히 확인해야 할 뿐만 아니라, 일련의 수술과정을 체계화해야 한다.

3. 기구조작

많은 수의 수술 기구는 술자가 목표를 성취하는데 이용된다. 그러나 많은 기구보다 적고, 효율적인 기구들이 사용되어질 때, 술자와 수술팀 모두에게 혼동을 덜 주게 된다.

양측성 상행지 골절단술

하악골의 수술적 재위치에 대한 첫 보고는 V.P.Blair에 의해서 발표되었으며, 1907년 7월 미국외과학 잡지 Gynecology and Obstetrics에 게재되었다. 그 후, 치아안면기형의 수술적 교정은 잘 정의된 과학일 뿐아니라 매혹적인 예술형태로서 발달되어 왔다.

수술적인 하악의 재위치술은 New와 Erich, Dingman, 골체부 골절단술(body osteotomy)과정을 묘사한 Burch, Bowden, Woodward에 의해 여러 가지 방법으로 발달해 왔다. 다양한 상행지 골절단을 사용하는 하악의 재위치술 과정은 Caldwell, Letterman, Hinds, Girotti, Robinson에 의해서 묘사되어졌으며, 1955년에 Obwegeser와 Trauner는 하악상행지의 시상골절단술을 포함한 수술과정을 발표하였다. 이 기법은 후에 DalPont에 의해서 변형되었으며, 1977년에 Epker에 의해서 재정립되었다.

수술적으로 하악을 이동시키는 술식은 세계 일부에서는 외래 환자에 있어 생명을 위협하는 술식으로 부터 발전하였다. 술식의 독창성과 특별한 기구의 개발, 수술기술의 발전은 우리의 수술목적을 상대적으로 빠르게 진행하는 것을 가능하게 해 주었다. 견고고정(rigid fixation)의 출현은 술후 안정적 회복을 도모할 수 있게 해 주었다. 다음에 서술될 기법은 많은 해 동안 발전되어진 것이고, 그것의 간단함 때문에 South Africa의 요하네스버그에 있는 Witwatersrand 대학의 학생들의 수련에 많은 이점을 주고 있다.

1단계 : 혈관수축제를 연조직에 주사

수술시작 10분 전에 혈관수축제(1:100,000 농도의 epinephrine)를 포함하고 있는 국소마취제를 가지고 조직박리 시행할 부위에 주사를 시행한다. 연조직 깊숙하게 주사바늘을 위치시키고, 흡인을 하고, 주입을 한다.

환자의 입술은 수술과정 동안 스테로이드 연고로 발라주어서 윤활역할을 할 수 있도록 한다.

2단계 : 연조직 절개

점막, 근육 골막까지 절개를 시행하며, 설측으로는 외사선에 절개선이 형성되게 하고, 상방으로는 상행지의 절반까지 시행하며, 하방으로는 제2대구치의 근심면까지 절개선을 형성한다(그림 5-1). 비각화점막을 협측으로 최소한 5mm 정도 남겨두어야 이후에 봉합을 시행하기가 용이해 진다.

제 3대구치는 술 전 6개월 정도에 발거를 시행하는 것이 이상적이다. 그러나 수술시 부분적으로 맹출되거나 완전맹출된 제3대구치는 연조직 절개에 포함시킨것을 고려해야 한다. 매복된 제3대구치를 미리 발거하는 것은 치료계획의 한 부분이다. 만약 술 전 교정이 마무리될 때까지 제3대구치가 존재하게 된다면, 술자는 이 시기에 매복치아를 발거해야하며 수술치유가 마무리 될 수 있게끔 최소한 6개월 이후로 수술을 연기하거나 정확한 치료를 계획하여 수술 시에 제3대구치에 대한 적절한 조치를 취해야 한다.

3단계 : 협측 골막하 박리

조직박리는 골막 하에서 이루어져야 하며, 정확하고 깨끗이, 깔끔하게 시행을 해야 한다. 교근의 부착은 적절한 노출량(수술시야, 부위의 접근성 확보)을 얻을 수 있는 상태에서 최대한 유지시켜야 한다. 골절단 부위의 시야를 좋게 하기 위해서 교근을 충분히 박리해야 한다. 그러나 하악골에서 교근의 부착을 완전히 박리 시키는 것은 반드시 필요

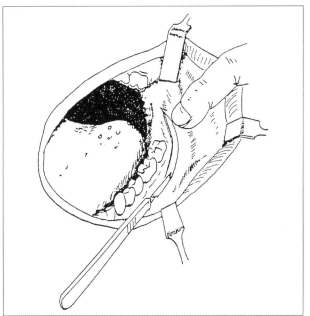

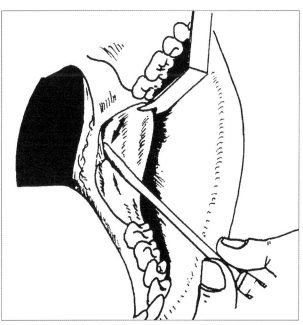

그림 5-1 연조직 절개는 외사선의 내측에 시행하고 제2대구치의 근심면까지 시행한다. 최소한 각화점막에서 5mm이상의 점막이 협측으로 남아 있어야 봉합하기가 쉬워진다.

그림 5-2 골막하 박리는 lingula를 확인하기 위해서다. 상방에서 박리를 시작해서 하방으로 진행하라. 파노라마 방사선사진은 lingula의 상대적 위치를 파악하는데 도움을 줄 것이다.

한것은 아니다. 완전히 박리하면 하악의 근심 골편은 재위치되지 않을 수 있다. 사실상, 자동회전 되는 것은 그렇다 치더라도 근심골편은 원래의 위치에 유지되어지고 교근으로부터 분리되어지지 않게 하는 것은 중요하다. 교근을 전체적으로 박리시키는 것은 사강(dead space)을 증가시키고 이것으로 인해서 부종과 혈종을 증가시키게 되면 골에 혈류공급을 방해하게 되며, 괴사에 이르는 결과를 초래할 수도 있다.

4단계 : 상방의 골막하 박리

상행지 전면의 협설면을 노출시키고 홈이 패인 상행지 견인기를 상행지 전면부에 위치시킨다. 그리고 상행지의 전면부와 근돌기에 부착되어 있는 측두근을 박리한다. 다른 방법으로 coronoid clamp를 연조직 상방으로 견인하는데 사용할 수 있다. 내사선과 후구치부(retromolar area)가 노출되도록 박리한다.

5단계 : 내측으로의 골막하 박리와 소설구의 노출

모든 경우의 박리 시, 골막박리기(periosteal dissector)를 위치시킴으로서 골막하 조직(골)을 노출시킨 상태로 유지해야 한다. 상방으로는 내사선으로부터 박리를 시작하고, lingula 부위까지 하방으로 박리를 한다(그림 5-2). lingula는 주위깊게 확인해야 하며, 위치를 잘 상상하며 접근을 해야 한다(6단계 참고).

6단계 : 소설구의 확인

근심 골절단은 lingula의 확인 없이 시행되어져서는 안된다. 파노라마 방사선사진은 위치확인에 도움을 줄 것이다. 그러나 lingula는 종종 내사선의 돌출로 인해서 확인하기 어려운 경우도 있다. 확인하기가 어려울 경우, 내사선은 큰 삭제 bur를 가지고 제거되어져야 한다(그림 5-3). 만약 골막

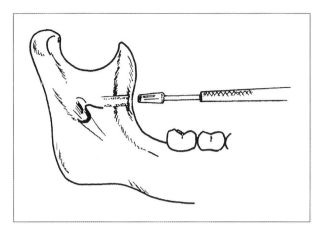

그림 5-3 Lingula의 시야는 큰 삭제 bur로 내사선의 풍융부를 삭제함으로서 시야가 확보되어질 수 있다.

이 찢어지게 된다면, 많은 양의 혈종이 생길 수 있고, 이것은 내측익돌근의 혈관으로부터 기인하게 되며, 때로는 자연적으로 감소하게 된다. 하치조신경공(foramen) 입구에서 하치조신경을 신장시키지 않게 하며, 이것은 아랫입술의 감각이상을 초래할 수 있다.

7단계 : 내측 상행지 골절단

Lingula를 목표로 한 상태에서 701 fissure bur나 Lindeman bur를 이용해서 (그림 5-4a)에서와 같이 교합평면에 수평이 되게끔 내측 상행지 골절단선을 설정한다. 골절단선은 lingula의 후방부위에서 끝나게 하며, 상행지의 해면골이 나올 때까지 확실히 시행을 하고 하악의 후방이동(setback)이 시행될 계획이라면, 작은 골편은 수평골절단성의 상방에서 제거되어져야 한다(그림 5-4b).

내측상행지 골절단이 lingula의 전방에서 끝이 나게 된 경우, lingula 전방에서 골절단이 이루어질 수 있다. 치조신경관의 상방부위와 lingula는 골편분리 과정 동안 근심 골편에 남아 있는 결과를 초래할 수 있다(그림 5-4c). 이것은 시상골절단술 시행시 상방부위에서 골편분리를 어렵게 만드는 가장 일반적인 원인 중의 하나가 된다.

8단계 : 수직적 골절단

상방쪽으로는, 내측골절단이 시행된 지점부터 수직골절단을 시행한다. 하악골의 협측피질골까지만 골절단을 시행하며, 하방종점은 제2대구치의 근심면이 되게끔 한다. 골절단은 피질골을 통과해 해면골까지 도달하게 확실히 하라 (대략 5mm 정도). 매복된 제3대구치의 존재는 골절단을 어렵게 할지도 모른다. 그러나 그것은 골처럼 다루어져야하고 골절단은 치아를 통과해 이루어 질 것이다. 이상적으로, 제3대구치는 수술 전 최소 6개월 전에는 발거해야 한다.

9단계 : 홈이파인 상행지 견인기의 제거와 channel retractor의 적용

하악의 하방경계부위에 channel retractor를 위치시켜라. 모든 경우에 골막하로 유지해야 한다. 개구기를 제거시키고, 하악을 약간 다물게 한다면 시야를 더욱 확보할 수 있을 것이다.

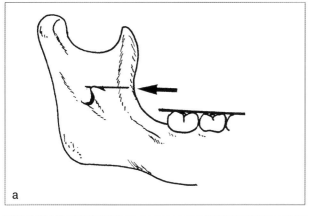

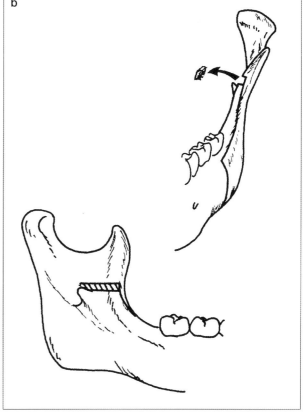

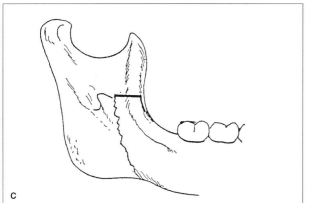

그림 5-4 (a) 수평상행지골절단은 교합평면에 수평하게 진행이 되어야 하며, 골절단은 lingula의 후방 끝까지 시행되어야 한다.
(b) 원심골편은 후방으로 위치되어질 것이고, 큰 교합평면각을 가진 경우 하악의 후방이동이 시행될 경우 상방으로 재위치되는 경향이 있다. 이러한 경우에서 작은 골편은 제거되어져야 하는데, 이것은 근원심 골편간의 간섭을 예방하기 위함이고 상방쪽에서 수평적으로 골편제거가 필요하게 된다. (c) 수평골절단은 lingula를 지나서까지 시행되어져야 한다. 그렇지 못하게 되면, lingula 전방에서 골편분리가 시행되어지는 경향이 강하게 나타난다.

10단계 : 하악골체부의 협측골절단

하악골체부위의 하악골체부 하연에서 협측골절단을 시작한다. 그리고 상방으로 진행해서 상행지골절단선과 만나게 하면서 골절단을 시행하고, 협측피지골이 천공된 것을 느끼면서(그림 5-5a) 골절단은 약간 경사지고 후방으로 약간 각도를 주어서 시행한다(그림 5-5b). 하악골체부 하악골체부 하연의 피질골은 골절단에 포함을 시키며, 시상골절단의 실질적 시작은 하악골체부 하연이어야 하며 설측 피질골의 일부를 포함시켜야 한다(그림 5-5c). 시상골절단 분리기가 위치할 경우에 하악골체부 하연이 근심골편에 붙어있게 만들어야한다(16단계에서 "bad" split에 관한 논의 참

고). 술자는 하악이 전후방적으로 과성장과 편측성 과두 과성장의 경우에 있어서 주의를 해야 한다. 이러한 경우에서는 하치조신경이 협측피질골에 매우 가깝게 있는 경우가 많으며, 하악골체부 하연에 근접하여 있는 경우도 많기 때문이다.

11단계 : 견인강선(Holding wire)을 삽입하기 위한 구멍뚫기

견인강선(holding wire)을 위한 구멍은 근심 골편이 원심방향으로 똑바로 위치되어지는 결과가 얻어져야 한다. 근심골편에 형성되어지는 전방 구멍의 방향은 후방으로 조여

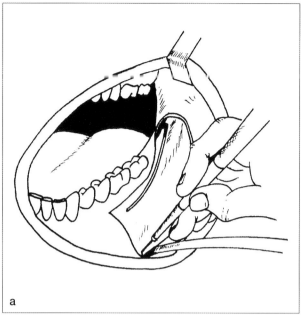
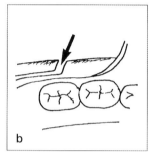
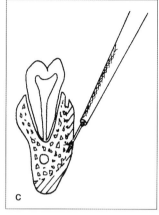

그림 5-5 (a)협측골절단은 하악하연에서 시작하여야 하고 수직적 상행지 골절단부위까지 연장해서 상방에서 골절단선이 만나게 된다.
(b) 협측골절단은 골편분리의 시작을 용이하게 하기 위해서 약간 비스듬히 후방으로 경사각도를 부여해야 한다.
(c) 골편분리의 시작점에서 설측피질골을 설측골편에 포함시키기 위해서 설측까지 골절단을 확실히 하는 것은 필수적이다.

지는 힘을 받게 해야 하고, 원심골편에 형성되어지는 후방 구멍은 전방으로 조여지는 힘을 받게 형성되어야 한다. 견인강선을 꼭 해야 되는 것은 아니지만 술자는 과두 재위치(수술 중 가장 중요한 단계)를 고정용 나사(screw)가 위치되기 전에 단계를 나누어 시행한다면 더욱 정확하게 시행할 수 있을 것이라 느끼고 있다. 과두가 위치되어질 때(27단계 참고), 보조자가 견인강선을 조이는 동안 과두위치기구와 손가락으로 과두를 재위치시켜야 한다. 만약 골편간의 관계와 과두 위치가 견고 고정(rigid fixation)시에 견인강선에 의해서 유지되어진다면 이 과정은 쉽게 이루어질 수 있을 것이다.

골편을 재위치시킨 후의 구멍간의 이상적인 거리는 4mm이다. 그리고 근심골편의 구멍이 전방에 위치되어진다. 당기는 힘은 근심골편에서는 후방으로 원심골편에서는 전방으로 유지되게끔 해야 한다(강선의 방향은 class II 형태가

된다). 다음의 두 가지 예를 들어보자.

1. 하악을 6mm 전방이동시킬 것이 계획된 경우에서, 구멍은 10mm간격으로 뚫어야 한다(그림 5-6a). 6mm 정도의 원심골편이 전방이동되어진 후, 결과적으로 구멍간의 거리는 4mm가 될 것이다.

2. 하악이 6mm 후방이동되는 것이 계획되어진 경우에 있어서, 구멍은 2mm 간격으로 뚫어져야 하고, 원심골편의 구멍이 전방에 놓이게끔 해야 한다(그림 5-6b). 만약 하악 재위치 후 구멍간의 거리가 4mm이상이 될 경우, 근심과 원심골편간의 골근접도는 긴 강선의 간격 때문에 부정확해질 것이고 견고고정시 부정확한 고정이 이루어질 수 있게 된다.

아래 그림-6mm 후방이동 후, 구멍은 결과적으로 4mm 간격이 형성된다. 이것은 과두의 위치와 치아를 포함한 골편을 안정화시키는 방향의 힘을 형성하게 된다.

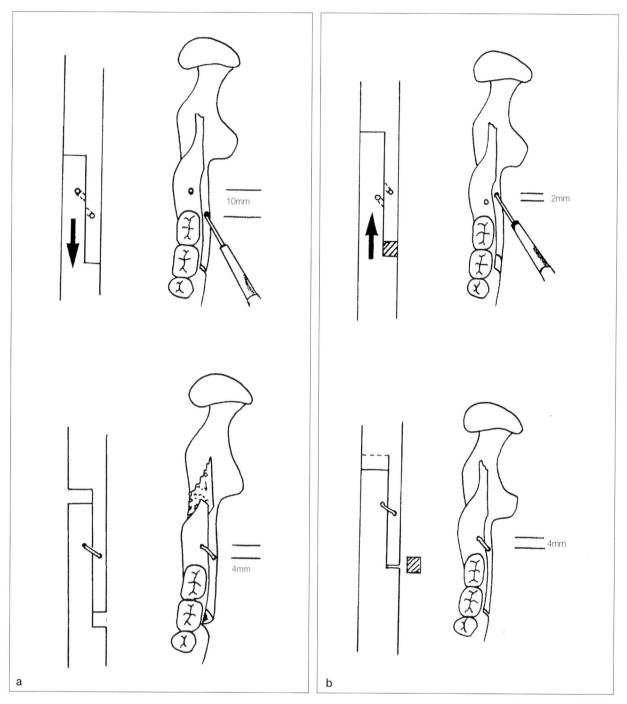

그림 5-6 (a) 하악전방이동을 위한 구멍의 위치. 위그림-4mm 전방이동을 위해서 구멍은 10mm 간격으로 형성되어야 한다(원심골편의 구멍은 근심골편의 구멍보다 후방에 위치). 아래그림-하악이 6mm 전방이동 된 후, 구멍은 결과적으로 4mm 간격이 형성된다. 이것은 과두의 위치와 치아를 포함한 골편의 전방이동을 도모하는 방향으로 힘을 얻게 될 것이다. (b) 하악후방이동을 위한 구멍의 위치. 위그림-하악의 6mm 후방이동을 위해서 구멍은 2mm간격으로 형성되어야 한다. 근심골편의 구멍은 원심골편의 구멍보다 후방에 위치하게 된다.

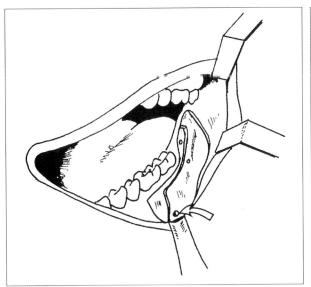

그림 5-7 과두 재위치 장치를 적용시키기 위한 구멍이 근심골편의 하방, 전방에 형성되었다(28단계를 참고).

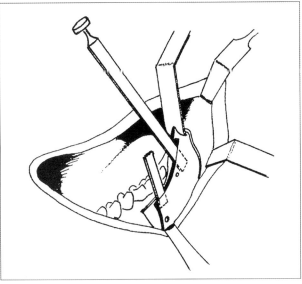

그림 5-8 골편분리는 근심쪽에서 바깥쪽으로 협측골절단까지 수직골절단을 따라서 10mm 넓이의 골절도를 사용함으로써 시작된다.

다른 기법

Bone clamp는 강선 사용의 변형으로 사용되어 질 수 있다. 몇몇 술자들은 bicortical screw를 사용하는 동안 과두 재위치 장치(condyle positioner, ramus pusher 또는 강선 director)사용으로 위치되는 근심골편을 유지시키는 데 bone clamp가 더욱 간편하다고 느끼고 있다. 어떠한 방법을 사용하든지, 근심골편과 과두는 bicortical screw가 위치되어질 때, 과두와(glenoid fossa)에 이상적으로 위치되어져야 한다(27단계를 참고).

12단계 : 과두 위치형성을 위한 구멍의 형성

구멍은 근심골편의 협측피질골에 형성해야 하며, 후방으로 각이 형성되게 해야 한다(그림 5-7). 이 구멍은 강선을 조이기 전에 과두를 위치시키는 과정동안에 과두 재위치 장치를 위치시키기 위한 것으로 사용되어질 것이다.

13단계 : 세척

수술부위는 생리식염수로 깨끗이 하고 작고 젖은 스펀지를 그 곳에 넣어 준다. 골절단이 한쪽에서 시행되었을 때, 하악을 분리시키기(splitting) 전에 다른 쪽의 골절단을 시행하여야 한다.

14단계 : 골절도를 가지고 골절단부위에 적용

반대편의 골편분리를 시행할 때, 불필요하게 하악을 조작하지 않는 것은 중요하다. 이것은 이미 골편분리되어 있는 쪽의 경조직과 연조직에 손상을 줄 수 있다.

10mm 넓이의 얇고 강한 골절도는 근심 골절단 부위에서 바깥쪽으로 골절단선을 따라서 골절단한다(그림 5-8). 골절도를 협측피질골의 내측에 위치시키고 channel retractor는 하악하연에서 하악을 지탱하면서 골절단을 시행한다. 무리한 시도는 피질골판의 골절을 일으킬 수 있으며, 이 단계에서 하악 지지(힘이 가해지지 않도록 하악을 받치는 것의 실

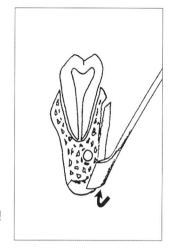

그림 5-9 작은 Reyneke sagittal split separator는 협측 골절단 부위에 깊게 위치시키고, 하악골체부 하연으로 삽입해야 한다.

패는 악관절에 손상을 줄 수 있을 것이다(예, hemarthrosis, 악관절 내장증(disc displacement)).

15단계 : 하악골의 분리

하악골의 실제적인 분리는 두 단계로 나누어 시행되어진다. 첫 단계는 골편분리의 시작을 의미한다. 골편분리의 시작에 있어서 술자는 다음의 것들을 확인해야 한다.

1) 근심골편으로 하악골분절의 하악골 체부 하연 (border)이 존재해야 하고, 2) 신경이 손상받지 않았 는지와 근심골편으로부터 분리되었는지에 대해서 확 인해야 한다.

두 번째 단계에서, 술자는 다음과 같은 것을 확인해야 한다. 1) 하악하연이 근심골편에 부착되어서 분리 되는지 를 2) 신경이 근심골편에서 분리되는지 3) 근심골편으로 부터 신경관과 신경관입구가 분리되어져 있는지를 확인해 야 한다.

술자는 상행지 수직골절단 부위의 상방부에 큰 골절도를 위치시켜야 하고 하악하연 부위에 협측 골절단을 위해서 작은 시상골절단 분리기를 위치시켜야 한다(그림 5-9). 악 관절을 보호하기 위해서 channal retractor와 손가락으로 하 악을 지탱해 주는 것은 중요하다. 자연스럽게 골편분리가 이루어지지 않는 경우에 무리하게 시행하지 말고, 모든 골

절단(골절도)을 재위치시켜 보아라.

16단계 : 골편분리의 완성

근, 원심 골편의 분리를 계속하기 위해서, 골절단을 위해 서 더 큰 분리기를 위치시켜야 하고 시상골절단 분리기를 적용하고 기구를 회전시킴으로써 골절단을 할 수 있다. 항 상 하악하연은 근심골편에 붙어 있게 해야 하고 신경은 보 호되고 손상이 없어야 한다.

하악관은 종종 근심골편에 붙어 있게 되는데 특히 하악 이 전후방적으로 과성장되어 있는 경우나, 비대칭(과도하 게 성장된 부위)인 경우나 편측성으로 과두가 과성장(과도 하게 성장된 부위)된 경우에 매복된 제 3대구치가 있는 경 우에 더욱 근심 골편에 붙어있다(그림 5-10a). 술자는 근심 골편에 신경이 부착되어 있는 것을 발견하면 즉시 골편분 리는 중지 되어져야 하고, 근심골편에 붙어 있는 신경은 뭉 뚝한 분리기(blunt dissector Howarth)로 조심스럽게 분리 시켜야 한다(그림 5-10b). 근심방향으로 하치조신경이 부 착되어져 있는 경우에, 술자는 골편분리를 멈추어야 하고 작은 골절도를 가지고 근심골편으로부터 신경관의 근심부 위를 조심스럽게 박리해야 한다(그림 5-10c). 주의 깊게 작 은 nontooth forcep으로 신경으로부터 골조직을 분리해라. 골편분리동안, 받침점으로 최후방구치부(retromolar area)

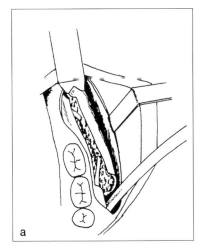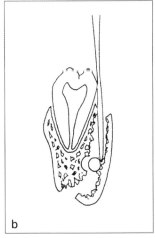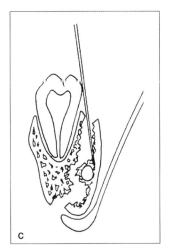

그림 5-10 (a) 신경이 근심골편에 부착되어 있다. (b) 골편분리를 계속진행하기 전에, 신경관은 blunt dissector를 가지고 주의 깊게 골에서 분리를 시켜야 한다. (c) 신경은 신경관(canal) 안에 여전히 남아 있다. 골절도는 근심골편으로부터 canal을 주의 깊게 박리해야 한다.

를 사용해서는 안된다.

특히, 매복 제 3대구치가 존재하는 경우는 더욱 그러한데 이 부위는 얇기 때문에 골절이 되기 쉽고 고정을 시행하기가 어려운 부위이기 때문이다. 다시 한번 강조하면, 악관절을 충분히 보호한 상태에서 근심골편을 조작하는 것이 중요하다

다음 단계에서 골편에 저항이 느껴진다고 하면 다음에 서술한 것 중의 하나가 원인일 가능성이 많이 있다.

1. 근심 상행지절단 부위의 원심부위와 후방으로는 lingula 부위까지 상방으로 골절이 되어 있는 불완전골절의 경우, 이점의 해결방법은 시야를 확보한 상태에서 골편상에 부착되어 있는 골을 큰 골절도를 이용하여 잘 분리하는 것이다.

2. 근심 골절단시 lingula 전방에서 골절단이 이루어진 경우 수직골절단부위의 골절이 발생할 수 있다. 이것의 해결방법은 수평골절단을 수정하는 것이고 작은 골절도를 이용해서 원심골편으로부터 신경관을 분리시켜 내야 한다.

신경손상을 예방하기 위해서 하악골을 분리시키는 동안

양 골편을 받쳐주어야 한다.

부적절한 골편 분리(bad split)

각 단계를 세심하게 진행함으로써 부적절한 골편분리가 발생하지 않게끔 하라. 만약 적절한 골편분리가 시행되지 않는다면, 골편분리를 중단하고 문제가 있는 부위를 눈으로 확인한다. 이러한 문제가 빨리 확인된다면, 문제를 쉽게 해결할 수 있을 것이다. 다음은 단독적 또는 복합적으로 발생할 수 있는 부적절한 골편분리에 대해 서술하고자 한다.

하악 골체부에서 협측 피질골의 골절

① 초기진단 : 만약, 하악의 골체부 협측피질골 골절이 초기에 진단된다면, 하악골체부 하연을 포함하지 않은 상태의 골절임을 확인할 수 있다(그림 5-11a). 만약 이것을 확인하였다면, 협측 골절단을 다시 시행하여야 하며, 특히 하악골체부 하연 부위의 골절단을 주의 깊게 시행하여야 한다. 시상골 분리기구(sagittal separator)를 골절단 부위의 하방 깊숙이 위치시켜서 하악골체부 하연의 골편분리를 시행하여야 한다. 견고고정을 시행할 때, 근심골편의 골절이 없는 부위에

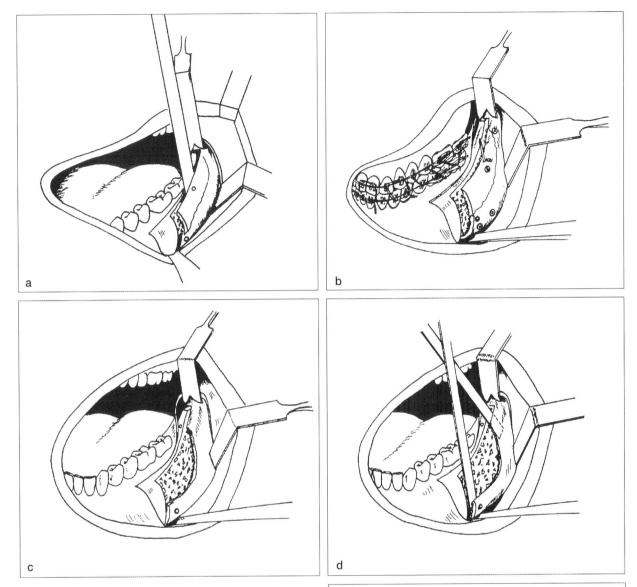

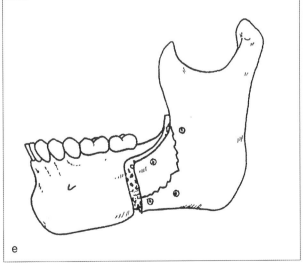

그림 5-11 (a) 원심골편으로부터 협측피질골을 분리시키고 있으며, 하악의 하악골체부 하연이 부착되어 있다. 피질골의 작은 골절선이 상방으로 주행하고 있다. 골편분리는 즉시 중단해야 하고 하악골체부 하연이 근심골편에 포함이 되도록 다시 골절단을 시행하여야 한다. (b) 협측골절편은 근심골편에 여전히 부착되어져 있고, rigid fixation을 통해서 안정적으로 고정되어 있다. (c) 협측골절에 대한 늦은 진단, 골절된 골은 근심골편으로부터 완전히 분리가 되었다. (d) 골편분리는 하악골체부 하연 부위에서 완전히 분리되어지게끔 계속 골절단을 시행하고 있다. (e) 분리된 피질골은 제위치되어졌고 골편은 lag screw에 의해서 안정적으로 위치되어진다. 근심골편의 적절한 고정이 시행되어졌다.

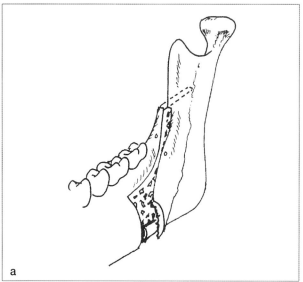
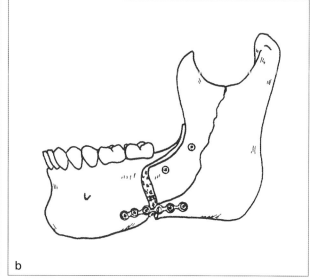

그림 5-12 (a) 하악골체부 하연으로부터 분리되어진 협측 피질골 골절, 골절선은 상방으로 coronoid notch 까지 연장되어 있다. 골편분리를 멈춘상태에서 근심골편의 하악골체부 하연 부위를 다시 골절단해야 한다.
(b) 협측피질고골절은 상방으로 발생하였고, 과돌기까지 연장되어 있다. 협측골절단은 하악골체부 하연 부위에서 다시 시행해야 한다. 견고고정 (rigid fixation) 은 소강판(plate)과 bicortical screw에 의해서 이루어졌다.

bicortical screw로 고정을 시행한다(그림 5-11b).

② 늦은 진단 : 만약 하악골체부의 협측피질골 골절이 늦게 발견된다면, 협측 피질골은 원치 않은 방향으로 골절이 일어나면서 하악골로부터 완전히 분리되어진다 (그림 5-11c). 이러한 경우에는 협측골판을 제거하고, 생리식염수로 적신 스펀지로 감싸서 분리된 골편을 잘 보관해 둔다. 골편분리를 하는 과정에서, 그림 5-11d 에서처럼 직선 골절도를 위치시켜서 매우 조심스럽게 하악관 신경들의 손상을 주지 않으면서 하악골 분리를 진행한다. 골 분리를 진행하면서 직선 골절도를 하악시상부에 위치해 놓으면서 협측 하악골 시상면 분리를 진행한다(그림 5-11d). 분리된 골편은 재위치시키고 견고고정이나 lag screw로 고정한다(그림 5-11e).

하악의 골체부와 상행지를 포함하는 협측 피질골의 골절

① 조기 진단 : 하악의 골체부와 상행지를 포함하는 협측 피질골의 골절이 빨리 인지되어진다면, 피질골은 하악골체부 하연으로부터 시작된 골절이라는 것을 볼 수 있을 것이다(그림 5-12a). 특히 하악골 하방 부위에 협측 골절단술은 다시 시행되어져야 하며 시상골분리기구는 골절단선 하방에 위치하고 협측 피질골의 남아있는 부위를 분리시킬 수 있도록 위치해야 한다.

② 늦은 진단 : 하악의 골체부와 상행지를 포함하는 협측 피질골의 골절이 늦게 일어난다면 오훼돌기를 포함한 협측피질골은 하악의 나머지 부분으로부터 분리되어질 것이다. 하악의 부분골은 측두근과 부착되어 있기 때문에, 골편이 제거되어서는 안 된다. 하악골체부 하연에 남아있는 골을 분리시키기 위해서 협측골전단을 협측피질골의 골절선을 따라 골편분리를 조심스럽게

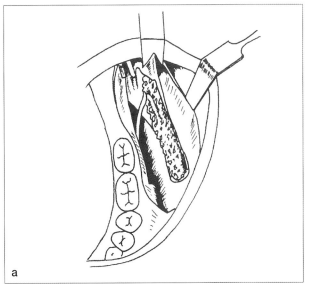
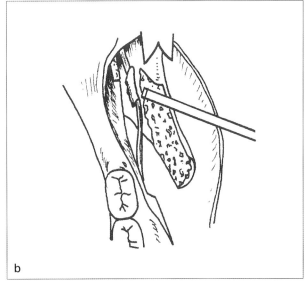

그림 5-13 (a) lingula와 신경관의 근심부위는 근심골편에 부착이 되어 있다. 이것은 보통 수평골절단이 lingula 후방까지 충분히 골절단을 시행하지 못하였기에 발생한다.
(b) 하치조신경을 포함하는 신경관은 근심골편으로부터 조심스럽게 분리되어져야 한다.

시행한다. 협측 골절단을 하는 부위 하방으로 시상골 분리기구를 이용하면서 골절도를 사용해서 하악골 분리를 완성한다. 매우 적은 양의 골이 원심골편의 재위치 후에 겹치게 될 수 있으며, 이것은 견고고정을 어렵게 할 수 있다. 골편 고정은 소강판(plate)을 사용하며, 골절편은 bicortical screw를 통해 고정시킬 수 있다.

하치조신경관 전방의 상행지 근심면에서 수직골절단의 골절

① 초기 진단 : 빨리 인지가 되어진다면, 하치조신경관 전방의 상행지의 근심면에서 발생한 골절은 골절단의 상방부위에서의 저항감을 느낌으로서 술자는 인지할 수 있다. 만약 이러한 일이 발생한다면, 상행지부위의 근심골절단을 다시 시행해야 한다. 골절단을 lingula를 지나서까지 완전히 시행하고 하치조신경의 손상이 없게끔 하기위해 작은 골절도를 사용한다.

② 늦은 진단 : 이러한 상황이 늦게 인지가 되어진다면, 골절분리가 완전히 이루어질 것이다. 그러나, 하치조

신경과 lingula는 lingula 전방에서 골절단이 이루어지기 때문에 근심골편에 위치하게 될 것이다(그림 5-13a). 하치조신경을 보호하기 위해서 양 골편을 받쳐주어야 하고 근심 상행지 골절단을 다시 시행하라. 작은 골절도를 가지고 근심골편으로부터 lingula와 하치조신경을 조심스럽게 분리시킨다(그림 5-13b).

제2대구치의 후방부위에서 하악골의 후방구치부위 골편의 골절

① 초기 진단 : 제2대구치 후방의 구치후방부의 골편은 약하고, 특히 매복 제3대구치가 존재하는 경우가 그러하다. 술자는 이러한 점들을 인지하고 있어야 하며, 골편분리하는 과정동안 지렛대로 사용하여서는 안 된다(그림 5-14a).

② 늦은 진단 : 만약 이 부위에서 골절이 일어난다면(그림 5-14b) bicortical screw를 가지고 견고고정하는 것은 불가능할 것이다. 술자는 이전에 묘사했던 것처럼, 소강판(plate)을 사용해야 할 것이다.

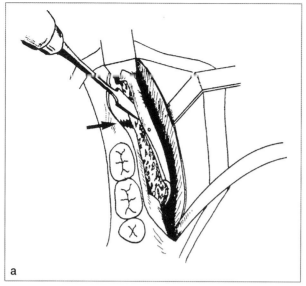

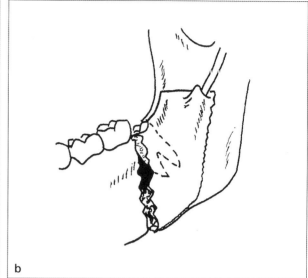

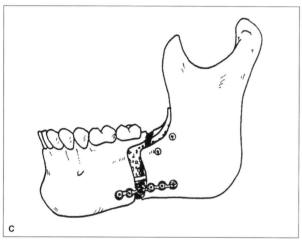

그림 5-14 (a) 무분별한 과도한 힘이 약한 구치후방부위에 가해지게 된다면, 골절이 일어나게 될 것이다. (b) 근심골편의 후방 설측면, 제3 대구치는 이 부위의 골절을 유발시키기 쉽다. (c) plate가 골편을 고정시키는 데 사용되어지고, bicortical screw로 안정성을 얻을 수 있다.

17단계 : pterygomassetric sling의 박리

골편사이에 휘어진 골막기자(curved periosteal elevator)를 위치시키고, 원심골편의 하악골체부 하연에 삽입하고 원심골편으로부터 pterygomasseteric sling을 분리시킨다 (그림 5-15). 이 단계에서 근원심 골편사이에 남아있는 골 부착을 없다는 것을 확실히 알 수 있을 것이다. 신경은 모든 단계에서 보호되어져야 한다. pterygo-masseteric sling의 불완전한 박리와 근원심 골편간의 불충분한 분리는 원

심골편을 재위치시키는 데 어려움을 유발시킬 수 있으며, 과두 위치 또한 부정확하게 될 수 있다.

18단계 : 내측익돌근의 박리와 경상하악인대의 박리

내측익돌근과 경상하악인대는 하악우각부의 내측면에 부착되어 있다. 하악골로부터 이것들을 분리시키는 데 실패한다면, 원심골편의 후방 재위치는 어려워지게 된다. 이것은 하악과두(glenoid fossa)로부터 과두를 견인하거나,

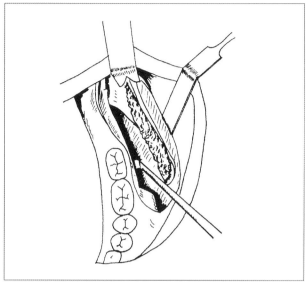

그림 5-15 Curved periosteal elevator가 원위측 골편에서 pterygomasseteric sling을 분리하는데 이용되고 하방과 후방에서 분리가 이루어지도록 한다.

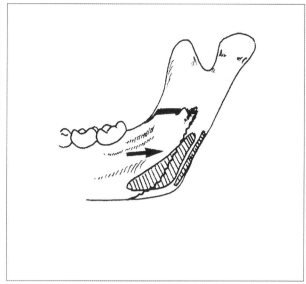

그림 5-16 하악 우각부의 내측면에서 내익돌근(전방)과 stylo-mandibular ligament(후방)의 부착을 보여준다. 이들 부착은 근심편이 후방이동되고 하악의 후방이동의 경우 분리를 방해할 것이다.

또는 근심 골편을 후방으로 회전되게 만들어서 재발경향을 높이게 할 수 있다.

이러한 연조직의 부착은 근심골편이 후방이동하는 것을 방해할 것이므로 후방이동의 경우에 있어서 분리를 시행해야 한다.

19단계 : 매복 제3대구치의 발거

BSSRO시행 최소 6개월 전에 매복치아의 발거를 시행하는 것은 저자의 방침이다. 항상 이렇게 하는 것이 가능하지는 않기 때문에, 근원심골편사이에서 골접촉에 방해가 된다고 한다면, BSSRO 시 매복치 발거가 시행되어져야 한다. 임상가는 후방구치부(설측피질골)을 골절시키지 않기 위해 조심해야 한다. 또한, 발거 시 신경손상이 일어나지 않게 주의해야 한다. 제3대구치의 존재나 치아발거 후 발치와의 빈 공간은 골 이용에 있어서 제한 요소가 될 것이며, 이에 따라 bicortical screw를 위치시켜야 한다.

매복된 제3대구치나 발치와의 존재는 골의 이용과 bicortical screw의 위치를 제한할 수도 있다.

20단계 : 골편의 접촉면 부드럽게 다듬기

큰 pear-shaped vulcanite bur가 골편 사이의 좋은 접촉을 이루고 날카로운 골 절단에 의한 신경 손상을 방지하기 위해 근심 골편의 내측을 부드럽게 하는데 이용된다. 골은 치조 신경혈관다발의 손상 가능성 때문에 원심골편의 외측에서는 제거되지 않는다.

21단계 : 견인강선(holding wire)의 위치

원심(근심) 골편에서 구멍을 통해(11단계) 0.018-inch 강선을 위치시킨다. 강선이 당겨질때 측두하악관절에 대한 손상을 방지하면서 원심 골편을 지지한다.

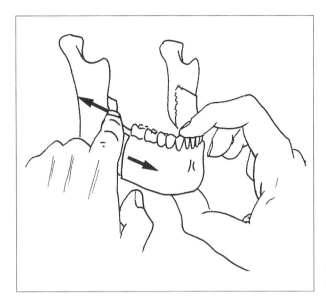

그림 5-17 근심편은 손가락 압력으로 원심편이 지지되는 동안 하악을 전방으로 잡아당김으로 움직인다.

22단계 : 하치조신경섬유 다발의 위치를 주의하라

하치조신경섬유다발은 분리과정동안 종종 볼 수 있다(그리고 박리된다). 외과의는 bicortical screw의 안전한 위치를 확인하기 위해 시야를 확보하고 신경혈관다발의 위치를 확인하여야 한다.

23단계 : 제3대구치의 위치를 주의하라 (또는 그 발치와)

제3대구치(또는 발치 후의 발치와)는 bicortical screw의 고정에 영향을 준다. 따라서 치아나 발치와의 위치 및 크기 확인은 효과적인 bicortical screw 고정을 위해 중요하다.

24단계 : 원심골편의 위치이동 (mobilization)

세척하는 동안 위치된 스펀지를 제거한다(13단계). 검지로 근심골편을 지지하는 동안 원심골편을 전방으로 당김으로써 각각에서 근심골편을 움직인다(그림 5-17).

25단계 : 선택적 골삭제성형 (odontoplasty)과 악간고정

Diamond bur를 이용하여 모형수술에 의해 지적된 부위들에 선택적으로 물로 냉각하면서 골삭제성형(odonto-plasty)을 시행한다. 악간고정은 계획된 교합평면들에 치아들을 적용한다. 미리 제작된 splint가 필요에 따라 이용되나 acrylic splint가 항상 이용되는 것은 아니다. 안정된 교합을 이룰 수 있고 분절골 절단술이 요구되지 않는다면 acrylic

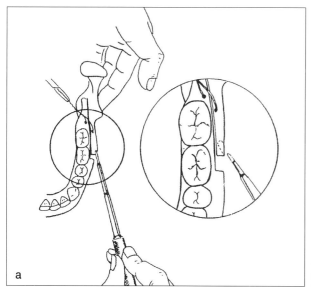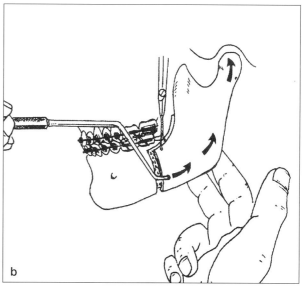

그림 5-18 (a)협측 피질골로 구멍뚫은 곳에 과두 위치기를 적용시킨다(20단계 참고).
(b)과두 위치기와 하악각에 손가락을 이용하여 과두를 조심스럽게 상방과 약간 전방으로 밀면서 관절와에 놓이게 한다. 수술 보조자는 이제 위치 고정용 강선을 조일 수 있다.

splint의 이용은 불필요하다. 제일 먼저 중절치가 계획된 절치간 관계를 확인하며 먼저 고정한다; 그리고 구치부에 약간 고정을 한다. 외과적 재위치에 도움을 주는 벡터(vector)를 사용한 강선의 적용이 중요하다.

골격과 연조직 간섭없이 계획된 교합으로 치아들을 위치시켜야 한다. 이 단계에서 간섭은 다음 원인에 의해 일어난다 (1) 불완전한 분리; (2) 완전히 박리되지 못한 pterygo-masseteric sling; 또는 (3) 분절들 사이의 자유로운 이동을 방해하는 근심골편과 원심골편사이의 날카로운 골간섭. 근육, 골, 치아간섭에 대하여 교합으로 치아들에 힘을 가하는 것은 부정확한 위치와 미흡한 안정성을 얻게 된다. 미흡한 술 전 교정준비(느슨한 교정용 brackets, 없거나 너무 적은 K-hooks, 또는 K-fooks의 부적절한 위치)는 부적절한 강선 고정(fixation) 때문에 교합을 유지하기 어렵게 할 수 있다.

26단계 : 근심골편에서 골의 제거

교합된 상태로 치아들이 강선으로 고정되고 근심골편이 후방으로 부드럽게 밀어질 때 골의 겹쳐짐(계획된 후방이동량에 맞는)이 보여질 것이다. 외과의는 골의 제거동안 신경혈관 다발이나 안면신경에 손상을 주지 않도록 겹쳐진 골을 제거하여야 한다. 협측 골절단에서 골의 정확한 위치는 장점이 되지 않는다. 반대로 만약 근심골편이 협측 골절단부에서 원심골편에 대해서 단단히 고정되도록 밀쳐진다면 과두는 관절와에서 너무 후방이나 편심으로 힘을 받게 되고 과두쳐짐이 일어나게 된다. 결과는 골편이 수직골절단시 동시에 힘을 받는다면 근심골편이 후방과 하방으로 회전될 수 있기 때문에 안정성이 떨어지게 된다. 제거된 골의 작은 조각은 다른 부위에서 골이식에 이용될 수도 있다 (BSSRO나 LeFort I 골절단술시 골편사이 골결손부).

27단계 : 과두의 위치

과두위치기(condyle positioner)는 협측 피질골에 뚫려진 구멍에 위치된다(12단계를 참고). 그리고 하악의 우각부가 술자의 손가락힘으로 지지되는 동안 과두는 관절와에서 술 전 관계로 위치되어져야 한다(그림 5-18a). 위치 기구에서 후방의 손가락 힘과 하악의 우각부에서 상방과 약간 전방의 술자의 손가락 힘은 근심골편의 조절을 가능하게 한다(그림 5-18b). 과두와 관절와의 해부학적 관계 인식으로 조합된 이 조절은 외과의가 정확한 과두의 위치를 도달할 수 있게 한다. 수조작동안 근심골편에 대한 과도한 힘은 관절와 내에서 관절원판의 변위나 hemarthrosis나 joint effusion을 만들 수도 있다.

관절와에 대한 술 전 관계에서 근심골편(과두)의 위치는 항상 문제가 될 만하고 BSSRO에서 가장 중요하다. 과두의 재 위치에 관한 다양한 술식들과 장치가 보고되어져 왔고 이로 인한 성공률을 보인다. 여기서 설명된 방법은 15년 동안 2800개 이상의 BSSRO을 시행하는 동안 개발된 것이다.

28단계 : holding wire tightening

보조자가 견인강선(holding wire)을 조이는 동안 이상적인 위치(27단계에서 설명된)에 근심골편을 붙잡는다. 견인강선을 조심스레 조이는 동안 골편을 관찰하고 원하는 위치에 골편이 수동적으로 위치될 때까지 강선을 조이며 이때, 골편에 힘을 가하면 안된다. 구멍의 부적절한 위치는 골편에 올바르지 못한 벡터를 가하게 되고 정확한 과두의 위치를 방해한다. 견인강선의 과도한 조임은 과두에 부적절한 힘을 가하게 되고 과두 처짐(condylar sag)을 일으킨다.

29단계 : trocar의 위치

구강외 stab 절개가 gonial notch 뒤의 하악의 하연에서 이루어진다. 외과의는 trocar의 끝이 구강 내로 골막을 관통하면서 피부절개를 통해 trocar를 위치시킨다. 초기 위치는 신경혈관다발이나 골편의 손상을 피하면서 골의 상방에 위치한다. 피부절개의 부적절한 위치는 하순의 마비를 일으킬 수 있는 안면신경의 하악지의 손상을 일으킬 수 있다.

30단계 : 구멍 뚫고 고정나사 위치 시키기

Bicortical hole을 뚫고 고정나사(screw)를 위치시킬 때 다음을 주의한다.
- 하치조신경혈관다발의 위치(22단계 참고)
- 고정나사(screw)의 길이에 적합한 골의 두께
- 매복된 제3대구치의 위치(또는 발치와, 가능하다면 발거한다.)
- 제2대구치의 원심 치근

가벼운 힘으로 날카로운 드릴(drill)을 이용하여 구멍을 뚫는다(그림 5-19a). 버(bur)의 손잡이가 드릴링(drilling) 동안 trocar에 대하여 힘을 받는다면 적절한 물냉각을 통해 열 발생을 줄이고 trocar의 관에 접하는 피부와 피하조직에 화상을 주의해야 한다. 상방 변연을 따라서 삼각형이나 직선으로 세 개의 구멍을 위치시킨다. 과두의 재위치를 지지하도록 약간 후방으로 구멍의 각을 형성한다.

구멍을 드릴링(drilling)하면 구멍이나 방향의 실패가 없도록 trocar를 위치시킨다. Trocar가 위치되는 동안 구멍의 길이를 측정한다(경험으로 외과의는 screw의 길이를 가늠할 수 있다). 고정나사(screw)는 trocar로 유지되고 부드럽게 조여진다(그림 5-19b). 고정나사(screw)가 설측 피질골에 접할 수 있도록 screw를 조이는 동안 원심골편의 피질골을 확인한다. 만약 두 골편들이 서로 밀고 있다면 고정나사(screw)는 제거되고 새로운 구멍을 드릴링 한다. Screwdriver를 부드럽게 민다; 고정나사(screw)의 위치는 self tapping되고 접합되면서 회전되어야 한다는 것을 주의하라.

처음 고정나사(screw)의 위치 후 두개이상의 screw를 적절한 위치에 위치시킨다. 고정나사(screw)는 골편이나 골

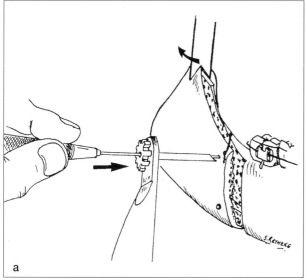
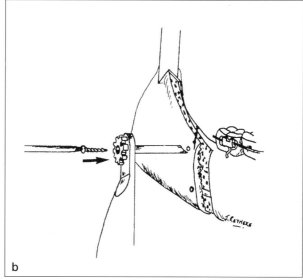

그림 5-19 (a) Transbuccal trocar를 위치해서 적당한 방향으로 bicortical holes을 형성한다.
(b) Bicortical scerws가 trocar를 통해 위치되고 bone에 대해서 골편이나 교합이 흔들리지 않도록 trocar가 너무 힘주지 않도록 한다.
(c) 골편사이의 골 결손부와 과두가 과두와에서 빠져나오는 것을 방지하기 위해서 screw를 조일 때 너무 깊게 식립하면 안된다.

편간 간격에 압력을 가해서는 안되는데 이는 과두의 전위나 주변성 과두처짐(peripheral condylar sag)을 일으킨다 (그림 5-19c; peripheral condylar sag의 토론 참고, 299-301).

31단계 : 상하악 강선고정(MMF)의 제거와 교합의 확인

고정용 강선의 제거 후 즉시 교합을 확인하여야 한다. 최종교합을 확인하기 전에 하악을 벌리거나 다물어보고 부드럽게 좌,우로 운동시켜 본다. 몇 분 기다린 후 이부 하방에서 작은 손가락 힘으로 하악을 다물고 교합을 형성한다. 부적절한 교합이 허용되어서는 안되며 교합이 계획된 대로 정확하여야 한다 ; 이 단계보다 문제를 수정할 수 있는 더 좋은 시기는 없다.

32단계 : 부정교합의 술중 진단

관절와에서 과두의 부적절한 위치때문에 발생한 부정교합은 악간고정의 제거 후 즉시 발현된다(31단계 참고). 근심골편이 수술동안 주의해서 다루어지지 않았다면 관절내강 부종(intracapsular edema), 관절혈종(hemarthrosis), 관절원판의 전위, 관절원판의 손상 등이 일어날 수 있다. 이들 문제는 수술 후에도 발생될 수 있고 다른 수술을 필요하게 할 수도 있다.

이 단계에서 부적절한 교합의 원인은 부적절한 과두의 쳐짐(condylar sag), 골절단부의 이동, 견고고정동안 교합의 이동 등이다. 부적절한 교합의 감별과 원인의 수정은 추후 논의될 것이다.

33단계 : 구강내와 구강외 봉합

흡수성 봉합사가 구강내에서 이용되고 5-0 nylon 봉합사는 구강외에서 이용된다. 구강외 봉합은 수술 2일 후에 제거된다.

34단계 : elastic의 위치

4-oz, 0.25-inch 고무줄(ealstic)이 악골의 외과적 위치에 보조적으로 각각 적용된다. 고무줄(elastic)의 방향은 이동을 강화하여야 한다(즉, 하악의 전방이동의 경우에는 II급 elastic을, 하악의 후방이동의 경우에는 III급 elstic을 적용한다). 술 후 즉시 강한 수직적 방향의 위치가 주장된다.

35단계 : 압박붕대의 위치

압박붕대는 2일간 안면부에 유지된다.

Le Fort I 상악골 절단술

Le Fort가 1901년 중안면부 골절의 자연적 평면을 서술한 이후 상악 수술은 Wassmund, Auxhauserm Schuchardt, Obwegeser, Willmar 등에 의하여 발전되어 왔다. 그러나 1970년대 중반 상악의 down-fracture 수술에 대한 상악의 혈류동역학(hemodynamics)과 혈액공급의 생물학적 기초에 대한 Bell 등의 연구가 발표되기 전까지 명확하지 않았다.

비정상적인 상악은 인식되어지는 많은 안면기형을 유발하고 기초적인 생물학적 지식과 치료기술들에 의해 치료되어진다. Le Fort I 상악 골 절단술에 대한 많은 방법들이 기술되어져 왔고 술자의 기호에 따라 반영되어졌다. 여기에 기술된 방법은 지난 17년 동안 2600개 이상의 Le Fort I 상악 골절단술을 시행하는 동안에 발전된 것이다. 이는 남아프리카의 요하네스버그의 Witwatersrand 대학의 구강악안면외과의 수련과정에 있는 많은 레지던트의 교육에 도움을 주고 있다.

1단계 : 혈관수축제로 연조직의 침윤 마취

혈관수축제(1:100,000의 epinephrine)를 포함하는 국소마취제를 박리부위에 수술 10분전에 침윤한다. 상악 협측구(sulcus)로 바늘을 깊게 자입하여 흡인하면서 골절단부위에서 연조직부위에 주사하고 마취제를 주사한 후 바늘을 제거한다.

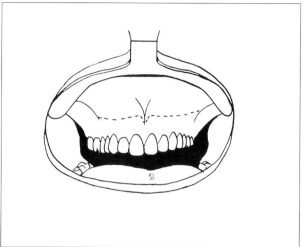

그림 5-20 점막절개(점선)

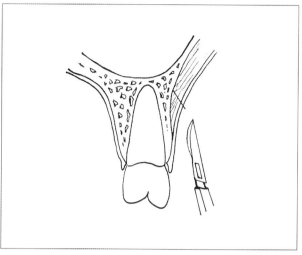

그림 5-21 절개는 상방으로 각이 되게 하며 하방에 더 많은 연조직이 있게 하여 나중에 봉합이 쉽게 한다.

2단계 : 점막 절개

#15 blade나 diathermy knife를 이용하여 점막을 통하여 상악 협측구(sulcus)에 절개를 시행한다. 절개는 상악골기저기둥(buttress) 부위에서 시작하여 추후 봉합의 용이를 위해 치조부위의 비각화점막의 약 5mm를 남기고 정중선을 향해 전방으로 이루어진다. 이 절개는 상악골기저기둥(buttress) 부위에서 약 10mm 정도 후방으로 연장된다. 협측소대부위에서 V-모양(V-shaped) 절개는 후에 봉합을 용이하게 한다(그림 5-20).

3단계 : 골막을 통한 연조직의 완전한 절개

수술도(blade)는 점막하 봉합을 위해 치조부위에서 더 많은 점막하 조직을 남겨놓기 위해 상방으로 이루어진다(그림 5-21). 골에 대한 절개는 깔끔하게 이루어져야 하고 골막

하 박리를 쉽게 이루어지도록 하여야 한다. 절개가 너무 후방으로 멀거나 높다면 협지방층(buccal fat pad)의 탈출(herniation)을 일으키고 수술에 방해가 될것이다.

4단계 : 골막하 박리

1. 상악골후방결절(tuberosity) 주변 전방에서 후방까지 골막을 박리하고 골막상방으로 익상돌기 견인기(pterygoid retractor)를 위치시킨다.

2. 이상연을 확인하고 이상연, 비강저, 비외측연으로부터 비 골막을 거상한다.

3. 비강점막을 보호하기 위하여 비강에서 외측에 Howarth dissector를 위치시킨다.

4. 깔끔하게 박리한다. 특히 후방에서 골막을 통해 협지방대의 탈장, 탈출을 방지하도록 골막을 관통하지 않도록 한다.

5. 비강점막 박리의 시작을 위해 점막을 텐트 형태로 골

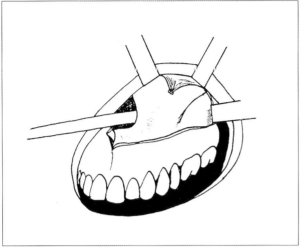

그림 5-22 골막하 분리는 상방과 후방으로 이루어지게 하며 이상연 (piriform rim)이나 안화신경, zygomatic buttress, 상악 후방부위 등을 확인한다.

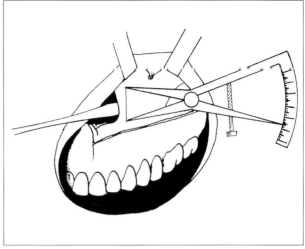

그림 5-23 수직과 수평적 참고점을 일정한 거리만큼 상악골에 정해 준다.

막박리기의 뒤에서 안쪽으로 비강점막을 민다.

6. 비중격에 대해서 내측으로, 코의 외측벽에 대해서 외측으로 비강저로부터 비강점막 박리를 진행한다.

7. 먼저 신경을 보호하고 다음으로 골절단의 높이에 영향을 주는 안와하공과 신경을 확인한다(특히 상악의 상방재위치에서)(그림 5-22).

8. 협지방대(buccal fat pad)가 노출되었다면 작은 젖은 sponge로 덮고 익상돌기 견인기(pterygoid retractor)로 보호한다.

5단계 : 참고점의 위치

수직적과 수평적 참고점을 701 bur를 이용하여 견치부위와 상악골기저기둥(buttress)부위에서 양측에서 계측(약 10mm 정도)한다. 계측점 사이의 거리가 기록된다(그림 5-23). 골절단선의 높이는 명확하여야 하고 계측점들은 일치되어야 한다:

1. 상악의 전방이동 술식 동안 골절단선의 높이는 증례의 심미적 요구에 따라 다르다. 골절단이 높게 이루어질 수도 있고(하안와 신경 하방에서 "high Le Fort I" 골절단술) 낮을 수도 있다(치근상방의 5mm 이상).

2. 상악의 상방재위치시 골의 제거양은 골절단의 위치를 결정한다. 다른 결정요인은 안와하신경, 치근단과 같은 구조물들과 견고고정하는 위치들에 의해 좌우된다.

6단계 : 전방 협측 골절단

견치 치근단 부위에서 적어도 5mm에서, 상악골기저기둥에서 이상연까지 골절단을 시행하기 위하여 reciprocating saw를 이용한다(그림 5-24a). 일반적으로 수평적 Le Fort I 골절단은 재위치를 허용하는 범위에서 교합평면에 평행하여야 한다. 따라서 계획단계에서 골절단은 model surgery와 cephalometric visual objective tracing 모두에서 같은 평면에서 이루어져야 한다. 이들 기록의 계측이 수술을 더 정

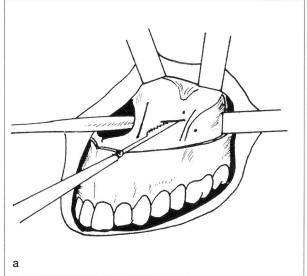

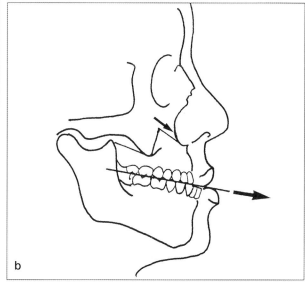

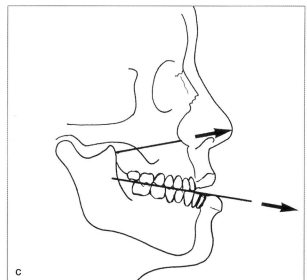

그림 5-24 (a) 골절단을 할때 reciprocating saw를 이용한다. 대부분의 증례에서 교합 평면에 평행하게 골절단을 시행하도록 한다.
(b) 상악골이 전방 이동되어질 때 골절단은 상악골이 하방으로 미끄러져 나오도록 각이 지게 해야 한다.
(c) 골절단이 상방으로 이루어질 때 개교합을 만들 수 있고 class III 부정교합을 고치기 위해 전방 이동되어진다면 상악 고경은 감소할 것이다.

확하게 한다. 그러나 골절단은 Le Fort I 골절단에서 하방으로 각을 이룰 수 있다(그림 5-24b). 골절단의 부정확한 경사는 상악이 이 평면을 따라서 이동되므로 상악이 전방이동되면서 수직고경이 짧아져 surgical treatment objective(STO)를 어렵게 한다(그림 5-24c).

7단계 : 후방 협측 골절단

상악골기저기둥에서 상악후방결절(tuberosity)까지 연장된 전방 골절단보다 약 3mm 정도 낮은 평면에서 reciprocating saw를 이용하여 후방 협측 골절단을 시행한다. 이는 전방과 후방 골절단 사이에서 step을 형성할 것이다. 이 골절단의 모양은 다음 장점을 포함한다:

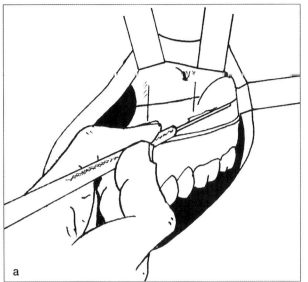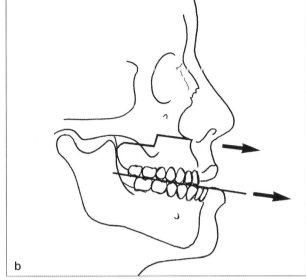

그림 5-25 (a) 골절단은 buttress area에서 수직적 단계가 형성되면서 교합면에 평행하게 되어져야 한다.
이제 (b) 상악골은 어떠한 수직적 변화 없이 교합면에 평행하게 전방 이동될 수 있다.

1. 이는 외과의가 골절단을 교합평면과 평행하게 유지할 수 있게 한다.
2. 이는 외과의가 상악후방결절(tuberosity)에서 후방 골절단보다 낮게 위치되어 쉽고 안전한 하방골절(down-fracture)을 가능하게 한다.
3. 계단모양(step)은 상악 재위치에 가이드(guide)로 작용한다. 상악의 전방이동이나 회전의 범위를 특정할 수 있게 하고 계단모양(step)에서 관찰할 수 있다(그림 5-25b).
4. 상악의 전방이동 후에 step에서 만들어진 결손부는 골이식을 가능하게 한다. 골절단은 상악의 외측벽에 제한되어 이루어져야 하고 너무 내측에서 이루어져서는 안된다. 골절단이 이루어지는 동안 익상돌기견인기(pterygoid retractor) 상방으로의 회전은 골막을 보호하고 협지방대(buccal fat pad)의 탈출(herniation)을 방지할 것이다(또한 시야를 좋게 할 것이다).

8단계 : 전방과 후방 골절단의 연결

#701 bur를 이용하여 상악골기저기둥(buttress)에서 수직골절단과 두개의 수평골절단을 연결한다.

9단계 : 골간 강선을 위한 구멍의 위치

구멍은 상악골기저기둥(buttress) 부위에서 두꺼운 골에 위치되어야 하고, 위치설정용 강선의 벡터(vector)가 상악의 재위치를 지지할 수 있는 위치에 위치되어야 한다(그림 5-26).

10단계 : 익상돌기판으로부터 상악골결절의 분리

Pterygoid 골절도는 hamulus가 검지로 구개측에서 촉지되는 동안 상악후방골결절(tuberosity)과 익상돌기판(pterygoid plate) 사이에 놓여진다. 보조자는 골절도를 주

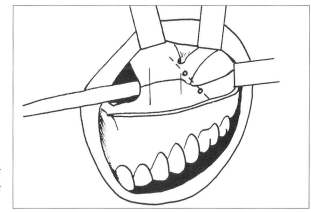

그림 5-26 상악골을 전방 이동시키는 동안에 골간 강선 고정을 위한 구멍(hole)이 상악골 이동을 돕기 위하여 뚫어져야 하고 하방 구멍은 상방 구멍 보다 후방에 있어야 한다.

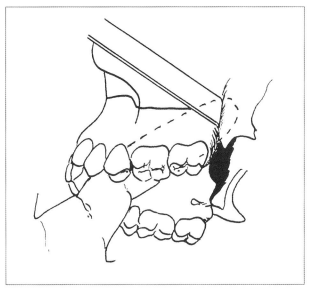

그림 5-27 상악골후방결절(Maxillary tuberosity)과 익상돌기판(pteygoid plate)을 분리할 때 인지를 hamulus의 구내측에 위치해서 골절도를 느끼게 하며 ptergoid maxillary fissure 부위의 연조직들을 보호한다.

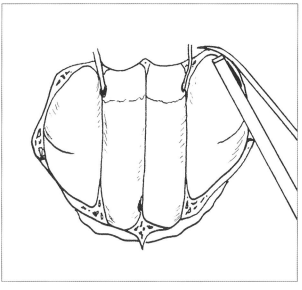

그림 5-28 Pterygoid 골절도를 제 위치에 놓은 채 상악골 후방의 연조직을 보호하면서 작은 osteotomy로 골절단을 완성한다.

의깊게 두드린다. 골절도는 내측과 하방을 향하게 된다(그림 5-27). 이때 협측 점막과 골막의 과신장을 피하며, 구개 연조직에 손상을 주지 않도록 주의한다; Osteotome으로 인한 구개점막의 손상은 혈액공급을 저해하고 비극적 결과를 일으킬 수 있다. 익상돌기판(pterygoid plate)에서 상악골결절(tuberosity)의 분리 실패는 상악의 하방골절(down-fracture)의 실패나 어려움을 가져오거나 원하지 않은 골절

을 일으킬 수 있다(구개골에서나 익상돌기판(pterygoid plate)에서).

11단계 : 후방 골절단의 완성

위치된 익상돌기 골절단기(pterygoid 골절도)로 얇은 골절도를 이용하여 상악 후방의 골절단을 완성한다. 골절도

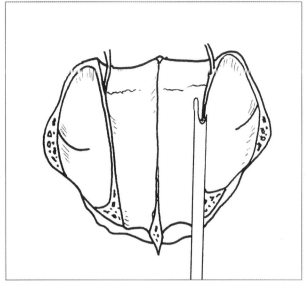

그림 5-29 외측비강벽(lateral nasal wall)을 분리한다. 골벽(wall)은 후방에서 변위되어 있으므로 후방 끝 부근에서 descending palatine neurovascular bundle이 손상을 입지 않도록 해야 한다.

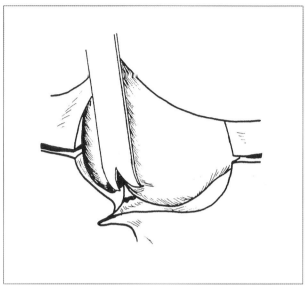

그림 5-30 전비극(anterior nasal spine)과 비중격(nasal septum), priform rim 등과 비 점막을 분리한다.

는 골절단을 시행하는 동안 익상구개(pterygo-palatine fossa)와 구조물을 보호하여야 한다(그림 5-28). 하행이 하방 구개 동맥(descending palatine artery)에 손상을 주거나 연구개를 뚫을 수 있기 때문에 너무 내측으로 벗어나서는 안된다.

12단계 : 외측비강벽의 골절단

외측비강벽(lateral nasal) 골절단이 이상연에 위치되고 약간 측방으로 향한다(nasal fossa는 후방으로 넓어짐을 주의하라)(그림 5-29). 비점막은 골절단동안 뚫어짐을 방지하기 위하여 보호되어야 한다.

13단계 : 반대편에 대하여 술식의 반복

작은 젖은 스폰지가 골절단이 완료된 부위에 놓는다. 골절단들이 치료계획에 따라 양측에서 같은 수준과 각도에서 이루어진다.

14단계 : 비극골막하 박리의 완성

전비극위로 정중선에서 골막하에 하악지 견인기(ramus retractor)를 위치시킨다. 전비극으로부터 골막의 잔존부위를 박리한다.

15단계 : 비점막 박리의 완성

전비극에서 비중격 연골(septal cartilage)을 분리한다. 비중격(nasal septum)과 비강저(floor)에서 비점막의 박리를 완성한다(그림 5-30):

· 비점막을 보호한다; 관통되거나 뚫어지지 않도록 한다.
· Ramus retractor를 가볍게 당기는 것은(swallow tail retractor) 전비극에서 비중격 연골(septal cartilage)을 분리하고 더 이상의 박리를 쉽게 한다.
· 비중격(septum)과 비강저(floor)에서 비점막의 박리는 전비극 제거로 용이해진다.

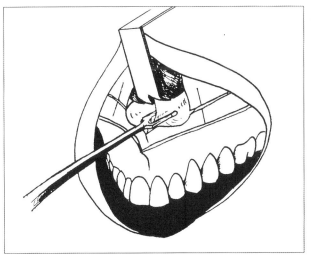
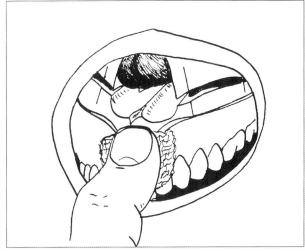

그림 5-31 중격 연골과 서골을 nasal septal 골절도를 이용하여 상악골과 분리한다.

그림 5-32 상악골을 전방부에서 하방으로 힘을 주어 분리시킨다.

· Bone nibbler로 전비극을 제거한다, 그러나 구멍이 적용되도록 전비극(spine)의 기저에서 충분한 골을 남겨 둔다. 이는 cinch와 비중격 봉합(septal suture)에 이용될 것이다.

· 전비극의 제거가 연조직의 엉킴을 가져올 수도 있음을 주의한다.

16단계 : 중격연골과 서골의 골절단

비중격 절단기(nasal septal 골절도)를 이용하여 상악골로부터 비중격 연골(septal cartilage)과 서골의 분리를 완성한다(그림 5-31). 절단기(골절도)의 방향은 비점막의 뚫어짐을 방지하도록 비강저를 향한다.

17단계 : 상악의 하방골절

전방상악을 하방으로 밀어서 상악을 하방골절(down-fracture)시킨다. 엄지와 상악 사이에 작은 젖은 스폰지(sponge)를 놓는다(그림 5-32). 보조자는 환자의 상방 중안면부를 고정한다. 상악은 쉽게 하방골절(down-fracture) 된다. 하방골절(down-fracture) 되지 않으면 모든 골절단, 특히 상악골후방결절(tuberosity)과 익상판(pterygoid plate) 사이의 접합에서 골절단을 확인한다(18단계를 보라). 필요하다면 상악의 거상 전에 확실한 시야하에서 비강저(nasal floor)에 있는 비점막의 완전한 거상을 시행한다. 다음의 이유로 과도한 힘을 적용하지는 않는다:

· 과도한 압력이 상악치아들의 동요를 더 일으킬 수 있다 (교정적 치아이동 때문에 치아들이 약간 동요될 수 있음을 주의하라).

· 상악 치은에 지속되고 과도한 압력은 혈액공급을 저해한다.

· 과도한 힘은 전치부에서 교정용 브라켓(brackets)의 탈락을 일으킬 수 있다.

· 과도한 힘은 원하지 않은 상악의 골절을 가져올 수 있다(구개골이나 익상판에서, 이는 과도한 출혈이나 상악의 재위치의 어려움을 일으킨다).

273

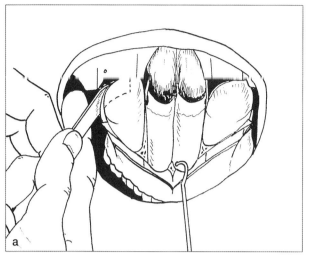 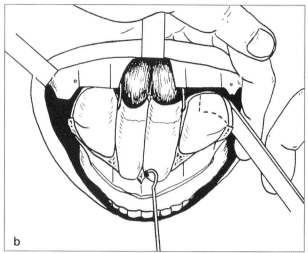

그림 5-33 (a) 상악의 우측은 익상돌기골절단기(pterygoid osteotome)와 같은 기구를 사용해서 상악을 전방으로 밀면서 움직이게 한다.
(b) 상악의 좌측은 손가락을 지렛대로 사용하면서 항상 연조직을 보호하면서 움직인다.

18단계 : 상악의 하방골절 실패시 골절단의 재확인

상악은 쉽게 하방골절(down-fracture)된다. 그렇지 않으면 다음과 같은 이유들이 실패의 원인들이다:

1. 익상판(pterygoid plate)과 상악골후방결절(tuberosity)이 적절히 분리되지 않은 경우
2. 비측벽 골절단이 불완전한 경우(너무 짧다)
3. 때때로 상악골이 하방골절(down-fracture)을 어렵게 할 정도로 매우 두꺼운 경우

이런 경우 양측 비측벽 골절도의 두드림과 하방으로 골절도를 주의깊게 미는 것이 하방골절(down-fracture)을 도울 것이다.

19단계 : 상악의 이동

보조자가 절치관에 위치한 cricoid hook을 이용하여 상악을 하방으로 잡아당기는 동안 상악후방골결절(tuberosity) 후방에 조심스레 상악 유동기(mobilizer)를 위치시킨다. 상악을 전방으로 조심스레 밀면 최종적으로 익상판(pterygoid plate)에서 상악을 분리한다(그림 5-33). 동요는 후방 골절단에서 각각에 스폰지를 위치시킴으로써 완료되고 후방 상악이 견인되도록 전방 상악을 상방으로 밀면 익상판(pterygoid plate)에서 분리된다.

몇 가지 이 단계에서 주의할 내용은 다음과 같다:

· 연조직을 보호한다; 유동성(mobilizing) 기구로 협측 점막이 뚫어지지 않도록 주의한다.
· 상악이 완전이 움직이고 익상판(pterygoid plate)에서 분리한다.
· 환상형후크(cricoid hook)를 절치관에 조심스럽게 위치시킨다.
· 조절된 힘을 사용한다.
· 후방상악의 벽 골절을 방지하도록 상악골후방결절(tuberosity) 후방에 아래쪽으로 골절도를 유지하고 기구가 미끄러지지 않도록 한다.
· 다른 손으로 전방으로 미는 동안 지렛대(fulcrum)로 한 손가락을 이용하여 기구를 지지한다(그림 5-33).

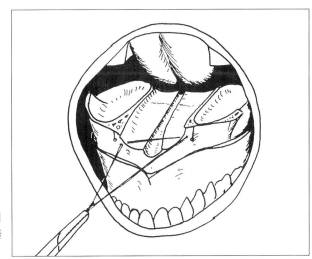

그림 5-34 양측으로 pirifrom fims의 양측에 구멍을 통하여 0.018인치 강선을 연결한다. 이 강선은 상악골을 움직이고 후면을 보는데 도움을 주며 상악골을 마지막으로 위치시키는데 도움을 준다.

20단계 : 상악 위치설정용 강선의 위치

하방골절(down-fracture)된 상악의 각각에서 이상연의 외측을 따라 구멍을 뚫는다. 구멍을 통하여 0.018 inch 강선을 삽입하고 wire twister로 강선을 붙잡는다(그림 5-34). 이 강선은 견고고정이 완료될 때 제거된다. 위치설정용 강선은 (1) 상악의 최종 이동(mobilization)에 도움을 주고; (2) 상악의 후방부위에 도달하기 위한 더 나은 시야와 접근을 위하여 상악을 전방으로 잡아당기고; (3) 상악의 최종 재위치에 도움을 주는데 유용하다.

21단계 : 후방 상악의 노출

상악동의 내후방 부위를 완전하게 보기 위하여 외측비벽의 내측에 익상돌기견인기(pterygoid retractor)를 위치한다. 상악골후방결절(tuberosity) 주위에 상악의 협측에서 골막하로 다른 익상돌기견인기(pterygoid retractor)를 위치한다(그림 5-35a). 이 견인은 외과의사에게 다음과 같은 내용들을 확인할 수 있다:

1. 하행구개(descending palatine) 신경혈관 다발을 확인한다.
2. 단정하게 마무리 하기 위한 골절단을 검사한다.

3. 모든 골절단, 특히 구개골의 수직판(perpendicular plate) 부위와 상악의 후방 벽에서 골절의 위치를 다시 검사한다.
4. 필요하다면 상악동 점막 lining을 검사하고 병적인 점막을 제거한다.

상악의 후방벽, 하행구개 신경혈관 다발, 외측비벽의 후방부(신경혈관다발을 포함하는), 익상판(pterygoid plate)의 전방부를 확인하는 것은 중요하다. 이들 부위에서 골성 간섭은 종종 부정확한 상악의 재위치와 과두뒤틀림(condylar sag)을 일으킨다. 날카로운 골 절단면은 하행구개혈관의 손상을 일으킬 수도 있고 이는 술 중 또는 술 후 출혈을 유발한다. 이 부위에서 정확한 시야를 확보하지 못한 불규칙한 골 절단의 제거는 익상구개(pterygopalatine fossa)와 구조물(상악 동맥)의 손상을 일으킬 수 있다(그림 5-35b).

22단계 : 구개골의 수직판에서 골절위치의 관찰

이상적인 골절은 상악골후방골결절(tuberosity)과 익상판(pterygoid plate) 사이의 연결부에서 이루어져야 한다. 만약 골절이 너무 높고 보이지 않는다면 골절단은 보이는 범

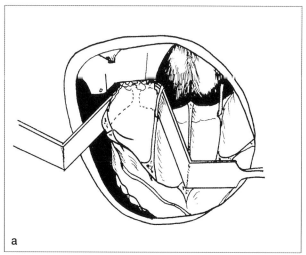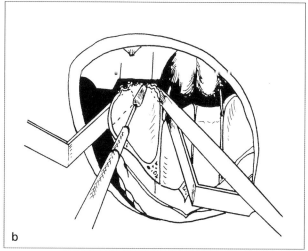

그림 5-35 (a) 상악골후방결절(tuberosity) 주변에 익상판견인기(pteygoid)를 넣어줌으로써 상악 후방부를 시야 확보하는데 도움을 준다.
(b) 상악 중 후방의 골 불규칙적인 점들은 연조직이 충분히 보호되는 상태에서 시야 확보가 된 상태에서 제거되어야 한다.

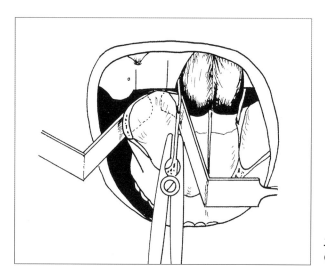

그림 5-36 외측비강벽(lateral nasal wall)은 bone mibbier로 다듬는다. 이때 하행 구개는 신경혈관다발이 손상되지 않도록 주의한다.

위 내에서 낮게 이루어져야 한다. 골절은 상악골후방결절 (tuberosity)을 통해(미맹출된 제3대구치를 포함하는 경우) 너무 짧을 수도 있고 구개골의 수평판(horizontal plate)과 상악 사이에서 연속될 수도 있다. 상악골후방골절과 구개 익상판 사이에 위치한 pterygoid chisel을 이용하여 골 분리 는 정확한 위치에서 주의깊에 이루어져야 한다. 구개골의 수평판을 포함하는 짧은 골절은 상악의 정확한 재위치를 불가능하게 한다.

23단계 : 외측비강벽의 다듬기

다음으로 비측벽이 bone nibbler와 vulcanite bur를 이용 하여 치료계획에 따라 다듬어져야 한다. 이때 하행구개 신 경혈관다발에 손상을 주지 않도록 주의한다(그림 5-36).

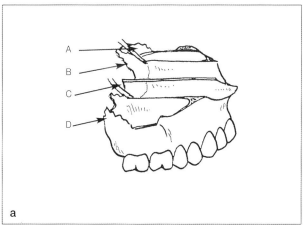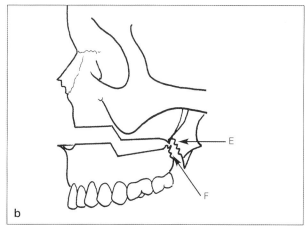

그림 5-37 (a) 상악 후방벽에서의 골절단을 섬세하게 하고 충분한 골질을 제거하는 것이 필수적이다. 후면의 측벽(A), 구개골(B), 비중격(C), 그리고 상악결절(D) 부위 등에서 특히 주의를 한다. (b) 특히 상악골을 상방으로 재위치할 경우 익상판(pterygoid plates) (E)과 상방으로 재위치할 경우 익상판보다 상악후방골결절(tuberosities) (F)의 골질을 더 많이 제거하는것이 좋다.

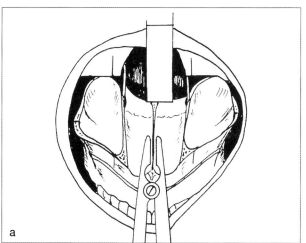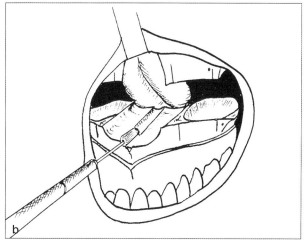

그림 5-38 (a) 비중격과 서골의 잔여 부위는 bone nibbler를 사용하여 비강저(nasal floor)에 맞게 다듬는다.
(b) 상악골 재 위치 후 비중격이 재 배열되는 과정에서 비강저(nasal floor)에서 구릉이 형성될 정도의 서골의 정리가 필요하다.

24단계 : 후방 상악 벽에서 골절단의 다듬기

후방 상악벽에서 골절단부의 다듬는 과정(refining)은 중요한 과정이다. 다음의 부위에서 골성 간섭을 피하는데 특별한 주의가 필요하다(그림 5-37): 즉, 외측벽의 후방부위, 구개골, 상악결절, 상악의 부방벽, 익상판(pterygoid plate), 비중격(nasal septum).

상악의 정확한 재위치와 방해를 없애기 위해 모든 골성 간섭을 제거하는 것이 중요하다. 골은 상악의 상방부위나 익상판(pterygoid plate)보다 하방에서 후방 상악으로부터 제거되어야 한다. 모든 경우, 특히 이들 구조물에서 후방의 골성 간섭을 제거할 때, 하행구개 신경혈관 다발이 보호되어야 한다.

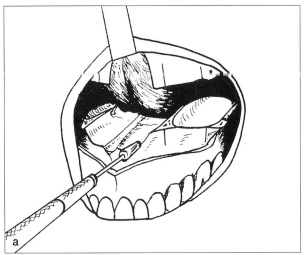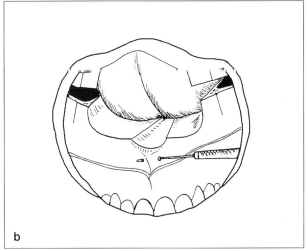

그림 5-39 (a) 상악골 재위치 후 이상연(piriform rim)은 비 기저부의 연조직에 적합하게 될 수 있도록 vulcanite bur를 이용하여 다듬도록 한다. (b) 전방 비극을 통해서 수평하게 구멍을 뚫는다.

25단계 : 비중격의 구개측에서의 삭제

비중격(nasal septum)의 잔존부위는 bone nibbler를 이용하여 비강와(nasal floor)에서 제거된다(그림 5-38a). 그 후 큰 trimming bur를 이용하여 상악의 재위치 후 비중격(nasal septum)에 적응되도록 비강저(nasal floor)에 구릉을 형성한다(그림 5-38b). 이는 상악이 상방으로 재위치될 때 특히 중요하다. 충분한 골의 제거가 되지 않으면 비중격(septum)의 변위, 비소주의 비대칭, 예측하지 못한 연조직 결과를 가져오게 될 것이다.

26단계 : 이상연(piriform rim)의 다듬기

이상연은 상악의 재위치 후에 코(nasal) 조직에 적합하도록 다듬어져야 한다(그림 5-39a). 동시에 구멍이 전비극의 기저부에 수평적으로 드릴링한다(그림 5-39b). 이 구멍은 후에 비중격(nasal septum)의 위치와 고정에 이용될 것이고 cinch 봉합에 도움을 줄 것이다. 이상연(piriform rim) 부위에서 부적절한 골의 제거는, 특히 상악이 상방으로 재위치되는 경우, 비익(alae)의 확장(flaring), 비첨의 거상(lifting), 코의 비대칭을 만들 수 있다.

27단계 : 저혈압 마취의 회복과 출혈의 평가

상악이 최종적으로 재위치되고 고정되기 전에 저혈압마취가 회복되어야 한다. 동시에 환자가 정상혈압이 되는 동안 감지하지 못한 동맥성 출혈이 발견되고 위치가 확인될 수 있다. 이는 술 후 출혈을 방지하는데 도움을 준다.

28단계 : 상악골 기저기둥(지역에 구멍을 통해 강선의 삽입

반견고고정(semirigid fixation) 대부분의 경우에 이용된다. 상악은 이상연(piriform rim)의 두꺼운 골에서 전방으로 위치된 두개의 소강판(bone plate) (1.5mm)과 양측성으로 상악골 기저기둥(buttress) 부위에서 위치된 0.018-inch 골간(interosseous) 강선으로 고정된다. Le Fort I 골절단술 후 반견고(semirigid) 고정은 필요한 고정 뿐만 아니라 최적의 결과를 위한 여유를 제공한다. 더 견고한 고정이 필요한 경우에(상악의 확장, 상악의 downgrafting, 여러조각의 Le Fort I 술식, 6mm 이상의 큰 이동) 더 많은 소강판(plate)이 요구된다.

29단계 : 악간강선고정

고정용 강선의 잡아당기는 벡터(vector)는 악골의 재위치 방향을 지지하여야 한다. 계획된 절치간 관계에 이루어지도록 4개의 중절치 주변에 첫 번째 악간고정 강선을 위치한다. Kobayashi hooks(또는 integral hook을 갖는 Lewis brackets)에 의하여 유도되는 교정용 브라켓(brackets) 주위에 강선을 위치시킨다. 그러나 교정용 브라켓(brakets)이 떨어지지 않도록 주의한다.

교정적 이동은 정상보다 치아들이 좀더 동요가 있다. 이는 교합이나("pull into occlusion") 악간 강선에 의해 acrylic splint로 쉽게 당겨진다. 강선이 제거되면 치아들은 원래 위치로 되돌아가려 할 것이다. 예를 들면 치조골 지지가 분절골 수술(상악 전방 분절)에 의해 제거되고 정중구개골은 종종 얇기 때문에 구개는 악간고정력에 의하여 쉽게 변형될 것이다. 악간고정이 제거될 때 상악이 원래 위치로 되돌아가려고 하기 때문에 재발은 즉시 일어날 것이다.

30단계 : 상악 재위치

상악하악 복합체가 재위치되고 적절한 상악 재위치를 위한 참고점을 평가한다. 상악이 새롭게 계획된 위치에 놓여지는 동안 관절와에 대한 이상적인 과두의 재위치는 가장 힘들고 어려운 부분이다. 경험을 갖춘 외과의는 과두의 위치에 대한 느낌을 갖게 되고 관절와 밖으로의 과두의 탈구를 일으키는 골성 간섭을 감지할 수 있다. 과두를 재위치시키는 많은 장치가 안면골격의 고정된 부분에 대한 관계에 따라 술 전 하악 위치를 기록함으로써 과두의 재위치에 도

달하고자 계획되어져 왔다. 이 위치는 상악의 재위치 후에 재현된다. 그러나 이들 장치의 적용은 시간이 많이 소요되나 다양한 성공률을 보인다.

상악 재위치를 위한 몇 가지 정보가 다음에 설명된다.

· 양측 하악 과두가 관절와에 대한 이상적인 관계를 보이며 상악은 계획된 위치에 놓일 수 있도록 한다.
· 하악의 반대측에 한손을 놓고 하악의 이부와 우각부에는 가볍고 조절된 손가락 힘을 주어 골성 접촉이 이루어질 때까지 상·하악복합체를 회전시킨다(그림 5-40a).
· 과두를 위치시키는 힘의 방향은 이부에서 약간 후방으로 그리고 우각부에서 약간 전방으로 압력을 가한다.
· 회전하는 동안 골성 간섭이 없도록 한다(그림 5-40b)
· 계획된 상악 위치에 도달되도록 하악에 힘을 가하지 않는다.

골성 간섭이 발견되면 하악을 개구방향으로 회전하고 골성 간섭이 보여지는 부위를 검사하며 좋은 시야에서 간섭을 제거한다(condylar sag의 토론 참고, p304-306)

31단계 : 비갑개절제술

만약 확대된 하방 비갑개(turbinate)가 상악의 재위치를 방해한다면 제거한다. 비갑개(turbinate)의 확대는 연조직의 비대나 연조직과 골의 비대에 의해서 이루어진다. 비갑개절제술(turbinectomy)은 절개를 통해 배면(ventral)으로 접근하거나 조임쇠(clamp)로 비대된 연조직을 잡고 전기수술도(diathermy knife)를 이용하여 조임쇠(clamp)상방의 연조직의 절제에 의하여 비점막을 뚫음으로써 수행된다(그림 5-41). 비대된 골은 골 상방의 골점막(mucoperiosteum)을 거상하고 작은 골 nibbler로 골의 계획된 부분을 제거한다. 지나치게 비대된 골점막(mucoperiosteum)은 전기수술도(diathermy knife)로 제거하고 봉합할 필요는 없다. 비점막절개(뚫어짐)은 4-0 크롬 봉합사로 봉합한다.

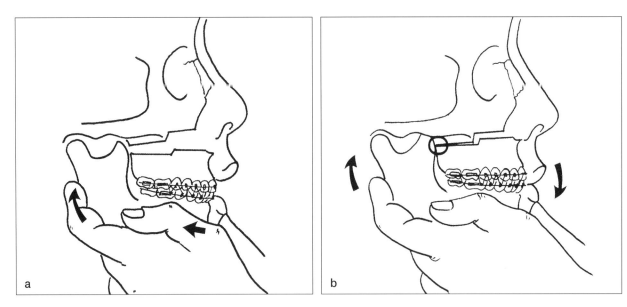

그림 5-40 (a) 악간 고정이 된 상태에서 상·하악 복합체는 골성 접촉이 이루어지도록 회전된다. 과두에서 힘의 방향은 상방과 약간의 후방 방향이다. 회전하는 동안 골성 간섭이 없어야 한다.
(b) 상악 후미에서 골성 간섭이 보통 일어나게 된다. 상악이 회전할 때 골성 간섭은 과두를 하방 이동시켜 준다. 악간 고정이 제거될 때 과두는 상방으로 움직이게 되며 전방부 개교합을 형성할 수 있다(304~306까지 Le Fort I 골 절단술을 하는 동안에 과두 처짐의 술 중 진단 부분을 참고)

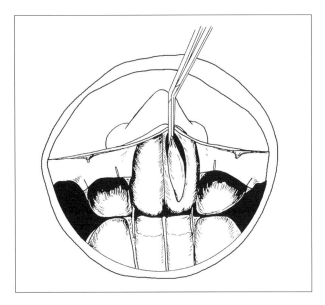

그림 5-41 과증식된 비개는 조직 겸자로 잡고 전기 수술도(diathermy knife)를 이용하여 제거한다.

32단계 : 비점막 봉합

비점막내에 열개가 있는지 확인한 후에 4-0 크롬 봉합사로 봉합한다. 비점막의 열개를 회복시켜주지 못하면 과도한 술 중 또는 술 후 출혈을 야기할 수 있고 또한 구개 내 골이식편의 이식성공을 해칠 수 있다.

33단계 : 비중격의 위치 확인

상하악 복합체를 회전시켜 미리 계획한 상악의 위치에 놓는다. 과두가 관절와(glenoid fossa)에 있는 것을 확인하고 나서 비중격의 위치를 확인하라. 중격은 비강저에 형성된 고랑에 방해를 받지 않고 자유롭게 놓여져야 한다(단계 25 참고). 중격이 확실히 수동적으로 위치되도록 하기 위해 비중격 연골과 서골을 조금 자를 수 있다. 상악 고정 후에 전비극 기저부의 수평 구멍과 비중격을 봉합함으로써 비중격의 위치를 고정한다(단계39 참고). 만약 연골 이식편을 이용하여 코의 재건을 같이 할 계획이라면 이 단계에서 중격으로부터 연골을 채취할 수 있다. 만약 나중에 코의 재건을 나중에 할 계획이라면 채취된 연골은 상악 측벽의 골막하에 저장하여 후에 사용할 수 있다.

34단계 : 상악골 기저기둥부위 강선 조이기

상악골 기저기둥부위(buttress) 강선을 조이기 전에 상악동과 비강저를 식염수로 많이 세척해야 한다; 상악동이나 비강내 잔여 골편들은 술 후 감염을 야기한다. 익상견인기(pterygoid retractor)를 이용하여 골절단선으로부터 양측으로 연조직을 견인하여 원하는 골접촉을 얻고 연조직 포착을 막는다. 상하악 복합체를 상방으로 조심스럽게 회전시켜 골을 부착시키고 골간 골기저기둥부위(buttress) 강선을 더 조인다. 골을 너무 부착시키려는 의도로 강선을 너무 과하게 조여서는 안된다. 왜냐하면 상하악 고정을 제거한 후에 골편의 변위와 교합 불일치를 야기하기 때문이다.

35단계 : 길이 측정용 자를 이용한 상악 위치 확인

만약 이 단계에서 과두의 위치가 의심스럽다면 양악 고정을 제거하고 구내 골참고점이나 구외 참고점을 이용하여 교합을 확인해 봐야 한다. 교합을 확인해볼 때 보통 골내 강선으로도 상악위치를 유지시키기에 충분하다.(편악수술을 한 경우나 치아를 아크릴 스플린트에 고정시킨 상태에서 분절(segmental) 수술을 한 경우) 만약 필요하다면, 계획된 교합을 얻기 위해 이때 상악 위치를 미세하게 수정해야 한다. 교합이 부적당하면 골내 강선을 제거하고 불일치되는 이유를 찾은 후에, 문제를 수정하여 교합을 교정해야 한다.

36단계 : 양악 고정체를 재위치시키기

5단계에서 표시한 참고점들과 caliper를 이용하여 상악의 위치를 다시 확인한다. 만약 상악 위치와 교합이 만족스럽다면 상하악 고정체를 다시 위치시킨다.

37단계 : 골소강판의 배치

소강판(plate)의 선택과 적용

1.5mm 티타늄 골소강판이나 흡수성 골소강판(bone plate)을 사용하라. 소강판의 종류나 고정법을 결정할 때는 골두께, 골질, 접촉, 수술이동량, 이동방향과 같은 몇 가지 요소에 따라 결정한다.

고정방법에는 골간강선법이나, 부유강선법(suspension wire), 골소강판법(bone plating)(티타늄이나 흡수성) 그리고 이들의 복합된 형태가 있다.

대부분의 경우 반견고 고정을 하며, 이런 반견고 고정은 이상구(piriform) 부위의 두꺼운 골 전방부에 양측성 티타늄(1.5mm) bone plate이나 흡수성(2.0mm) 소강판(plate)과 관골기저기둥부위(zygomatic buttress)에 있는 골간(interosseous)(0.018 inch) 강선을 사용한다. 그러나 몇 경우에서는 부가적인 고정이 필요할 수도 있다. 예를 들어 이동량이 많거나(6mm 이상) 골접촉이 안 좋은경우, down-grafting 하는 경우, 상악에 분절 골절단을 하는 경우에 그렇다. 요즘에는 부유성(suspension) 강선을 거의 사용하지 않고 있다. 소강판(plate)은 수동적으로 맞도록 해야 한다. 골절단선 어느 쪽이든 두개의 나사(screw)를 위치시켜야 하며, 이때 치근이나 얇은 골에 위치시키거나 골의 변연에 위치시키지 않도록 주의해야 한다. 만약 얇은 골에 위치해야만 한다면 self-drilling screw를 사용하는 것이 추천된다.

상악 분절 수술

분절 수술은 상악궁의 축소나 확장, 치간 공간 폐쇄, 교합평면 조정을 빨리하고자 할 때 시도할 수 있다.

치간 골절단술

술자는 치간 골절단부의 치근 사이에 충분한 공간이 있는지를 확인해야 한다. 분절부의 수직적인 이동을 하려면 치근은 적어도 평행해야 한다; 치근 공간을 폐쇄하려고 할 때는 치근이 이개하는 양상을 보여야 한다. 상악을 하방골절(down-fracture)하기 전에 치간 골절단을 해야 한다. 이 술식은 확실한 두 가지 장점을 가지고 있다. 첫째, 상악이 안정적이면, bur로 처음 cutting하고 나서 치간골절단기(interdental 골절도)로 tapping하는 술식이 용이하다. 둘째, 상악이 안정적일 때 골절단기(골절도)를 두드리기 때문에 이 술식은 상악의 살아있는 연조직 pedicle이 신장되는 것을 방지한다.

치간골은 골점막(mucoperiosteum) 하방을 충분히 고려하여 노출시켜야 한다. 작은 fissure bur(701)로 인접치아 치근 사이의 피질골만 뚫는다(그림 5-42a). 얇은 spatula 골절도로 치간 골절단술을 할 때 손가락을 구개에 위치시켜 골절도를 촉진해본다. 다른 쪽 손의 손가락을 구개에 위치시키면서 한쪽 손으로 골절도를 잡는다. 그리고 나서 보조자는 조심스럽게 골절도를 두드린다. 골절도가 치조골과 두꺼운 구개골을 통과할 때 두드림에 저항하는 힘이 있어서 골절도 끝의 위치를 잘 잡을 수 있다. 치주조직 손상을 방

지하기 위해, 골절도를 바로 치조정에 대고 두드리지 말아야 한다(그림 5-42b). 상악이 하방골절(down-fracture)이 되고 나서야 골편을 이동시킬 수 있다; 비강저를 통한 구개 골절단술이 행해져야만 움직임을 알 수 있다. 손가락으로 압박을 주거나 치간 골절단선에 납작한 기구를 넣어 회전시킴으로써 분절골을 이동시킨다.

비강저 또는 구개 골절단술

비강저의 구개 골절단술은 상악이 하방골절(down-fracture) 되고 나서 한다. 골절단술을 할 때 상악을 받쳐줘서 점막골피판을 보호해야 한다. 중심선 주변부 시상골절단술(perimidline sagittal osteotomy)은 비중격 측방에서 하며, 이 비중격의 골은 얇고 구개 점막이 구개중앙부보다 약간 두껍다. 비중격 측면의 골을 뚫기 위해 fissure bur를 사용하고 이때 구개골막을 천공시키지 않도록 주의한다(그림 5-43). 구개 골절단술은 치간 골절단술로 시작하여 얇은 골절도로 완료한다. 혈행공급에 지장을 줄 수 있으므로, 구개 점막을, 특히 횡적 방향으로 손상시키지 않도록 주의해야 한다. 손가락으로 압박하거나 납작한 기구를 치간 골절단부에 넣고 회전함으로써 분절을 이동시킨다. 5mm이상 구개 확장을 해야할 때에는 양측 골절단술을 고려해야 한다.

더 큰 확장을 하기 위해서, 결함부위에 골이식을 하는 것이 바람직할 수 있다.

만약 골이식을 한다면, 비강과 구개의 점막에 손상이 없는지 확인해야 한다. 큰 구개 확장은 구개 연조직에 장력을 가할 수 있다. 이 장력은 골절단선 위에 위치하지 않는 부위의 골막을 (전후방적으로) 절개하거나 측방 점막골막 절개를 연장하여 생길 수 있다. 비점막에 손상이 없는지 확인하고 구개점막을 절대로 횡적으로 절개하거나 찢어서는 안 된다.

분절 골절단술 후에 고정과 안정

계획했었던 교합을 얻기 위해서, 모델 수술을 통해 미리 만들었던 아크릴릭 스플린트를 이용한다. 구멍이 두 개 뚫린 골소강판(bone plate)을 치간 골절단선 위에 놓아 분절

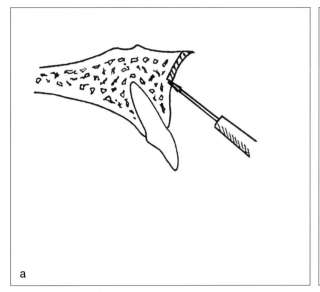

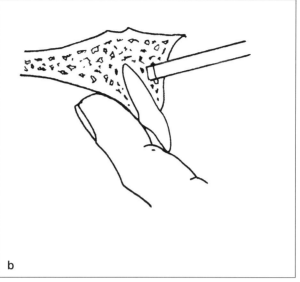

a

b

그림 5-42 (a)치간 골절단술. 처음에는 drill을 이용하여 인접치아 치근 사이의 피질골만을 뚫는다. (b)치근 사이에 예리하고 얇은 골절도로 두드려서 치간 골절단술을 한다. 치아 뒤의 구개부에 손가락을 갖다대어 골절도의 위치가 맞는지 확인한다.

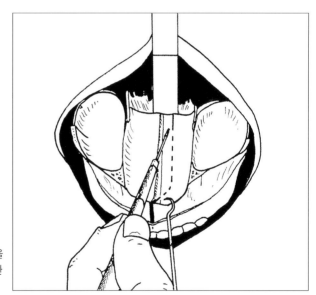

그림 5-43 구개 골절단술을 비중격 측방에 행하였다. 이부위의 골을 얇고 점막은 두껍다. 골절단선을 너무 측방에 두면 대구개신경 및 혈관에 손상을 줄 수 있다.

된 골(segment)을 안정시킨다. 교정용 브라켓을 이용하여 치간 강선을 골절단부 주변의 치아에 감싼다.

골소강판(bone plate)을 정확하게 구부려서 골 외형에 수동적으로 맞게 하고 고정나사(screw) 두 개로 Lefort I 골절단선에 고정한다. 각 분절은 소강판으로 고정해야 한다.

골결손부에는 이식을 하여, 골을 결손부에 밀어넣어서 분절변위를 야기시키지 않으면서도 빠른 골 치유를 촉진할 수 있도록 한다. 결과의 안정성을 향상시키기 위해 3mm이상의 구개골 결함부에는 이식을 권장한다. 이상연(piriform rim)과 협골기저기둥(zygomatic buttress) 부위의 골이식편은 강선이나 고정나사(screw)로 고정을 안정시켜야 한다. 왜냐하면 비지지골 이식편이 상악동 내에서 움직여 감염을 야기할 수 있기 때문이다.

38단계 : 상하악 고정 제거, 교합 확인

교합확인을 하기 전에 하악을 조심스럽게 전방이동시켜보고 양옆으로 이동시켜보고 개구 및 닫아보아서 양악고정 시 관절원판이 변위되지 않도록 해야 한다. 관절원판의 변위는 부정교합을 야기하여 측두하악장애를 일으킬 수 있다. 상하악 고정을 제거한 후 교합을 확인하기 전에 몇 분 기다린다. 그리고 나서, 턱에 약한 압력을 가하여 치아가 교합될 때까지 하악을 폐구시킨다. 만약 얻고자 하는 교합을 얻지 못했다면 견고고정을 제거하고 진단한 후, 실패의 원인을 고친다. 교합상(occlusal splint)이 실패의 원인일 수 있다는 것을 유념하라. 부정확한 교합 때문에 또 수술을 해야할 수도 있다. 따라서 이 단계만큼은 문제를 해결 하는데 적기이다.

39단계 : 비중격 배치와 벨트형 봉합

중격과 전비극(anterior nasal spine) 기저부의 구멍을 봉합함으로써 코의 기저에 형성된 고랑에 중격을 고정한다. 심미적인 필요에 따라, 비익기저(alar base)의 폭은 벨트형 봉합(cinch suture)으로 조절한다. 비익연에 검지를 놓으면서 엄지로 상순을 외방으로 말아올린다. 입술을 뒤집은 상태에서 측방의 비익 연조직을 이가 있는 포셉으로 잡는다(그림 5-44a). 포셉을 약하게 근심쪽으로 당기면서 입술을 놓는다. 비익기저(alar base)가 포셉과 같이 근심쪽으로 움

직이는 것을 확인한다. 비익(alar)이 불충분하게 이동한다면 이는 정확하게 조직을 잡지 못한 것이기 때문에 또다시 시도해야 한다.

포셉으로 집은 조직에 3-0 vicryl 봉합사를 통과시키고 전비극(anterior nasal spine) 기저부의 구멍에도 통과시킨다. 그리고 반대측에도 8자 모양으로 같은 과정을 반복한다(그림 5-44). 원하고자 하는 폭보다 3mm 적게 기저를 좁혀서 술 후에 넓어지는 것을 감안한다.

40단계 : 점막하 봉합

연조직 절개는 여러 층으로 폐쇄한다. 점막하 조직과 점막 봉합은 술식 과정 중에서 가장 중요한 단계 중 하나이므로 꼼꼼하게 행해야 한다. 수술 과정에서 마지막 단계인데다, 술자는 이 단계에서 피로해질 수 있어 이 중요한 단계에 신경을 덜 쓸 수 있다. 부정확한 봉합이 나쁜 심미를 가져올 수 있다는 사실을 필히 염두해 두어야 한다. 상방 조직을 약간 전방으로 당기고 후방에서 봉합을 시작하여 양측 이상연(piriform rim)에서 끝낸다.

41단계 : 점막 봉합

V-Y 봉합을(그림 5-45) 시행하고 4-0 크롬 봉합사를 사용하여 점막 중앙선을 다시 가늠잡아 본다. 상방 조직을 약간 전방으로 견인하면서 연속 봉합을 이용하여 후방에서부터 점막 봉합을 한다. 입술이 길어진 것이 확인되면 수평 봉합(또는 양측 V-Y 봉합)을 더 많이 한다.

42단계 : 탄성악간고정 또한 상하악 악간고정

상하악 고정은 거의 사용되지 않으나 단지 다중 분절 수술을 했거나 교합상(occlusal splint)이 요구될 정도로 이동을 많이 하여 비가동성이 필요한 환자들에게 사용된다. 상하악 고정 기간은 몇 일에서 3주까지 다양하다. 대부분의

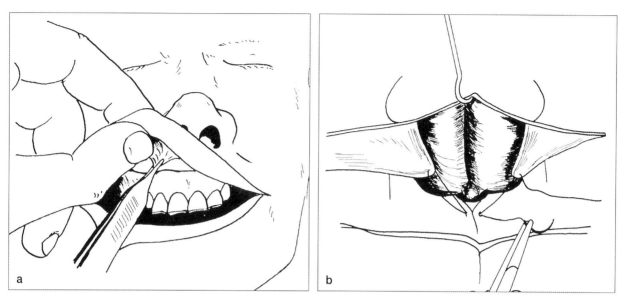

그림 5-44 (a)이가 있는 포셉으로 alar 연조직의 측방을 집는다. (b) 전비극(anterior nasal spine)의 구멍을 통해 8자 모양으로 cinch 봉합을 한다.

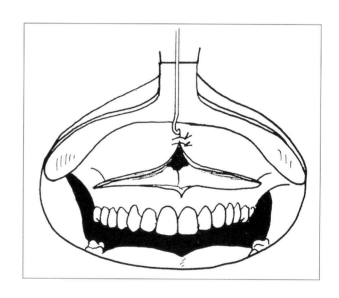

그림 5-45 상순의 V-Y 폐쇄

환자들은 교합사이에 2개에서 4개의 고무줄(elastic)을 위치시켜 치아를 새로운 교합으로 유도시킨다. 고무줄(elastic)의 방향은 재위치하는데 도움을 줄 수 있어야 한다.

43단계 : 압박 드레싱

압박 드레싱은 부종, 혈종 형성을 방지하기 위해 행한다.

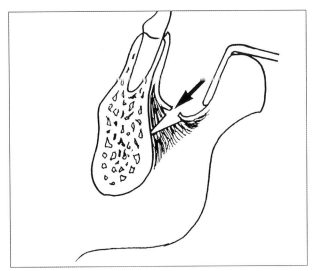

그림 5-46 연조직 절개는 경사지게 행하여 나중에 봉합하기 용이하도록 점막하 조직을 더 많이 유지시킨다.

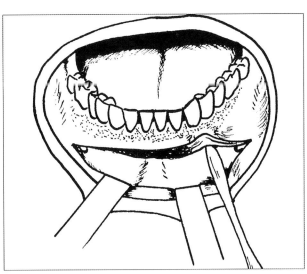

그림 5-47 골막하 박리는 이신경을 확인기 위해서 하방, 측방으로 이루어진다. 상방의 mucoperiosteum 또한 거상하여 mentalis 근육과 점막을 재확인하기 용이하도록 한다.

이부성형술(genioplasty)

턱끝의 기형을 교정하기 위해 이부성형술을 단독으로 하거나 다른 수술 술식과 같이 행할 수 있다. 지난 25년간 하악 하연 전방부의 다양한 용법때문에 술자는 턱끝 부위를 3차원으로 변형시킬 수 있었다. 턱은 가장 눈에 띄는 안면구조물이다; 그러므로 술자는 예술적인 면과 수술적인 면을 모두 발휘해야 한다.

1단계 : 혈관수축제를 이용한 연조직 침윤

수술하기 10분 전에 혈관수축제(1:100000 농도의 에피네프린)를 함유하고 있는 국소마취제 2ml로 박리부위를 침윤시킨다.

이 조직 내로 2ml 이상의 국소마취제를 주사해서는 안되며, 이는 주사량이 많아지면 턱끝모양이 변형되어 수술 시에 심미적인 판단을 하기 어렵게 되기 때문이다. 하악신경

과 혈관에 마취제를 직접 주입하는 것을 조심해야 한다.

2단계 : 점막 절개

첫 연조직 절개를 하악순측점막부의 견치 원심부에서 반대측의 부위까지 시행한다. 점막하 조직 측방에 이신경 분지를 가끔 확인할 수 있다. 나중에 봉합하기 용이하도록 비각화 점막을 적어도 5mm 남겨두어야 한다.

3단계 : 점막하 절개

절개 주변의 이신경 손상을 경계하면서 점막하 조직과 골막을 통과하여 두 번째 절개를 시행한다. 골에 45도 경사로 절개해서 더 많은 점막하 조직과 골막이 상방에 남아 나중에 봉합하기 용이하게 한다(그림 5-46).

4단계 : 골점막 박리

골점막 박리는 중앙에서부터 시작하여 측방과 하방으로

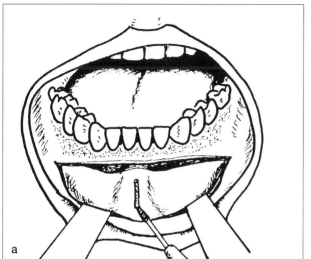 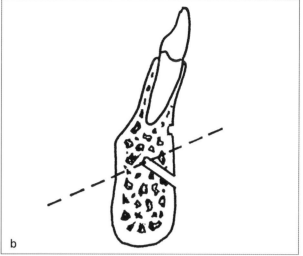

그림 5-48 (a)골에 치성 중앙선을 표시했다. 이 선 측방에 수직 참조선을 두 개 표시한다. (b)중앙선에 상방경사를 가진 구멍을 골절단선 하방에 형성하였다. 턱끝을 이동시킨 후에 위치설정용 강선을 이 구멍에 통과시킬 것이다.

진행한다.

이신경을 양측에서 확인하라. 또한 나중에 봉합하기 용이하도록 골점막을 상방으로 견인한다(그림 5-47).

5단계 : 참고점 지정

시행하고자하는 골절단선 상방과 하방에 #701bur를 이용하여 치성 중앙선을 표시한다. 절치의 치근을 염두해 두면서 작고 좁은 구멍을 형성하고 피질골에 선을 새겨 구멍을 잇는다(그림 5-48a). Bur를 상방으로 기울여서 하방구멍을 깊게하고 구멍을 피질골을 통과하도록 확장한다. 이 구멍은 나중에 위치설정용 강선을 놓을 자리이다. 구멍을 두꺼운 골에 위치시켜서 강선이 당겨지면서 골을 통과하지 않도록 한다(그림 5-48b). 턱끝을 정확히 위치시키기 위해서는 대칭으로 위치시킬 수 있도록 중앙선에서 약 15mm 측방에 참고점을 찍는다.

6단계 : 골절단의 형태

골절단은 절치치근에서 적어도 5mm 하방에, 이공에서 5mm 하방에서 한다. 수술 VTO에서 계획했던 골절단술을 도식화하고 각도를 표시한다(그림 5-49a).

이제부터 삼중피질골 고정나사(tricortical screw)와 소강판 고정을 이용하여 턱을 전방이동하는 기본 술식에 대해 논의할 것이다. 전후방 삭제(reduction), 수직적 변화, 비대칭 교정, 폭의 변화에 대해서 16단계부터 20에서 설명할 것이다.

대부분의 이부성형술 술식은 턱끝의 전후방적인 위치를 향상시키기 위해서 한다. 그러나 각도는 턱끝의 수직적 위치와 확연한 심미적 결과에 변화를 주기 때문에 골절단선의 각도에 대해서 숙고를 해 봐야 한다. 골절단선의 각도는 골분절이 미끄러질 경사면을 형성시켜준다(그림 5-49b). 골절단 각도의 경사도는 심미적 요구도, 절치와 견치 치근, 이공의 위치에 따라 달라진다. 이신경이 이공을 통과하기 전까지 이공에서 약 5mm 하방, 전방에 주행한다는 것을 염두해 둔다.

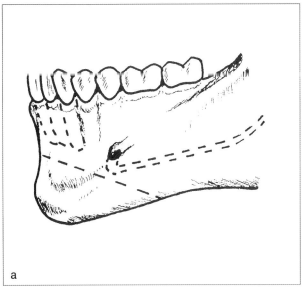 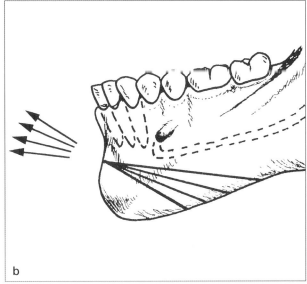

그림 5-49 (a)골절단선의 각도와 위치를 도식화하였다. 이신경과 절치, 견치의 치근 위치를 예상해 둔다. (b)골절단 각도의 변화와 재위치시킨 후에 수직적으로 주는 영향

7단계 : 이부절단술

전기톱으로 중앙에서 시작하여 측방쪽으로 골절단을 시행한다. 양 피질골이 절단된 것을 확인한다. 골절단시 하연을 포함시키지 못하면 골절단면 하연에 바람직하지 못한 파절이 일어나 턱끝이 부정확하게 위치된다(외형을 직접 형성하는 경우가 아니라면).

8단계 : 턱끝의 이동

골절단을 하면 턱끝은 가동성을 가지게 된다. 그러나 경미하게 절단선을 두드린 후(tapping), 골절단선에 작은 골절도를 넣고 회전시켜야 비로소 턱끝이 이동할 수도 있다. 턱끝을 움직이는데 더 과도한 힘이 필요하다면 이는 골절단선이 양 피질골이나 하악 하연을 완전히 통과하지 못했다는 것을 의미하며, 이로 인해 예기치 못한 하연의 골절을 야기할 수도 있다.

이부성형술이 하악의 측방 시상분리 골절단술과 같이 시행될 때는, 시상분리골절단술을 하고나서 이부성형술을 하는 것이 좋다. 이 단계에서도 하악은 여전히 상하악 고정체 때문에 위치를 유지하고 있다. 이 시점에서 이부성형술을 시행하는 것은 술자에게 심미성을 평가할 수 있게 해주고 만약 필요하다면, 외모가 향상되도록 미세한 위치변화를 할 수 있게 해준다. 이부성형술을 하는 동안 치아 교합을 유지하면 하악을 받쳐주고, 고정시킨 새 견고고정 스크류의 부하를 감소시켜주는 장점이 있다. 그러나 하악에 너무 많은 힘을 가하지 않도록 해야 하며, 이는 교정 브라켓을 떨어지게 할 수 있기 때문이다(다른 방법으로 시상분리골절단술을 하기 전에 이부성형술을 하는 방법이 있다).

9단계 : 위치설정용 강선 연결

참고점을 표시할 때(5단계) 뚫었던 구멍에 0.018inch 강선을 통과시키고 여기에 wire twister를 부착한다. 이 강선

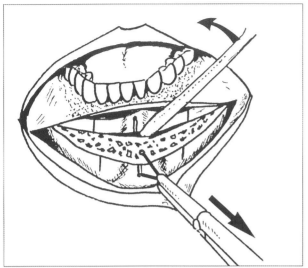

그림 5-50 턱끝의 가동. 위치설정용 강선으로 턱끝을 전방으로 당기면서 Howarth elevator를 턱끝 분절 뒤에 위치시킨다.

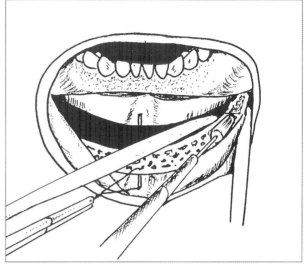

그림 5-51 재위치시키기 전에 모든 골의 방해형태들을 제거하고 비정상적인 형태들은 매끄럽게 형성되어야 한다. 턱끝 분절의 후방부에 특히 신경써야 한다는 것을 주목해야 한다.

은 골편이 이동할 때(단계10)와 턱끝을 정확히 재위치시킬 때 유용할 것이다.

10단계 : 턱끝 부분골편의 최종 이동

Howarth elevator를 설측 피질골 뒤에 대고 연조직(상설골근, 골막)을 신장하여 턱끝을 전방으로 잡아당긴다(그림 5-50). 골편을 충분히 이동시키면 턱끝을 좀더 쉽고 정확하게 재위치시킬 수 있다.

11단계 : 골절단 마무리

골절단한 분절의 후방부를 확인하여 날카롭거나 비정상적인 변연이 있는지 보고 큰 round vulcanite bur를 이용하여 제거한다(그림 5-51). 이런 방해 형태를 고치지 못하면 턱끝을 정확하게 재위치시킬 수 없다. 방해형태는 가동 분절부와 연조직의 후방설측부위에서 보통 발견된다; 설하선, 안면동맥, 이신경, 이설골근 또한 이런 방해형태를 제거할 때 보호해야 한다.

12단계 : 턱끝의 위치설정

위치설정용 강선(positioning wire)과 구외 손가락 압박을 이용하여 턱끝을 치료계획에 따라 정확하게 재위치시킨다(그림 5-52).

비록 '수술대에서는 절대 치료계획을 변경하지 마라' 라는 것이 악교정 술자의 황금률이지만, 이부성형술은 예외일 수 있다. 술자는 수술당시에 임상적 판단을 통해 더 나은 심미적 결과를 얻기 위해 턱끝의 위치를 약간 바꿀 수 있다.

13단계 : 삼중피질골 고정나사 고정을 위한 원추형 구멍형성

삼중피질골 나사(tricortical bone screw) 고정을 할 때는, 아무 쪽에서나 골절단분절에 표시된 중앙선에서 약 8mm 떨어진 협측피질골에 구멍 두 개를 형성한다. 분절 상방변연에서 적어도 5mm 떨어진 부위에 원추형구멍을 형성하여 나사 머리가 들어갈 수 있게 한다(그림 5-53).

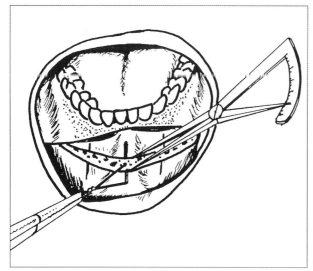

그림 5-52 위치설정용 강선을 이용하여 턱끝 골편을 위치시킨다.

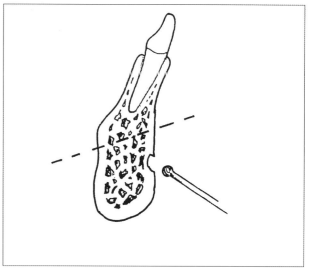

그림 5-53 나사 머리가 들어갈 수 있게 원추형 구멍을 형성한다.

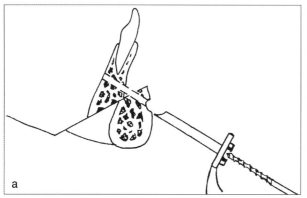

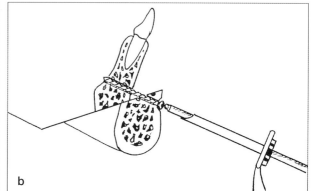

그림 5-54 (a)연조직을 보호하기 위해 trocar를 사용하면서 세 피질골을 모두 통과하도록 구멍을 형성한다. (b)턱끝 분절을 고정시키기 위해 trocar를 이용하여 삼중피질골 고정용 나사(tricortical screw)를 박는다. 확실히 턱끝 골편을 위치시키기 위해 적어도 나사 두 개는 위치시켜야 한다.

14단계 : 삼중피질골 고정나사 배치

보조자가 견인강선(holding wire)과 손가락 압박을 이용하여 턱끝을 계획했던 위치에 잡고 있는 동안 구멍을 뚫고 골나사(bone screw)를 위치시킨다. 연조직을 보호하기 위해 투관침(trochar)를 사용하면서 원추형구멍의 중앙에 구멍을 뚫고, 동시에 세 피질골을 모두 뚫기 위해 적절한 각도로 드릴(drill)을 유도해야 한다(그림 5-54a). 세 피질골을 모

두 통과할 수 있을 정도로 나사가 긴지 확인한다(그림 5-54b).

15단계 : 나사 고정의 대안책, 골고정소강판 고정

미리 형성한 턱끝고정판이나 X 또는 H형 골고정소강판(bone plate)이나 나사(screw) 두 개를 이용한 직선형 골고

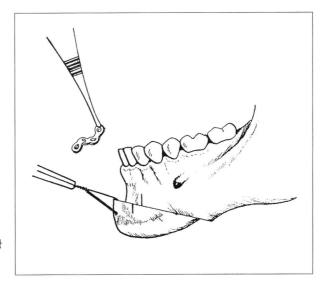

그림 5-55 삼중피질골 고정나사(tricortical screw). 고정 대신에 소강판(bone plate)을 이용하여 견고 고정을 할 수 있다.

정소강판(straight bone plate) 두 개를 사용한다.

골고정소강판이 무리없이(passive 정확하게 맞도록 구부리는 동안, 위치설정용 강선과 손가락 압박을 통해 턱끝이 계획했던 대로 위치하게 한다(그림 5-55). 나사로 절치 치근을 손상하지 않도록 주의한다. 중앙선 양측에 고정을 하도록 추천된다.

16단계 : 턱끝의 전후방적 삭제

구외 손가락 압박을 이용하여 턱끝을 위치시키고 caliper를 이용하여 골의 위치를 확인한 후, 미리 제조된 턱끝 고정판을 이용하거나 적절한 판을 구부려서 수동적으로 정확하게 맞도록 고정시킨다(그림 5-56a). 미리 제조된 턱끝 고정판이나 X 또는 H형 골고정소강판이나 직선형소강판 두 개를 이용한다. 턱끝을 후퇴하면 후방설측 부위를 촉진할 때, 하악 하연에 계단형의 결함이 느껴진다. 이 부분을 부드럽게 하기 위해 절단편을 전하방으로 당긴 후에 후방설측부의 외형을 다듬는다(그림 5-56b). 이 단계내내 연조직을 보

호해야 한다.

턱끝을 전후방적으로 삭제하면 이순구가 편평해질 수 있다. 이런 현상을 보상하여 이순구의 깊이를 향상시키기 위해 전방부의 날카로운 변연을 다듬는다(그림5-56c).

17단계 : 턱끝의 수직적 증가

#701 fissure bur를 이용해 참고구멍을 형성하여 턱끝의 수직적인 위치를 기록한다. 턱끝의 대칭을 유지하기 위해 참고점은 중앙선에 형성하고 중앙선에서 약 15mm 측방에 형성한 후 이들 사이의 거리를 기록해야 한다. 보조자가 골편 사이 공간을 유지하기 위한 쐐기형의 기구와 위치설정용 강선을 사용하는 동안 골고정소강판을 위치시킨다(그림 5-57). 골절단부에 H나 X형의 소강판 또는 직선형소강판 두 개를 이용하여 상방과 하방에 적어도 두 개의 나사를 사용하여 골편을 안정시키고 수직높이를 유지해야 한다. 결함부에는 골이식이 권장된다. 결함부에 골이식편을 강제로 넣으면 턱끝 부위를 변위시키거나 움직일 수 있기 때문에 그렇게 하지 않도록 한다.

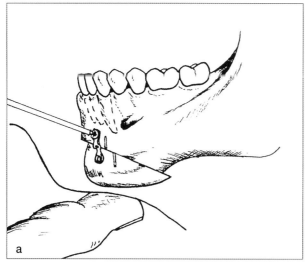

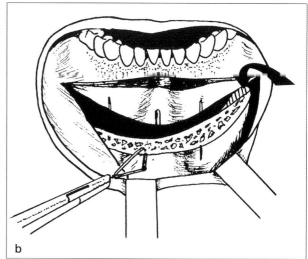

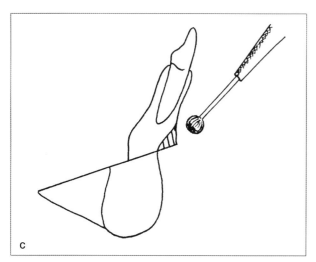

그림 5-56 (a)턱끝의 후방이동(setback)을 하기 위해서는 골소강판고정(bone plate) 방법을 택해야 한다. Setback 술식에서는 위치설정용 강선을 사용하는 것이 비현실적이다. (b)하악하연에서 계단형의 결함을 형성하지 않기 위해 턱끝 골편 후방부의 근심면을 제거한다. (c)하악 상방의 전방부를 다듬어서 이순구(submental fold)를 향상시킨다.

18단계 : 턱끝의 수직적 삭제

턱끝의 수직적 위치를 기록하기 위해 참고점을 뚫는다. 턱끝의 대칭성을 유지하기 위해 중앙선에 점을 표시하고 중앙선에서 약 15mm 측방에도 점을 표시하고 이들 사이의 거리를 기록한다. 위에서 두 번째 골절단술을 더 쉽게 할 수 있게 충분히 하방에서 첫 번째 골절단술을 행한다(그림 5-58). 하방 골절단술을 한 후에 턱끝을 움직인다. 제거해야

할 골의 양과 모양을 표시하고 나서 상방골절단을 한다. 절단된 골의 모양은 최종적인 전후방적 턱끝 모양에 영향을 준다. 만약 전방부가 더 넓게 골절단되었다면 턱끝은 전방으로 회전하는 반면, 후방부가 더 넓게 절단되었다면 턱끝은 후방으로 회전한다. 턱끝에 부착된 연조직을 가능한 많이 유지하여 사강을 줄이고 재위치된 골에 혈행공급이 좋게 한다. 이것은 또한 더 양호한 심미적 결과를 얻게 한다.

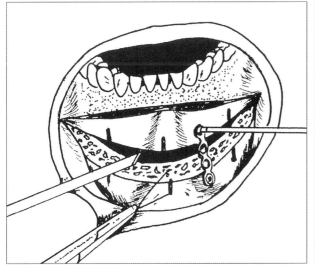

그림 5-57 턱끝의 수직적 증가. 분리된 이부(chin segment)를 위치설정용 강선을 이용하여 원하고자 하는 높이에 위치시킨다. 그리고 나서 골편을 고정시키기 위해 골소강판(bone plate) 두 개를 고정시킨다. 그리고 결함부에 이식을 한다.

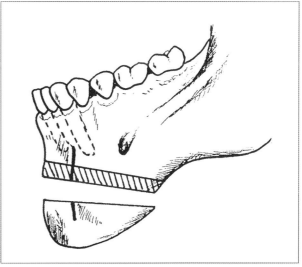

그림 5-58 턱끝의 수직적 감소. 하방 골절단을 먼저 하고 제거하고자 하는 골량만큼 상방에 골절단을 한다.

19단계 : 턱끝 비대칭의 교정

턱끝의 위치를 기록하는 참고구멍을 뚫는다. 턱끝의 측방이동을 위해 골절단선 상방에 치아중앙선을 표시하고 하방에 턱끝의 중앙선을 표시한다(그림 5-59a). 비대칭교정을 수직적으로도 해야 하다면 양 좌우측의 수직적인 위치를 기록하기 위해 중앙선 측방에 표시한다. 턱끝 외형에 경사(cant)가 큰 경우에는(예를 들면, 편측성 과두비대나 과두저성장) propeller osteotomy로 교정될 수 있다. 첫 골절단은 상방에서 교합평면이나 동공간선에 평행하게 이루어진다. 두 번째 골절단은 턱끝 하연과 평행하게 이루어진다(그림 5-59b). 이 작은 삼각형 골편을 근육이 부착된 채로 180도 회전한다(그림 5-59c). 하방 골편을 견고고정으로 안정시킨다(그림 5-59d).

20단계 : 턱끝의 폭을 변화시키기

#701 fissure bur를 이용하여 참고구멍을 뚫어, 술 전 턱끝의 위치를 기록한다.

턱끝 폭을 확장하거나 좁히기 (후방 위치를 변경하기)

턱끝을 이동시키기 전에 턱끝 순측 피질골에 4 hole straight plate을 중앙선에 가로지르도록 수평하게 고정한다. 턱끝을 넓히기 위해 협측과 설측 피질에 중앙 골절단술을 하고 작은 골절도를 이용하여 골절단술을 완료한다. 그리고 나면 골고정용소강판을 경첩으로 이용하여 턱끝을 넓힐 수 있다(그림 5-60a). 턱끝을 좁힐 때는 턱끝 분절의 설측면(hinge)에서 중앙에 삼각형 골절단을 하고 골고정용소강판을 경첩으로 이용하여 턱끝을 좁힌다(그림 5-60b).
원하는 턱끝 모양을 얻었다면, 더 고정을 강화한다. 고정은 중앙골절단술을 양측에 할 수 있다.

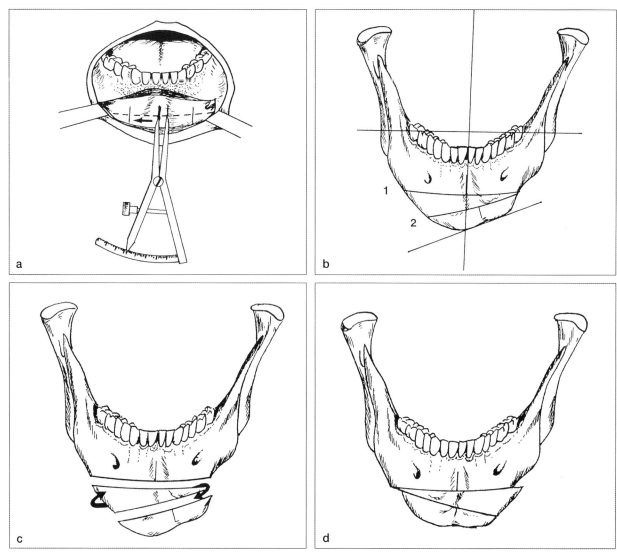

그림 5-59 (a) 턱의 측방 이동. 턱의 중심부를 골절단선 하방에 그리고 안면 중심부를 골절선 상방에 표기해 둔다. 턱이 움직여진 후에 턱의 중심선에 서로 일치하도록 측방으로 이동한다. (b) 프로펠러 골절단술, ① 첫 번째 골절단선을 interpupillary line에 평행하게 형성하고 ② 두 번째 골절단선을 턱의 하방에 평행하게 형성한다. (c) 설근에 연결된 삼각형 형태의 골편을 180° 회전한다. (d) 두개의 골편이 견고 고정으로 부착된다.

이부의 확장과 축소
(전방부 dimension의 변화)

이부의 축소를 위해선, 사전에 결정된 양만큼의 골이 움직이면 골절편상에서 절제되어야 한다. 이부의 중심부에서 절제된 골을 쉽게 제거하기 위해선 골절편이 움직이기 전에 완전한 골절단이 이루어져야 한다(그림 5-60c, 5-60d).

이부의 확장을 위해선, 중심선에 맞추어 골절단을 시행하고 골절편을 외측으로 이동하여 전방부의 폭경을 사전에 결정된 폭경만큼 증가시켜야 한다(그림 5-60e). 골절편을 하악골에 고정하기 전에 절편 사이에 골이식을 하여 강판으로 고정한다(그림 5-60f).

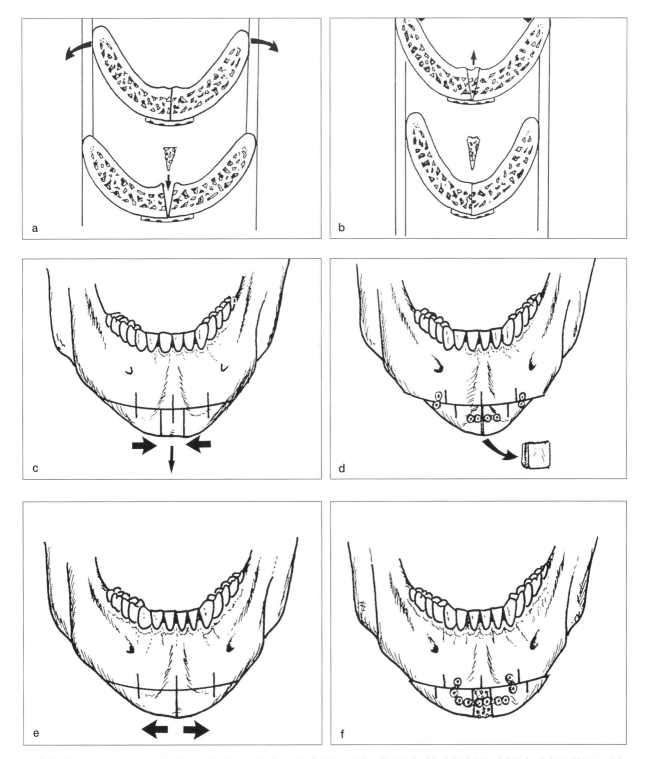

그림 5-60 (a) 이부 후방부 폭경의 확장. 이부 골절편의 전방면에 강판을 고정하고 중심선에 맞추어 골절단을 시행한다. 강판은 경첩(hinge)과 같은 역할을 하게 되어 이부 후방부가 확장되며, 중심부의 골 결손부에는 작은 골을 이식한다. (b) 이부 후방부 폭경의 축소. 이부 골절편의 전방면에 강판을 고정하고 중심선에 맞추어 삼각형의 골절단을 시행한다. 이부의 축소를 위해 골절편을 내측으로 구부린다. (c) 이부 전방부 폭경의 축소. 이부 중심부에 중심선에 맞추어 골절단을 시행한다. (d) 절제된 골의 제거 후, 양측의 골절편을 내측으로 이동시킨다. (e) 이부 전방부의 확장. 이부 골절편의 중심에 골절단을 시행한다. (f) 이부 전방부 폭경의 확장 후, 양측 골절편 사이에 골이식을 시행한다.

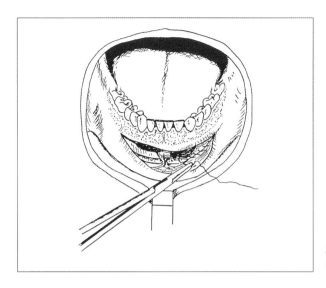

그림 5-61 최대한 심미적인 결과를 얻기 위해선, 이 근의 정확한 재접근이 필수이다. 그 후에 점막을 봉합한다.

21단계 : 점막하 조직의 봉합

연조직을 중심선에 맞게 정확히 배열하기 위해 중심선에 단속봉합을 시행한다. 그 후에 골막 및 근육의 재접합을 위해 3-0 크롬봉합을 시행한다(그림 5-61). 이 근의 정확한 재접합은 연조직 외형의 유지에 가장 중요하다.

22단계 : 점막의 봉합

입술의 대칭을 유지하기 위해 중심선에 4-0 크롬봉합을 한 번 시행한다. 나머지 점막은 연속봉합법으로 봉합한다.

23단계 : 압박 dressing 시행

압박붕대를 이용하여 이부에 수직적, 수평적 압박을 가한다. 대략 3일간 유지하여 술 후 혈종과 부종을 억제한다.

BSSRO 후 관절낭의 술 중 진단

BSSRO에 있어서 견고 고정이 점차 일반화되면서 과두를 관절와에 정확히 위치시켜야 할 필요성이 강조되고 있다. 그러나 과두와 관절원판, 관절와 간의 이상적인 기능적, 안정적 관계에 대한 원칙은 없다.

문헌에서는 측두하악관절 구성요소들 간의 기능적 관계에 대해 부정할 뿐만 아니라, 하악골을 외과적으로 재위치시킬 때 어떻게 기능적이고 안정적인 관계를 얻을 것인가도 모호하다.

수술을 통해 사전에 계획된 교합을 확립하고, 골절편을 견고 고정한 후 관절와 내에서 과두의 즉시형 또는 지연형 미측운동에 의해 관절낭이 정의되어진다. 과두 위치의 변화에 의한 교합의 재발(relapse)은 악간 고정을 제거한 즉시 일어나거나, 술 후 기간동안 지연성으로 일어난다.

술 중 불리한 과두 위치를 피하는 것은 매우 바람직하며, 이는 두 가지 관리 원칙에 중점을 둔 본 연구의 목적이다:

(1) BSSRO에 앞서 과두를 술 전의 위치로 유지(수술 중

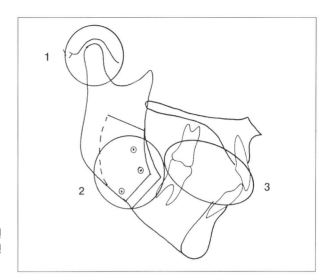

그림 5-62 술 중 악간고정 제거 후 즉시 발생하는 잘못된 교합의 원인은 아마도 (1)관절낭, (2)골절단부의 가동성, (3) 강성고정 동안 발생한 교합의 이동에 의한 것이다.

위치가 변하지 않는 골격구조와 근심 골편 간의 위치 관계를 기록하는 장치를 이용)

(2) 과두를 술 전의 위치로 재위치시키기 위해 정교한 이미지 양식 또는 computer-assisted navigation을 사용한다. 이러한 방법들은 상대적으로 성공률은 높지만, 까다롭고 하드웨어가 비싸서 일반적으로 쓰이진 않는다. 술 중에 과두의 잘못된 위치를 알 수 있는 간단한 방법이 있다면 분명히 유용할 것이다. 수술 중에 잘못된 교합을 알 수 있다면 매우 바람직할 것이다. 그리고, 이는 문제의 원인을 알기위해 중요하다. 다음의 내용들은 술 중에 악간고정을 제거한 후 부정교합을 유발할 수 있는 병인과 술자로 하여금 다양한 병인들을 구별할 수 있도록 부정교합의 유형에 대해 논의하고 있다.

술 중 잘못된 교합의 진단

술 중 악간고정을 제거한 직후에 부정교합(disclusion)이 종종 나타난다. 그림 5-62는 이러한 수술단계에서 잘못된 교합을 유발할 수 있는 원인들을 보여주고 있다. (1)관절낭, (2)골절단부의 가동성, (3) 강성고정 동안 발생한 교합의 이동.

관절낭

관절낭의 경우 중심형(central type)과 주변형(peripheral type) 두 가지 형태가 나타난다. 중심형의 관절낭은 과두가 관절와의 하방에 위치하며 관절와와 접촉하지 않는다(그림 5-63a). 관절낭 내 부종이나 혈관절증(hemarthrosis)(hydraulic pressure를 야기하는)이 없다면, 악간고정 제거 후 과두는 상방으로 이동하여 부정교합이 발생할 것이다(그림 5-63b).

주변형의 관절낭은 두 가지 형태가 나타난다. 1형의 경우, 악간고정(치아가 교합된 상태)과 견고고정을 시행했을 때 과두는 하방에 위치하며 관절와와 일부에(외측, 내측, 후방 또는 전방에서) 접촉하고 있다. 이 형태의 과두 위치이상은 물리적인 지지력이 있어 교합을 유지한다(그림 5-64a). 술 후 과두의 흡수 및 형태 변화로 인해 지연된 재발이 나타나게 될 것이다. 2형의 경우, 악간고정(치아가 교합된 상태)을 시행했을 때 과두는 관절와 내에 정확한 위치에

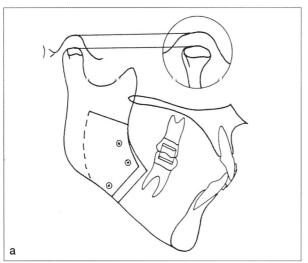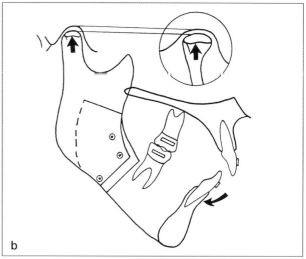

그림 5-63 (a) 중심형의 관절낭. 치아가 교합된 상태(악간고정상태) 및 견고 고정을 시행한 상태에서 과두는 관절와 하방에 위치하며 골접촉부가 없다. (b)악간고정 제거 후, 과두가 상방으로 이동하여 즉시형의 재발이 발생한다.

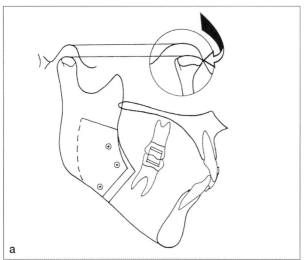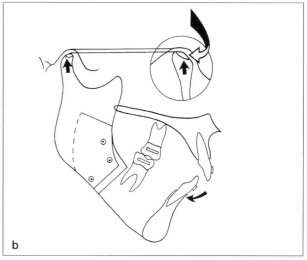

그림 5-64 (a)1형 변연형의 관절낭. (이 경우에서는)과두가 관절와와 내측에서 접촉하며 하방에 위치한다. 악간고정 제거후에 과두와 관절와의 접촉은 교합을 물리적으로 지지한다. (b)술 후 과두가 흡수되어 상방으로 위치되며, 이로 인해 지연형의 재발이 발생한다.

있게 된다. 그러나 견고 고정을 시행할 때 과두 및 하악지에 회전력이 발생하게 된다(그림 5-65a, 5-65b). 악간고정을 제거하면 이러한 긴장은 해소되며, 과두는 외측 또는 내측으로 이동될 것이며, 관절와의 하방으로 미끄러지게 된다(그림 5-65c).

변연형의 관절낭이 BSSRO 수술시 보다 자주 발생하는데

이는 원심절편을 재위치시키면서 두골편 사이에 결손부가 발생하기 때문이다. 이러한 골편간의 결손부를 견고 고정시 힘을 가하여 접합시키면 종종 과두가 관절와 내에서 변위된다. 하악의 비대칭을 교정하기 위한 수술 시(그림 5-66a) -많은 양의 후방이동 또는 전방이동을 lag screw를 이용하여 견고 고정하는 경우(특히, V자 형태의 하악에서)-

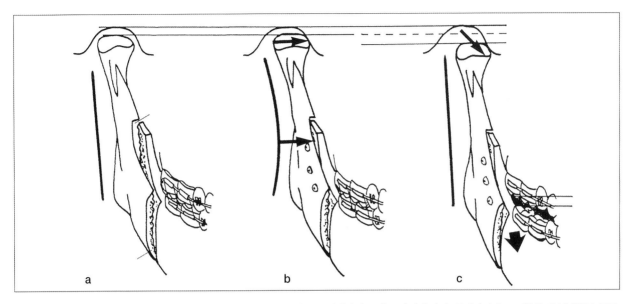

그림 5-65 관절와, 과두, 근심, 원심절편을 정면에서 본 모습. (a)과두는 관절와와 올바른 관계에 있다. 골절편간의 gap(G)와 접촉부(C)를 주목하라. (b) 견고 고정 시행 시 과두와 하악지는 긴장을 받게 되어 bow effect가 나타난다. (c)악간고정이 제거되면 하악지에 존재하던 긴장이 해소되면서, 과두가 내측으로 이동하고 관절와의 내측벽을 따라 하방으로 미끄러지게 된다. 이로 인해 구치부의 open bite가 발생하게 되며 개방교합 양은 과두의 수직적 변화량과 같다.

고정시 과두가 변위되지 않도록 특별한 주의가 필요하다 (그림 5-66b, c). 하악지 내측의 수평 골절단부에서의 step 도 골접촉을 방해하며(그림 5-66d), 견고 고정시 받침점으로 작용한다.

악간고정 제거 후 주의 깊게 임상적 관찰을 함으로써 교합의 이동을 확인할 수 있다. 교합 이동의 형태는 관절낭에 의해 재연될 수 있어 술자가 잘못된 과두위치를 확인하는 데 도움을 준다. 다음은 관절낭의 임상 징후이다.

A. 중심형 과두쳐짐(그림 5-63)

  1.양측성 중심형 과두쳐짐(그림 5-67)

    - 치아의 중심선은 맞음

    - 증가된 수평피개교합

    - 전치부 개방교합

    - Class II 부정교합(양측성)

  2. 편측성 중심형 과두쳐짐(그림 5-68)

    - 하악치아의 정중선이 변위된 과두측으로 이동

    - 증가된 수평피개교합(변위된 측이 더 증가됨)

    - 변위된 측이 Class II 치아관계를 보임

    - 하악의 정중선이 일치되도록 이동시키면 수평피개교합및 교합이 다시 교정됨.

B. 주변형 과두쳐짐

  1. 1형(그림 5-64): 이러한 형태의 관절낭은 과두와 관절와 간의 접촉이 교합을 지지하므로 술 중에 진단하기 어렵다. 과두의 흡수로 인해 지연형의 재발이 나타난다.

  2. 2형

    a. 양측성 주변형 과두쳐짐(그림 5-69)

      - 치아 정중선은 일치함

      - 전치부 반대교합 또는 절치대 절치교합 관계를 보임

      - Class III 치아관계를 보이는 경향이 있음

      - 양측성 구치부 개방교합을 보이는 경향이 있음

    b. 편측성 주변형 과두쳐짐(그림 5-70)

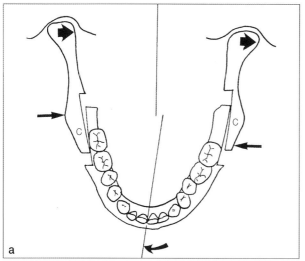
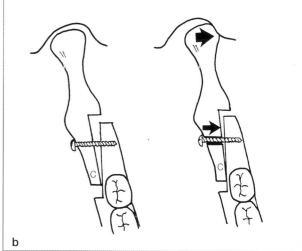
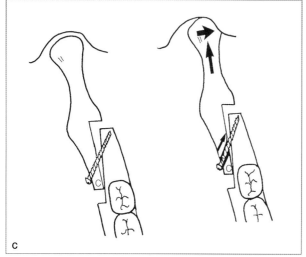

그림 5-66 (a)하악의 비대칭 교정 후 골절편간의 결손부를 보여주고 있다. 단지 C에서만 골이 접촉하고 있으며, 골절편 간에 견고 교정을 시행하면 C는 fulcrum으로 작용한다. 과두는 양측 다 관절와에서 왼쪽으로 이동한다. (b)Positioning screw(왼쪽)는 골절편간의 gap을 유지한다. 반면에 lag screw(오른쪽)는 골절편간에 힘을 가하여 접합시키므로 과두를 관절와의 내측으로 변위시킨다. (c)Bicortical screw는 구강 내로 수술한 경우 우각부에 위치된다. Positioning screw(왼쪽)가 골절편간의 위치를 유지하는 반면에 lag screw(오른쪽)는 과두에 내측, 후방측으로 힘을 가한다. (d)하악지 축소술과 함께 많은 양의 후방이동을 시행할 때, 내측 골절단부의 수평적 step은 fulcrum으로 작용한다(C). 골절편을 접촉시키기 위해 내측으로 힘을 가하면 과두는 외측으로 변위된다.

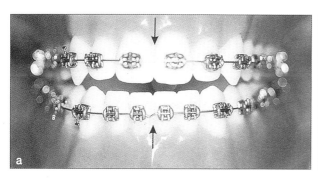

그림 5-67 Bilateral central condylar sag (a)정면사진: 치아 정중선이 일치하며(화살표) 전치부 openbite 경향을 보임. (b)왼쪽에서 본 사진: 증가된 overjet, 전치부 openbite 경향(흰색 화살표)과 Class II 치아관계(검은색 화살표)에 주목하라. 오른쪽에서 본 교합도 유사하다.

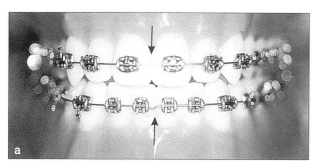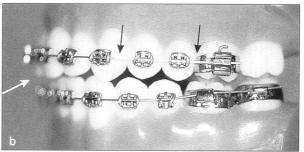

그림 5-68 Unilateral central condylar sag, 왼쪽 과두. (a)정면사진: 하악치아의 정중선이 왼쪽으로 변위되어 있다(화살표). (b)왼쪽에서 본 사진: 증가된 overjet(흰색 화살표)과 Class II 치아관계(검은색 화살표). 우측의 교합은 Class I 관계를 보임.

- 하악 치아 정중선이 비변위 측으로 이동
- 변위측 전치부의 반대교합 경향과 함께 절치대 절치교합 관계를 보임
- 교합시 변위측 구치부의 openbite
- 치아의 정중선을 맞추기 위해 하악을 왼쪽으로 이동시키면, 견치 및 구치부가 Class III 경향을 보이면서 전치부는 절치대 절치교합 또는 반대교합 관계를 보인다.

중심성 과두처짐과 2형 주변형 과두처짐은 술 중 악간고정 제거 즉시 진단이 가능하다. 그러나 1형 주변형 과두처짐의 경우, 과두와 관절와의 접촉이 교합을 지지하므로 과두의 흡수가 일어난 후에야 확인할 수 있다.

골절단부에서의 가동성

골절단부에서의 부적절한 견고 고정은 근심골편과 원심골편간의 가동성을 초래한다. 교합시 나타나는 증상이 cetral type의 관절낭이 발생한 경우와 유사하다. 악간고정 제거 시 부정교합이 발생한 경우 술자는 이러한 점도 고려해야 한다. 술자는 골절단부에 가볍고, 잘 조절된 힘을 가함으로서 골절편 간의 가동성을 방지할 수 있다.

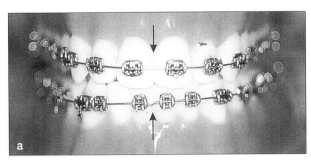 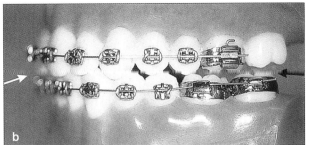

그림 5-69 Bilateral peripheral condylar sag. (a)정면사진: 치아 정중선이 일치하며(화살표), 전치부에서 edge-to-edge 관계를 보인다. (b)왼쪽에서 본 사진: Class III 치아관계를 보이며 구치부 openbite(검은색 화살표), 전치부 edge-to-edge관계를 보인다(흰색 화살표). 우측의 교합도 유사하다.

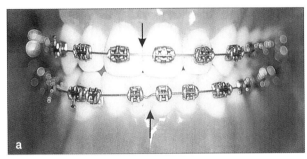 

그림 5-70 Unilateral type II condylar sag(우측 과두) (a)정면사진: 하악의 치아 정중선이 왼쪽으로 변위되어 있다(검정색 화살표). (b)오른쪽에서 본 사진 : 전치의 edge-to-edge 관계(흰색 화살표), Class III 치아관계, 구치부 open bite(검정색 화살표). 왼쪽에서 본 교합은 Class I 치아관계를 보였다.

견고 고정 시행 시 교합의 변위

Bicortical screw 사용 시 과도한 측방력과 함께 부적절한 교합고정은 교합을 변위시킬 수 있다. 이러한 교합의 변위는 악간고정을 제거하고 교합을 확인할 때까지 발견되지 않을 수 있다. 따라서, 악간고정 제거 전에 교합이 확인되어야 한다.

관절 내 출혈 또는 부종

외과적 술식을 단계적으로 서술하면서 수술 중 연조직과 경조직의 조심스런 조작과 주의를 강조하였다. 실제 분할 술식과 분할 후 근심골편의 조작 시 이는 특히 중요하다.

근심 골편(그리고 과두)의 거칠고 무차별적인 조작은 관절낭 내 출혈 또는 부종을 발생시키거나 관절원판의 변위를 초래한다. 관절낭 내의 출혈 및 부종은 관절낭 내 압력을 증가시킨다. 증가된 압력으로 인해 과두의 위치를 결정하기가 어렵게 된다. 또한 술 후 출혈 또는 부종이 가라앉게 되면 과두가 관절와(관절낭)의 상방으로 이동하게 된다(그림 5-71). 만약 술 후에 이러한 압력의 증가가 발생하면 과두는 관절와의 하방으로 밀려나게 되며 보통 동통을 수반한다. 임상 증상이 주변형의 관절낭과 유사하다. 발생측 구치부의 개교합이 일어나며 출혈 또는 부종이 가라앉으면서 점차 개선된다.

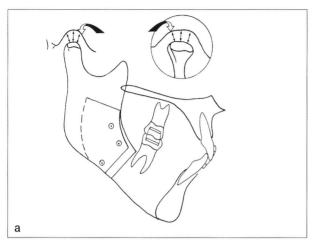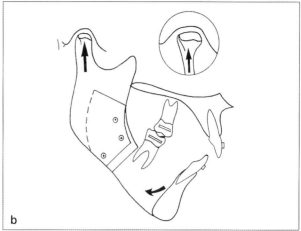

그림 5-71 (a)과두 배치 전 관절 내 hemarthrosis 또는 부종. 관절낭 내 압력의 증가는 과두를 하방으로 변위시키는 경향이 있으며, 과두를 위치시키기 어렵게 한다. 이로 인해 술 후 central sag가 발생할 수 있다. (b)hemarthrosis 또는 부종이 술 후에 해결되면, 과두는 상방으로 움직여서 부정교합을 일으키게 된다.

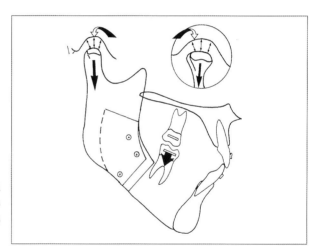

그림 5-72 과두를 위치시킨 후 발생한 관절 내 hemarthrosis 또는 부종. 관절낭 내 압력 증가는 과두를 하방으로 미는 경향이 있어 술 후 구치부 개교합을 야기한다(peripheral sag과 유사함). 관절낭 내 혈관절증 또는 부종이 해소되면 과두는 상방으로 이동하여 교합이 재형성된다.

관절원판의 변위

술 전에 측두하악 관절음이나 과두걸림의 병력이 있었던 경우에는 수술 중 다른 경우보다 근심골편(측두하악관절)을 더 주의해서 다루어야 한다. 본래의 관절 구조를 조심스럽게 유지하고 관절원판 또한 가능한한 변위시키지 않아야 한다. 만약 과두를 위치시키는 동안에 관절원판이 과두와 fossa사이에 정상적인 관계를 이루지 못하면 나중에 과두와 관절원판이 정상 위치로 돌아간 후에는 구치부의 개방교합을 초래한다(그림 5-73).

관절와 내에서 과두를 유도하는 것은 BSSRO 술식에서 아마도 가장 중요하고 필요한 단계일 것이다. 과두를 위치시키는 동안, 술자는 과두나 관절와를 볼 수 없다. 그러나, 과두의 위치는 다음과 같은 여러 가지 관절낭 내외적인 요소에 의해 영향을 받는다:

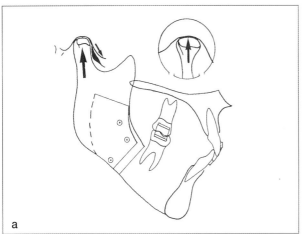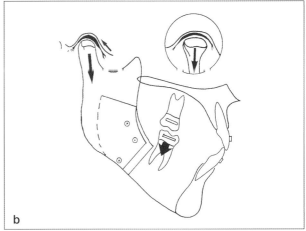

그림 5-73 (a)과두를 위치시키는 동안 관절원판이 관절와의 전방부로 변위되었다. (b)Disc가 관절와 내의 정상위치로 돌아오면 과두는 하방으로 밀려서 구치부 개교합을 초래하게 된다.

- 과두를 부정확한 방향으로 위치시킴
- 견인강선(holding wire)이나 bone clamp의 부정확한 방향
- 과두를 안착을 방해하는 불완전 또는 greenstick 골절단
- 근육, 인대, 골막의 방해
- 관절 내 출혈이나 부종
- 견고 고정시 근심 골편의 신장(악간고정을 제거하면 골편의 응력이 방출된다)
- 관절원판의 변위
- 과두를 위치시킬 때 근심골편과 원심골편 사이의 저항

과두를 위치시키는 술식에 관해서는 수술 술식 부분에서 설명하였다. 앞서 강조했듯이, 수술하는 동안에 무엇이 부정교합을 유발하는지 알고 잘못된 교합을 진단할 수 있는 능력을 가진 술자는 상당한 잇점을 가지고 있는 것이다.

수술과정 중에 잘못된 점을 고치는 것은 불만스러운 교합 결과나 오랜기간의 힘든 수고, 교정과의사에 주는 부담, 그리고 아마도 두 번째 수술까지도 예방해 줄 것이다. 술자는 바람직하지 않은 수술 결과를 교정하기 위해 장기간의 술후 교정치료에 의지해서는 안된다.

Lefort 1 상악골절단술 도중에 과두쳐짐에 대한 술 중 진단

과두를 위치시킬 때, 상하악 복합체(계획된 교합에 따라 상하악 치아를 고정하여 가동적인 상악을 하악에 고정한 것)는 과두를 중심으로 회전되어야 한다. 만약 상악 후방부에 충분히 골이 제거되지 않으면, 골이 회전축으로 작용하여 회전을 방해할 것이다(그림 5-74a). 골절단부에서 골접

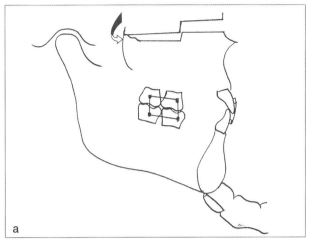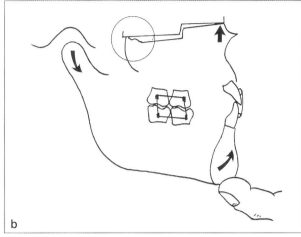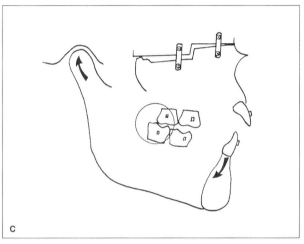

그림 5-74 (a)상악 후방부의 골의 방해(화살표)는 과두를 중심으로 한 상하악 복합체의 회전을 방해하여 이상적인 골 접촉을 얻을 수 없게 한다. (b)상악 전방부의 골접촉을 얻기 위해서, 골 방해부를 중심으로 상하악 복합체가 회전하게 되고(원), 반면에 과두가 fossa 내에서 하방으로 이동하게 된다. (c)악간고정을 제거하면, 하악은 시계방향으로 회전하고 이때 후방구치들이 회전축으로 작용한다(원). 전치부 개교합과 치성 Class II 관계가 야기된다.

촉을 얻기 위해 상하악 복합체를 강제로 상방으로 올리면 과두가 관절와 내에서 하방으로 당겨지게 된다(그림 5-74b). 상하악 고정을 풀고 나면 과두는 관절와 내의 정상 위치로 상방이동하여 하악이 시계방향으로 회전하고, II급성 경향을 띤 전치부 개교합을 야기한다(그림 5-74c). 턱끝에 작용하는 약한 상방력은 제2대구치를 축으로 하악을 시계 반대방향으로 회전시킨다.

술자는 이 단계에서 교합을 평가할 때 매우 엄격하게 해야 한다. 평가 시에는 다음과 같은 사항을 염두해 두어야

한다.

첫째, 과두를 위치시키기 어렵게 만드는 관절 내 부종, 혈관절증 또는 과두원판 변위와 같은 문제들을 예방하기 위해 전과정에서 하악과두를 다룰 때 상당한 주의를 기울여야 한다.

둘째, Le fort I 상악 골절단술을 한 후 견고 고정을 할 때, 과두는 본래의 정확한 위치에 있지 않을 수도 있다. 어떨 때는 과두가 비정상적인 위치에 있어 견고 고정을 하는데 상당한 시간이 걸릴 때도 있다. 상하악 고정을 풀고 나서도

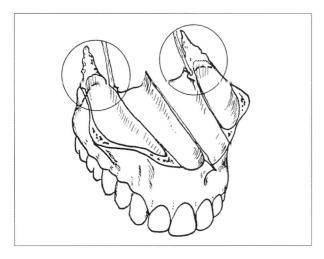

그림 5-75 골의 방해는 상악 후방부에 자주 나타난다. 제거해야할 골이 점선으로 표시되어있다.

과두는 이 위치에 그대로 유지하려는 경향을 보일 수 있고 이로 인해 교합이나 과두 위치가 제대로 된 것처럼 보일 수 있다. 그러므로, 악간고정을 풀고 나서 하악을 부드럽게 측방으로, 전후방으로 움직여야 한다. 그리고 나서, 턱끝에 약하게 손가락 힘을 가하여 하악을 회전시켜 폐구한 후에 교합을 평가해본다. 구치의 방해로 생긴 전치부 개방교합 경향은 잘못된 과두 위치를 나타내는 것이다. 이런 영향은 술후에 더 악화되기만 할 것이다. 그러므로, 후방골의 방해로 과두 위치가 의심스럽다면, 견고 고정을 제거한 후에 조심스럽게 평가해 보아야 한다.

셋째, 후방골 방해는 보통 상악 결절의 후방근심쪽에 나타난다(그림 5-75).

마지막으로, Downfracture된 상악 후방부에서 골을 하방에서 제거하는 것이 상방에서 제거하는 것보다 더 낫다(그림 5-75).

Recommended Reading

Acebal-Bionco F, Vuylstek PLPJ, Mommaerts MY, De Clerq CAS. Perioperative complications in corrective facial orthopedic surgery: A 5-year retrospective study. J Oral Maxillofac Surg 2000;58:754–760.

Auxhauser G. Zur behandlung veralteter desloziert verheilter oberkeifer bruche. Dtsch Zahn Mund Kieferheilkd 1934;1:334.

Bell WH. Correction of maxillary excess by anterior maxillary osteotomy. J Oral Surg 1977;43:323–332.

Bell WH, Fonseca RJ, Kennedy JW, Levy BM. Bone healing and revascularization after total maxillary osteotomy. J Oral Surg 1975;33:253.

Blair VP. Operations on the jaw bone and face. Surg Gynecol Obstet 1907;4:67.

Burch RJ, Bowden GW, Woodward HW. Intraoral one-stage osteotomy for correction of mandibular prognathism: Report of a case. J Oral Surg 1961;19:72–76.

Caldwell JB, Letterman GS. Vertical osteotomy in the mandibular rami for correction of prognathism. J Oral Surg 1954;12:185.

Collins P, Epker BN. Alar base cinch: A technique for prevention of alar base flaring secondary to maxillary surgery. Oral Surg Oral Med Oral Pathol 1982;53:549–553.

Dal Pont G. Retromolar osteotomy for the correction of prognathism. J Oral Surg Anesth Hosp Dent Serv 1961;19:42.

De Clercq CA, Neyt LF, Mommaerts MY, Abeloos JV, De Mot BM. Condylar resorption in orthognathic surgery: A retrospective study. Int J Adult Orthodon Orthognath Surg 1994;9:233–240.

Dingman RO. Surgical correction of mandibular prognathism: An improved method. Am J Orthod Oral Surg 1944;30:683–692.

Edwards RC, Kiely KD. Resorbable fixation of Le Fort I osteotomies. J Craniofac Surg 1998;9:210–214.

Edwards RC, Kiely KD, Eppley BL. Resorbable PLLA-PGA screw fixation of mandibular sagittal split osteotomies. J Craniofac Surg 1999;10:230–236.

Epker BN. Modifications in the sagittal osteotomy of the mandible. J Oral Surg 1977;35:157–159.

Guyman M, Crosby D, Wolford LM. The alar base arch suture to control nasal width in maxillary osteotomies. Int J Adult Orthodon Orthognath Surg 1988;3:89–96.

Hinds EC, Girotti WJ. Vertical subcondylar osteotomy: A reappraisal. Oral Surg Oral Med Oral Pathol 1967;24:164–170.

Jones JK, van Sickels JE. Facial nerve injuries associated with orthognathic surgery: A review of incidence and management. J Oral Maxillofac Surg 1991;49:740–744.

Le Fort R. Fractures de la machoire superieure. Rev Chir 1901;4:360.

MacIntosh RB. Experience with the sagittal split osteotomy of the mandibular ramus: A 13-year review. J Maxillofac Surg 1981;8:151.

New GB, Erich JB. The surgical correction of mandibular prognathism. Am J Surg 1941;53:2–12.

Obwegeser H. Eingriffe an oberkiefer zur korrektur des prognenen. Zahnheilk 1965;75:356.

Obwegeser H, Trauner R. Zur operationstechnik bei der progenie und anderen unterkieferanomalien. Dtsch Zahn Mund Kieferheilkd 1955;23:H1–H2.

O'Ryan F, Schendel S. Nasal anatomy and maxillary surgery. II. Unfavourable nasolabial esthetics following the Le Fort I osteotomy. Int J Adult Orthodon Orthognath Surg 1989;4:157–174.

Precious DS, Goodday RH, Bourget L, Skulsky FG. Pterygoid plate fracture in Le Fort I osteotomy with and without pterygoid chisel: A computed tomography scan evaluation of 58 patients. J Oral Maxillofac Surg 1993;51:151–153.

Reyneke JP. The anterior maxillary osteotomy [in Afrikaans]. J Dent Assoc S Afr 1979;34:217–221.

Reyneke JP. Evaluation of the vitality of teeth following subapical osteotomy. J Dent Assoc S Afr 1981;36:19–22.

Reyneke JP. The Le Fort I Maxillary Osteotomy Surgical Manual. Jacksonville, FL: Lorenz Surgical, 2000.

Reyneke JP. The Sagittal Split Mandibular Ramus Osteotomy Surgical Manual. Jacksonville, FL: Lorenz Surgical, 1999.

Reyneke JP. The Sliding Genioplasty Surgical Manual. Jacksonville, FL: Lorenz Surgical (in press).

Reyneke JP, Ferretti C. Intraoperative diagnosis of condylar sag after bilateral sagittal split ramus osteotomy. Br J Maxillofac Surg 2002;40:285–292.

Reyneke JP, Johnson T, van der Linden WJ. Screw osteosynthesis in advancement genioplasty: A restrospective study of skeletal stability. Br J Maxillofac Surg 1997;35:352–356.

Reyneke JP, Masureik CJ. Condylar hyperplasia: An alternative method of treatment. J Dent Assoc S Afr 1979;34:335–339.

Reyneke JP, Masureik CJ. Treatment of maxillary deficiency by a Le Fort I downsliding technique. J Oral Maxillofac Surg 1985;43:914–916.

Reyneke JP, Tsakiris P, Becker P. Age as a factor in the complication rate after removal of unerupted/impacted third molars at the time of mandibular sagittal split osteotomy. J Oral Maxillofac Surg 2002;60:654–659.

Robinson M. Prognathism corrected by open vertical subcondylotomy. J Oral Surg 1958;16:215.

Schuchardt D. Ein Bietrag zur chirurgeschen kieferorthopadic unter berucksichtigung bedeutung fur die behandling angelborener und erworbener kiefer deformitaten bei soldaten. Dtsch Zahn Mund Kieferheilkd 1942;9:73.

Turvey TA. Intraoperative complications of sagittal split osteotomy of the mandibular ramus: Incidence and management. J Oral Maxillofac Surg 1985;43:504–509.

Van de Perre JP, Stoelinga PJ, Blijdorp PA, Brouns JJ, Hoppenreijs TJ. Perioperative morbidity in maxillofacial orthopaedic surgery: A retrospective study. J Craniomaxillofac Surg 1996;24:263–270.

Van Sickels JE, Larson AJ, Triplett RG. Predictability of maxillary and mandibular surgery: A comparison of internal and external reference marks. J Oral Surg 1986;61:542.

Wassmund M. Lehrbuch der probleschen Chirurgie des Mundes und der Kiefer, vol 1. Leipzig: Meuser, 1935.

Willmar K. On Le Fort I osteotomy, A follow-up study of 106 operated patients with maxillo-facial deformity. Scand J Plast Reconstr Surg 1974;12(suppl 12):1–68.

Index

찾아보기